# La guerre contre le Rull

# A.E. VAN VOGT

# La guerre contre le Rull

TRADUIT DE L'AMÉRICAIN
PAR GEORGES H. GALLET

**ÉDITIONS J'AI LU**

*Ce roman a paru sous le titre original :*

**THE WAR AGAINST THE RULL**

# 1

Lorsque le navire de l'espace s'évanouit dans les brumes vaporeuses d'Eristan II, Trevor Jamieson sortit son pistolet. Il se sentait étourdi, nauséeux d'avoir été secoué, ballotté un long moment dans le vent du sillage du grand vaisseau. Mais la conscience du danger le maintenait, tous les nerfs tendus, dans le harnais fixé par des suspentes au plateau antigravifique qui était au-dessus de lui. Les yeux plissés, il leva son regard sur l'ezwal qui le considérait par-dessus le bord du disque-parachute encore oscillant.

Ses trois yeux alignés, d'un gris terne d'acier poli, l'observaient, sans ciller ; sa massive tête bleue était en alerte, prête — Jamieson le savait — à reculer d'un coup à l'instant où il lirait dans ses pensées une intention de tirer.

— Bon, dit Jamieson rudement, nous voilà ici, tous les deux, à des milliers d'années-lumière de nos planètes natales. Et nous tombons dans un enfer sauvage qu'en dépit de ta facilité à lire mes pensées, tu ne peux même pas commencer d'imaginer, n'ayant seulement pour en juger que ta vie isolée sur la planète de Carson ; même un ezwal de trois tonnes ne peut y survivre seul.

Une grande patte garnie de griffes se glissa par-dessus le bord du disque, et d'un geste vif, se lança sur l'une des trois minces suspentes qui maintenaient le harnais de Jamieson. Il y eut un « ping » clair et métallique quand la suspente fut coupée par le coup de griffe, dont la force souleva Jamieson de plus d'un mètre de son harnais. Il retomba lourdement et se mit à se balancer au bout des deux suspentes restantes comme à un trapèze. Gauchement, le pistolet au poing, il se tordit le cou pour défendre ces deux dernières suspentes contre une attaque.

Mais l'ezwal ne fit pas d'autre mouvement menaçant et il ne resta que la grosse tête et les yeux calmes, fixes, qui le regardaient. Finalement, une pensée parvint à Jamieson. Froide et sans hâte. « Pour le moment, je n'ai qu'un seul souci. Sur les cent et quelques hommes de ton vaisseau, tu restes seul vivant. Seul de toute la race humaine, par conséquent, tu sais que les ezwal de ce que tu appelles la planète de Carson ne sont pas des animaux stupides, mais des êtres intelligents. Ton gouvernement, nous le savons, a de grandes difficultés à installer ou à garder des colons sur notre planète, parce que nous sommes considérés simplement comme une sorte de force naturelle, très dangereuse à combattre, mais inévitable. C'est exactement ainsi que nous voulons que reste la situation. Aussitôt que les êtres humains seraient convaincus que nous sommes un ennemi intelligent, ils nous livreraient une guerre systématique, totale. Cela nous gênerait sérieusement dans notre résolution immuable de chasser tous les intrus de notre monde. Parce que tu sais cela, plutôt que de prendre le moindre risque de te voir échapper aux dangers de la jungle au-dessous de nous, j'ai pris celui de sauter sur le dessus de ce plateau antigravifique au moment où tu te lançais hors du sas. »

— Qu'est-ce qui te rend si sûr, demanda Jamieson, qu'en me supprimant, la question sera réglée ? As-tu oublié l'autre vaisseau avec deux ezwals à bord, une femelle et son petit ? Au dernier contact, il n'avait pas été touché par le croiseur rull qui a détruit le nôtre, et il est probablement maintenant en route pour la Terre.

— Je ne l'ignore pas, répliqua dédaigneusement l'ezwal. Et je n'ignore pas non plus la franche incrédulité de son commandant lorsque tu as simplement insinué que les ezwals pourraient être plus intelligents que la plupart des êtres humains ne le soupçonnent. Toi seul pourrais être capable de convaincre le gouvernement de la Terre de la vérité, parce que toi seul en es certain. Quant aux autres ezwals que vous avez capturés, ils ne trahiront jamais les leurs.

— Les ezwals pourraient bien ne pas être aussi altruistes que tu le déclares, dit Jamieson cyniquement. Après tout, tu as sauvé ta propre vie quand tu as sauté sur ce disque antigravifique. Tu n'aurais pas été capable de faire fonctionner une vedette de sauvetage, tu te serais donc à l'heure qu'il est écrasé avec le vaisseau, et je doute que même un ezwal puisse...

Sa voix s'éteignit dans un cri de stupéfaction quand, dans une contorsion incroyablement rapide, l'ezwal se redressa, monstrueuse forme bleue, armée de crocs effrayants et de griffes acérées, et qui se tendait soudain pour affronter un oiseau gigantesque. Les ailes refermées, celui-ci plongeait droit sur le disque-parachute. Il ne s'écarta pas de son piqué. Jamieson eut une vision brève, terrifiante, de ses yeux exorbités et de ses serres crochues, prêtes à frapper l'ezwal.

Le choc de l'impact secoua le plateau comme un bouchon sur des vagues furieuses. Jamieson fut ballotté d'un côté sur l'autre à une rapidité vertigineuse. Le fracas des battements formidables de ces ailes immenses claquait comme des coups de tonnerre au-dessus de sa tête. Haletant, il leva son fulgurant. La flamme blanche jaillit vers l'une des ailes et la marqua d'une traînée sombre. L'aile s'affaissa et, simultanément, l'oiseau fut précipité hors du plateau par la force déchaînée de l'ezwal. Il s'abattit en tournoyant lentement, jusqu'à ce qu'il se perdît dans le fond sombre des terres.

Un crissement au-dessus de lui fit vivement lever les yeux de Jamieson. L'ezwal, périlleusement déséquilibré, chancelait tout au bord du plateau, ses quatre membres supérieurs battant vainement l'air. Les deux autres se cramponnaient dans un effort terrible aux barres de métal du dessus du plateau — et réussirent à le retenir. L'énorme bête recula jusqu'à ce que, de nouveau, seule sa tête massive fût visible, Jamieson abaissa son pistolet.

— Tu vois, dit-il avec un humour noir, même un oiseau était presque trop fort pour nous — et j'aurais pu t'ouvrir le ventre du jet de mon fulgurant. Je ne l'ai pas fait à cause de cette simple évidence que j'ai besoin de toi — comme tu as besoin de moi. Voilà la situation : autant que je puisse l'estimer, le vaisseau s'est maintenant écrasé sur le continent non loin du Pas du Démon, un bras de mer d'une trentaine de kilomètres de large qui sépare une grande île du continent. Nous sommes sortis tout juste à temps de ce vaisseau qui tombait ; une minute plus tard, avec le remous d'air, cela nous aurait été impossible. Mais maintenant notre seule chance de secours est de le retrouver. Il renferme des provisions de vivres, et il nous fournira un abri contre quelques-unes des formes de vie animale les plus intensément féroces de la Galaxie connue. Peut-être serai-je capable de réparer la radio subspatiale — ou même une des vedettes de sauvetage.

« Mais le rejoindre exigera toutes les ressources que nous pourrons rassembler à nous deux. D'abord, quatre-vingts kilomètres au moins de jungle dense et hostile, d'ici au Pas du Démon. Puis construire un radeau assez grand pour nous protéger de monstres marins qui pourraient t'avaler d'un coup.

« Toute ta formidable force et ta capacité de combat, plus tes facultés télépathiques, toute mon adresse plus mon pistolet atomique seront nécessaires pour nous tirer de là. Qu'en dis-tu ?

Pas de réponse. Jamieson glissa le fulgurant dans son étui. Cela n'arrangerait rien de blesser avec son arme le seul être qui pouvait l'aider à survivre. Il pouvait seulement espérer que l'ezwal, lui aussi, aurait soin de ne pas lui faire de mal.

Un vent chaud et humide soufflait sur lui, apportant les premières bouffées d'odeurs écœurantes venues d'en bas. Le plateau-parachute était encore à une grande hauteur, et pourtant, à travers les brumes vaporeuses qui enveloppaient ce monde primitif, des morceaux de jungle et de mer apparaissaient maintenant plus nettement — une masse désordonnée d'arbres sombres alternant avec une mer étincelante sous le soleil qui filtrait.

De minute en minute, le panorama devenait plus vaste et plus fantastique. Vers le Nord, aussi loin que l'œil pût voir parmi les vapeurs ondulantes, s'étalait un chaos de végétation humide. Au-delà, quelque part dans la brume indistincte, Jamieson savait que se trouvait le redoutable bras de mer appelé le Pas du Démon. Et tout cela s'unissait pour former cette réalité démesurée, mortelle, qu'était Eridan II.

— Puisque tu ne réponds pas, reprit Jamieson doucement, je crois deviner que tu penses que tu vas t'en tirer tout seul. Au cours de votre longue existence, au cours des longues générations de tes ancêtres, toi et les tiens avez toujours compté entièrement sur la magnifique puissance de votre corps pour survivre. Alors que les hommes se rassemblaient peureusement dans leurs cavernes, découvraient le feu comme moyen de protection partielle, créaient désespérément des armes qui n'avaient jamais existé auparavant, toujours à deux pas d'une mort violente — durant toutes ces centaines de siècles, les ezwals de la planète de Carson en parcouraient les vastes continents fertiles, sans peur, sans égaux en force comme en intelligence, sans besoin de maison, de feu, de vêtements, d'armes, ni de...

— L'adaptation à un environnement difficile, interrompit froidement l'ezwal, est l'objectif logique de l'être supérieur. Les êtres humains ont créé ce qu'ils appellent une civilisation, qui est, en fait, une barrière matérielle entre eux et leur environnement. Cette barrière est si complexe et si peu maniable que son simple entretien occupe l'existence entière de la race. Individuellement, l'homme est un *esclave* frivole, sans s'en douter, qui passe sa vie dans une soumission totale à l'artificialité et meurt misérablement de quelque faiblesse de son corps ravagé de maladies. Et c'est ce débile arrogant, avec sa volonté insatiable de domination, qui est le plus grand danger existant pour les races sensées et indépendantes de l'Univers !

Jamieson eut un rire bref.

— Mais tu admettras peut-être que, même selon vos propres conceptions, il y a quelque chose digne d'estime dans cette manifestation insignifiante de vie qui a lutté avec succès contre tous les périls, aspiré à tout savoir et finalement atteint les étoiles !

— Sottises ! répliqua l'ezwal d'un ton marqué d'une certaine impatience cassante. L'homme et ses pensées sont une plaie. La preuve : au cours de ces quelques dernières minutes, tu as avancé des arguments spécieux qui ne tendent qu'à faire une fois de plus appel à mon assistance. Exemple caractéristique de la malhonnêteté humaine.

« Comme autre preuve, continua l'ezwal, je n'ai qu'à envisager le moment de notre atterrissage. En supposant que je n'essaie pas de te faire de mal, toi, avec ta force pitoyable, tu seras continuellement en danger mortel, alors que moi — tu dois bien l'admettre — même s'il peut y avoir là des bêtes dont la force physique dépasse la mienne, la différence ne sera pas telle que mon intelligence ne puisse faire mieux qu'équilibrer la situation. En fait, je doute qu'il puisse s'y trouver une seule bête à la fois plus forte et plus rapide que moi.

— Une seule, non, dit Jamieson avec patience. (Il se sentait tendu et anxieux, conscient que chaque argument qu'il lançait pouvait signifier la vie ou la mort :) Mais, par exemple, votre planète très peuplée apparaîtrait déserte en comparaison de celle-ci. Même un soldat bien entraîné, bien armé ne peut résister seul contre une foule.

La réaction fut immédiate.

— En raisonnant ainsi, deux ne le pourraient pas non plus. Spécialement si l'un des deux est chétif par hérédité et représente plus un handicap qu'une aide pour l'autre, en dépit de la possession d'une arme sur laquelle il compte beaucoup trop.

Jamieson lutta pour maîtriser son exaspération.

— Je n'insiste pas, reprit-il, sur l'importance de mon arme, bien qu'elle ne doive pas être sous-estimée. Ce qui est important...

— C'est ta grande intelligence, je suppose, rétorqua l'ezwal, qui te pousse à prolonger indéfiniment une discussion futile.

— Pas *mon* intelligence, dit vivement Jamieson, mais *notre* intelligence. Je veux dire l'avantage de...

— Ce que tu veux dire est sans importance. Tu m'as convaincu que tu ne sortiras pas vivant de l'île qui est au-dessous de nous. Par conséquent...

Cette fois, deux grands bras s'abattirent d'un seul geste. Les deux suspentes restantes attachées au harnais de Jamieson furent coupées comme de simples fils. Le choc fut si formidable que Jamieson se trouva projeté en l'air et qu'il décrivit un arc de près de trente mètres avant de se mettre à tomber, le corps raidi, à travers l'air humide et lourd.

Une pensée à la froide ironie lui parvint : « Je remarque que tu es un homme prévoyant, Trevor Jamieson, tu n'as pas seulement un havresac accroché sur ton dos, mais aussi un parachute. Cela devrait te permettre d'atteindre le sol, en toute sécurité. A partir de là, tu seras libre d'exercer tes facultés d'argumentation sur n'importe lequel des habitants de la jungle que tu risques de rencontrer. Au revoir ! »

Jamieson tira le cordon d'ouverture de son parachute, serra les dents et attendit. Pendant un horrible moment, sa chute ne se ralentit pas. Il se tordit gauchement pour regarder, se demandant si le parachute s'était emmêlé avec l'une des trois suspentes coupées, encore attachées à son harnais. Son premier coup d'œil lui apporta une vague de soulagement. Le parachute commençait à s'extraire laborieusement de son sac. Il avait évidemment été entièrement trempé par l'extrême humidité et, même après qu'il se fut ouvert, plusieurs secondes passèrent avant qu'il se déploie complètement au-dessus de lui.

Jamieson détacha les restes des suspentes de son harnais et les lança au loin. Il tombait maintenant à une vitesse très modérée par suite de la densité de l'air — environ 1 265 gr par cm² au niveau de la mer. Il fit la grimace. Le niveau de la mer, c'est là qu'il allait se retrouver beaucoup trop vite maintenant.

Il vit que ce n'était pas la mer qui s'étendait juste au-dessous de lui. Quelques mares, oui, et quelques arbres épars. Le reste formait une sorte de clairière sauf que ce n'en était pas exactement une. Cela avait un aspect grisâtre, répugnant. Il reconnut soudain ce que c'était, avec un choc qui le fit pâlir. Un marécage... un océan insondable de vase visqueuse, collante ! Pris de panique, il tira de toute son énergie sur les suspentes de son parachute, comme si par simple force physique, il pourrait se déporter vers la jungle — cette jungle si proche bien que trop éloignée (il fit un rapide calcul) d'un demi-kilomètre. Il laissa échapper un gémissement et se contracta à l'idée de l'immonde engloutissement dont maintenant quelques minutes seulement le séparaient.

La menace mortelle du danger le galvanisa. Jamieson se mit à manœuvrer le parachute aussi adroitement qu'il pouvait afin d'en tirer le maximum de dérive. Brusquement, il s'aperçut que la masse serrée des arbres était hors de sa portée. Le parachute était à peine à cent soixante-dix mètres au-dessus de cette sinistre étendue de vase moirée. La jungle elle-même était à peu près à une distance équivalente, au nord-ouest. Pour l'atteindre, il aurait fallu un angle de descente de 45° au moins — ce qui était impossible en l'absence de vent. Au moment même où cette pensée lui venait, il sentit une très faible brise soulever légèrement le parachute et le pousser plus près

14

de son but. Mais cela n'avait pas fait suffisamment de différence.

La catastrophe approchait rapidement. La lisière de la jungle n'était plus qu'à une soixantaine de mètres, une trentaine, et il vit alors que ses pieds toucheraient la vase stagnante, vert-de-gris, dans quelques secondes. Il les leva tant qu'il put, agrippant en même temps, des deux mains, les deux groupes de suspentes qui partaient de son harnais. D'un formidable effort, il les enroula autour de ses poings et souleva tout son corps de la longueur de ses bras. Ce n'était pas encore assez. Ses genoux labourèrent la vase à une bonne dizaine de mètres des broussailles qui marquaient la plus proche terre ferme.

Immédiatement, il s'aplatit sur la surface molle afin de répartir son poids, bien que la puissante odeur de saumure du bourbier, près de son visage, lui rendît la respiration difficile. Avant que le parachute eût lâché tout son air, Jamieson desserra son étreinte sur les suspentes de façon qu'il soit entraîné le plus loin possible de lui. Peut-être le hasard ferait-il que...

Sa chance ne l'avait pas encore abandonné. Le parachute flasque retomba en festons dans le plus proche massif de broussailles. Il ne s'en dégagea pas lorsque Jamieson exerça une prudente traction. Mais son corps était déjà à demi immergé dans la vase molle qui l'aspirait. Il donna plusieurs secousses aux suspentes pour essayer, puis tira fermement. La vase s'accrochait à lui avec une insistance terrible.

Désespéré, Jamieson tira sur les suspentes aussi fort qu'il put. Son corps se dégagea en partie ; en même temps, s'entendit un bruit de déchirure qui venait du parachute, et les suspentes se détendirent. Tremblant, Jamieson les ramena ensemble jusqu'à ce qu'il sentît une résistance, puis il tira très fort de nouveau. Cette fois, son corps bougea plus facilement. Deux autres tractions et il glissa sur la surface où crevaient des bulles.

Exerçant une traction régulière sur les suspentes, il se hâla main sur main jusqu'à ce qu'enfin les racines solides d'un arbuste soient à sa portée. Dans un dernier sursaut frénétique d'énergie et d'écœurement, il se fraya un chemin, jouant des mains et des pieds à travers les branches de l'arbuste et il se jeta sur le parachute accroché dans un haut buisson. Le buisson plia sous son poids puis le soutint, en balançant. Pendant plusieurs minutes, il resta allongé là sur le ventre, presque inconscient de ce qui l'entourait.

Lorsqu'il regarda autour de lui, ce fut pour subir une grosse désillusion — encore plus profonde après les émotions qu'il venait de connaître. Il se trouvait sur une petite île, séparée de la masse principale de la forêt par près de trente mètres de marécage. L'île avait environ dix mètres de long sur sept de large ; cinq arbres, dont le plus gros avait une dizaine de mètres de haut, vivaient d'une existence précaire sur son sol spongieux mais relativement ferme.

Ce sentiment négatif céda la place à l'espoir. La hauteur additionnée des cinq arbres représentait plus de trente mètres au total. Une longueur nettement suffisante. Mais... Sa première lueur d'espoir s'évanouit. Il avait une petite hachette dans son havre-

16

sac. Il s'imagina en train d'abattre les arbres avec cette hachette, de les ébrancher et de les faire glisser pour les placer bout à bout. Ce serait une tâche longue et ardue.

Jamieson s'assit, conscient pour la première fois d'une douleur sourde dans les épaules, de la tension éprouvante de tout son corps, et de la chaleur oppressante. Il pouvait à peine voir le soleil, tache blanche dans le ciel brumeux, mais il était presque à l'aplomb de sa tête. Cela indiquait, sur cette planète à la rotation plutôt lente, qu'il s'écoulerait une douzaine d'heures avant la nuit. Il poussa un soupir et se dit qu'il ferait mieux de profiter de la sécurité de cet endroit isolé et de se reposer un moment. Tout en choisissant un coin abrité par les broussailles, il se souvint avec inquiétude du gigantesque oiseau de proie rencontré plus tôt. Il s'étendit sur le gazon humide et roula sous l'abri d'un dais de feuillage.

La chaleur y était supportable bien que l'ombre fût éparse. De toutes parts, le ciel luisait d'une blancheur éblouissante. Cela lui faisait mal aux yeux et il les ferma.

Il devait avoir dormi, car lorsqu'il les rouvrit, il lui fallut un moment pour retrouver le soleil. Il s'était déplacé d'une certaine distance vers l'horizon. Deux heures avaient passé au moins, peut-être trois. Jamieson remua, s'étira et se rendit compte qu'il se sentait bien reposé. Son esprit n'alla pas plus loin que cette constatation : il s'arrêta là sous le choc d'une découverte confondante.

Un pont d'arbres abattus, plus gros, plus solides qu'aucun de ceux de la petite île, s'allongeait droit et ferme par-dessus la vase jusqu'à la jungle en face. Le cerveau de Jamieson se mit à fonctionner de nouveau. Il ne pouvait guère, après tout, avoir de doute quant à l'auteur de ce tour de force colossal. Et pourtant, quoique sa conjecture ne pût être que la bonne, il ressentit une panique vague, primitive, quand la masse bleue, quasi reptilienne, de l'ezwal, se dressa au-dessus des broussailles et que trois yeux d'acier se tournèrent vers lui. Une pensée lui parvint : « Tu n'as pas besoin d'avoir peur, Trevor Jamieson. En y réfléchissant, ton point de vue m'a semblé avoir quelque mérite. Je t'aiderai pour le moment et... »

Le rire aigre de Jamieson coupa cette pensée :

— Ce que tu veux dire, c'est que tu t'es trouvé en face de quelque chose dont tu ne peux pas te tirer. Comme tu prétends jouer l'altruiste, je pense qu'il me faudra patienter pour savoir ce qui est arrivé. (Il endossa son havresac et se dirigea vers le pont :) En attendant, nous avons pas mal de chemin à faire.

## 2

Le serpent géant rampa lourdement hors de la jungle, à trois mètres de la terre ferme où aboutissait le pont de troncs d'arbres, et à dix mètres à gauche de l'ezwal qui avait déjà traversé. Jamieson, qui avançait d'un pas prudent vers le milieu du pont, avait vu la première ondulation violente des longues herbes bordées de pourpre ; il s'immobilisa où il était quand la large et horrible tête apparut, dressée, suivie des six ou sept premiers mètres d'un corps jaunâtre, luisant, gros de près d'un mètre. Un bref instant, l'énorme tête se tourna vers lui. Les petits yeux porcins semblèrent lancer un regard menaçant, droit dans les siens.

Le choc paralysa Jamieson — le choc et une consternation totale devant l'incroyable malchance qui voulait que cette terrible créature le trouve dans une situation aussi désespérée. Son immobilité, là, sous ces yeux flamboyants, était une chose atroce — un raidissement incontrôlable qui tendait tous ses muscles. Mais cela réussit. L'épouvantable tête se détourna d'un coup pour se fixer avec une fascination avide sur l'ezwal. Jamieson se détendit un peu. Sa peur se

teinta de colère. Il lança une pensée acerbe à l'ezwal :
« Je croyais que tu pouvais percevoir l'approche des
bêtes dangereuses en lisant dans leur cerveau ! »

Aucune réponse ne vint. Le monstrueux serpent se
coula plus avant dans la clairière, la tête plate, cornue,
se mouvant doucement au-dessus du long corps on-
dulant. L'ezwal recula lentement, concédant à regret
qu'il n'était pas de taille à lutter contre cette gigantesque créature.

Maintenant plus calme, Jamieson adressa une autre pensée à l'ezwal : « Cela t'intéressera peut-être de
savoir que, comme chef de la Commission militaire
interstellaire, j'ai reçu un rapport sur Eristan II, il
n'y a pas très longtemps. Selon l'avis de notre expédition de reconnaissance, sa valeur comme base militaire est très douteuse, pour deux principales raisons : l'une des pires plantes carnivores dont on ait
jamais entendu parler et cette jolie bestiole. Les
deux existent par millions. Chaque serpent donne
naissance à des centaines d'autres au cours de sa vie
— leur nombre n'est limité que par les ressources
en nourriture, dont font potentiellement partie toutes
les autres espèces de la planète, si bien qu'ils ne
peuvent pas être exterminés. Ils atteignent une longueur de quarante-cinq mètres et un poids de huit
tonnes. Contrairement à la plupart des autres prédateurs de cette planète, ils chassent de jour. »

L'ezwal, maintenant à une quinzaine de mètres du
serpent et reculant toujours lentement, envoya à
Jamieson une rapide série de pensées : « Son apparition m'a en effet surpris, mais seulement parce que
son cerveau ne contenait qu'une vague curiosité au

**20**

sujet de quelques bruits, aucune intention claire de tuer. Mais cela n'a pas d'importance : il est là et il est dangereux. Il ne croit pas qu'il peut me vaincre mais il suppute ses chances, d'une manière rudimentaire. En dépit de son appétit pour moi, le problème reste essentiellement le tien ; le danger est *tout entier* pour toi. »

— Ne sois pas trop sûr que tu ne te trouves pas en danger, dit rudement Jamieson. Ce copain-là a l'air d'un gros tas de muscles, mais quand il démarre il se détend comme un ressort d'acier pendant les cent ou cent vingt premiers mètres.

Une impression d'arrogante confiance en soi accompagna la réplique de l'ezwal :

— Je peux franchir cent vingt mètres avant que tu puisses compter jusqu'à quatre sur tes doigts.

— *Dans cette jungle ?* A une demi-douzaine de mètres de sa lisière, elle est épaisse comme un mur, ou plutôt comme des murs successifs. Je ne doute pas qu'en dépit de cela, avec ta force formidable, tu puisses te frayer un chemin à travers elle, mais pas aussi vite, et de loin, que ce serpent qui est bâti tout exprès pour s'y déplacer. Il pourrait peut-être perdre une proie aussi petite que moi dans ce fouillis, mais dans ton cas...

— Et pourquoi, interrompit l'ezwal, serais-je assez bête pour me lancer dans la jungle alors que je peux rester à la lisière sans que rien ne me gêne ?

— *Parce que, riposta* Jamieson d'un ton réfrigérant, *tu te jetterais dans un piège*. Si je me souviens bien de la configuration du terrain telle que je l'ai vue d'en haut, la jungle se termine en une pointe étroite

21

à quelques centaines de mètres derrière toi. Et je ne parierais pas que le serpent n'est pas assez malin pour en profiter.

Il y eut un silence embarrassé et finalement :

— Pourquoi ne braques-tu pas ton pistolet atomique sur lui — et ne le grilles-tu pas ?

— Pour qu'il se précipite sur moi pendant que je serai en train de percer son crâne dur pour atteindre son minuscule cerveau ? Ces serpents passent la moitié de leur vie dans cette vase et se déplacent sur elle aussi facilement que n'importe où ailleurs. Désolé, mais je ne peux pas me mesurer seul avec lui.

Les brèves secondes qui suivirent alors furent lourdes de tension et de perplexité, mais il n'était plus possible d'attendre, comme l'ezwal dut le sentir. L'inévitable demande vint avec répugnance.

— Je suis disposé à écouter tes suggestions... *mais fais vite*

Jamieson se rendit compte alors, avec découragement, que l'ezwal sollicitait de nouveau son assistance *en sachant* qu'elle lui serait apportée, mais sans rien promettre en retour. Il n'était plus temps de marchander. Sèchement, il transmit : « Nous devons agir en équipe. Avant que le serpent n'attaque, sa tête se mettra à balancer. C'est une méthode presque universelle des reptiles pour hypnotiser leurs victimes et les paralyser. En fait, cette méthode est en partie auto-hypnotique pour le serpent lui-même, car elle concentre sa propre attention sur sa future proie. Quelques secondes après que sa tête aura commencé à se balancer, je lui brûlerai la région des yeux, ce qui endommagera ou détruira sa vision. Alors, tu sauteras sur son dos — vite ! Son cerveau est situé juste en arrière de sa corne, tâche de l'arracher avec tes griffes ou avec tes dents si tu peux, tandis que j'essaierai de l'affaiblir en m'attaquant à son corps. *Le voilà qui commence !* »

L'énorme tête avait commencé à bouger. Jamieson leva lentement son arme, luttant pour raffermir sa main tremblante. Lorsqu'il fut sûr de sa visée, il appuya sur le bouton de détente.

Ce ne fut pas tellement que le serpent livrât alors un terrifiant combat mais surtout qu'il ne voulait pas mourir. Sa carcasse fumante se tordait encore une demi-heure après que Jamieson fut parvenu, chancelant de faiblesse, au bout du pont de troncs d'arbres et se fut effondré sur le sol. Lorsque enfin il se remit sur pied, l'ezwal était assis à une quinzaine de mètres de lui sur la plage étroite et le considérait. Il était d'une étrange beauté luisante avec son pelage bleu et la souplesse de sa forme massive. Jamieson trouva un peu de réconfort dans le fait que, pour le moment du moins, les muscles puissants qui roulaient sous ce poil lisse étaient dans son camp.

Il regarda calmement l'ezwal dans les yeux, et dit enfin :

— Qu'est devenu le plateau antigravifique ?

— Je l'ai abandonné à une cinquantaine de vos kilomètres au nord d'ici.

Jamieson hésita un instant :

— Il faut que nous y retournions, dit-il. J'ai pratiquement épuisé la charge de mon pistolet sur ce serpent. Il faut une pile autorégénératrice pour le recharger et la seule qui existe ici est celle qui se trouve sur ce disque. Nous aurons encore besoin de mon arme, je suis sûr que tu seras d'accord là-dessus.

Pas de réponse. Jamieson hésita encore puis parla avec décision :

— Le moyen d'y arriver rapidement est évidemment que je monte sur ton dos. Je peux retourner chercher le gréément de mon parachute sur la petite île et arranger une sorte de harnais pour ton cou et tes pattes de devant, afin de me maintenir en place. Qu'en dis-tu ?

Cette fois, une sensation de supplice mental fut évidente avant que le fier animal pût acquiescer. « Sans aucun doute, émit-il finalement, avec dédain, ce serait un moyen de transporter un être aussi chétif que toi. Très bien, va chercher ton harnais. »

Quelques instants plus tard, Jamieson approcha de l'ezwal avec une hardiesse qu'il ne ressentait guère en vérité et déroula le paquet du parachute sur le sol, à côté de lui. De près, l'énorme masse de l'ezwal était véritablement imposante, et même surprenante, car à distance, sa souplesse et l'aisance de ses mouvements tendaient à le faire paraître plus petit. Jamieson se sentait vraiment chétif en se mettant à la tâche étrange de bricoler un harnais pour ce monstre à six pattes.

A maintes reprises, lorsqu'il touchait son corps, Jamieson ressentit une faible vague de répugnance émaner du cerveau de l'animal.

— Cela devrait faire l'affaire, dit-il enfin, en examinant son travail.

Il avait enroulé les longues et solides suspentes du parachute avec la toile comme rembourrage et les avaient entrecroisées sous le corps de la bête entre ses pattes de devant et celles du milieu, pour en faire un harnachement bien ajusté qui laisserait à l'ezwal une entière liberté de mouvement. Attachées juste derrière son cou, les courroies de ce harnais original formaient des étriers grossiers mais efficaces.

Une fois sur le dos de l'ezwal, Jamieson se sentit un peu moins vulnérable.

— Avant que nous partions, dit-il doucement, qu'est-ce qui a pu t'arriver pour que tu changes d'avis ? J'en ai une idée...

Il fut presque désarçonné de son perchoir par le premier grand bond de l'ezwal, et ensuite tout ce qu'il put faire fut de se cramponner. L'ezwal ne faisait rien, apparemment, pour rendre les choses plus faciles à ce cavalier peu souhaité. Cependant, après un certain temps, lorsque Jamieson se fut mieux accoutumé au rythme bizarre d'un galop sur six pattes, il commença à se sentir un peu enivré par la plus folle de toutes les chevauchées sauvages. A gauche, la jungle défilait à une allure vertigineuse tandis que l'énorme bête fonçait le long de la plage. Puis les arbres se refermèrent comme une voûte au-dessus de lui quand l'animal s'engagea à travers une zone de végétation moins dense que le reste de la forêt. Infailliblement, l'ezwal choisissait sa direction sans ralentir la vitesse, comme si son instinct hautement développé lui indiquait exactement le chemin par lequel il était venu.

Soudain arriva un ordre sec :
— Cramponne-toi !

Jamieson resserra instantanément sa prise sur le harnais et se pencha en avant, calant les pieds de toutes ses forces dans les étriers, juste à temps. Sous lui, les muscles d'acier se tordirent. L'énorme corps se jeta violemment de côté puis d'un élan formidable bondit en avant.

Presque immédiatement l'aveuglante impulsion de vitesse diminua, et Jamieson put regarder en arrière. Il eut la brève vision de plusieurs grands animaux à quatre pattes qui ressemblaient vaguement à des hyènes démesurées, avant qu'elles fussent masquées par les arbres, irrémédiablement distancées. Elles n'esquissèrent aucun mouvement de poursuite. C'était très sage de leur part, sembla-t-il à Jamieson. La magnifique créature qui était sous lui, plus grosse qu'une douzaine de lions, plus dangereuse que cent, était de toute évidence fort bien armée pour survivre sur cette planète. La lueur de sincère admiration de Jamieson s'évanouit. Ses yeux avait accidentellement regardé au-dessus des arbres et aperçu un mouvement dans le ciel. Comme il levait brusquement la tête pour mieux voir, un vaisseau spatial gris apparut hors des brumes qui empanachaient les cieux d'Eristan II.

*Un croiseur rull !*

En dépit de lui-même, cette identification jaillit nettement dans son esprit. Tandis qu'il observait avec un malaise songeur, le grand vaisseau, à l'aspect aussi cruel qu'un espadon, avec son long nez pointu, descendit vers la lisière de la jungle et disparut au loin. Il n'y avait guère de doute qu'il allait atterrir. Et il lui était inutile de se cacher sa surprise, elle était trop complète. L'apparition du grand croiseur rull était potentiellement désastreuse.

La pensée de l'ezwal lui parvint avec une note de triomphe. « Je n'ignore pas l'idée que tu as derrière la tête. Plutôt que d'être livré aux Rulls et que des renseignements précieux te soient arrachés de force, tu te brûlerais la cervelle avec ton propre pistolet. Je crois que ce genre d'héroïsme est assez courant des deux côtés, dans le conflit entre les hommes et les Rulls. Je te préviens ; n'essaie pas de sortir ton arme sinon je t'écrase. »

Jamieson avala la grosse boule qu'il avait dans la gorge. Il était écœuré et ressentait une rage folle devant cette incroyable malchance : l'arrivée de ce vaisseau, ici — juste à ce moment !

Désespéré, il se soumit au rythme exigeant du galop régulier de l'ezwal. Pendant un moment il n'y eut que le vent chargé d'une odeur de décomposition et le bruit mat, sourd, cadencé des six pattes. Autour d'eux s'étendait la jungle avec, de temps en temps, le bizarre *lap-lap* d'eaux traîtresses. Et tout était là, l'étrangeté, le terrible de cette chevauchée folle d'un homme sur le dos d'une créature, quasi animale, au pelage bleu, qui le haïssait... et était informée de la présence du vaisseau.

— Tu es fou, dit-il enfin d'une voix morne, si tu crois que les Rulls représentent un avantage pour toi ou pour ta race.

Le thème lui était si familier et d'une vérité tellement évidente, qu'il n'avait pas de difficulté à poursuivre en n'y consacrant qu'une faible partie de son attention. Pendant ce temps, il ramassait son corps avec les plus grandes précautions, les yeux fixés comme par hasard sur une branche tendue à peu de distance en avant d'eux. Il conclut son argument avec une véhémence qui était tout à fait authentique.

— Les Rulls sont les plus traîtres, les plus racialement égocentriques...

Au dernier moment, alors qu'il mesurait la distance pour ce saut risqué, son projet dut filtrer de son cerveau. D'un mouvement convulsif, l'ezwal se cabra, fit un écart, et Jamieson fut plaqué en avant contre la surface dure comme du métal d'une épaule aussi saillante que vigoureuse. A demi assommé, il lutta à l'aveuglette pour garder l'équilibre et s'accrocha tant bien que mal tandis que l'animal voltait brutalement. Un instant plus tard, ils débouchèrent sur la plage d'une baie à la mer d'un vert d'émeraude. Sur le sable brun et tassé du bord de l'eau, l'ezwal reprit son allure rapide, infatigable.

Comme si l'incident qui venait de se produire était trop insignifiant pour être discuté, il lança une pensée d'un ton détaché : « D'après ce que j'ai lu dans ton esprit, tu penses que ces créatures ont atterri parce qu'elles ont repéré l'infime émission d'énergie du plateau antigravifique. »

Il fallut un moment pour que Jamieson recouvre son souffle. Encore haletant, il dit enfin :

— Il faut qu'il y ait une raison logique et à moins que tu n'aies coupé le débit d'énergie comme je l'ai fait sur le vaisseau spatial...

La pensée de l'ezwal devint méditative. « Cela doit être la raison de leur atterrissage. Si leurs instruments ont également enregistré l'utilisation de ton pistolet sur le serpent, ils savent aussi que quelqu'un est encore vivant ici. La meilleure solution pour moi est de me diriger droit vers eux avant qu'ils nous découvrent et nous attaquent tous deux comme des ennemis. »

— Tu es un imbécile ! dit Jamieson en durcissant le ton. Ils nous *tueront* tous les deux comme des ennemis. Nous *sommes* leurs ennemis et pour une unique raison : parce que nous ne sommes pas des Rulls. Si tu ne peux pas comprendre ce simple fait...

— Il fallait bien s'attendre que tu dises cela, coupa sardoniquement l'ezwal. En fait, je suis déjà quelque peu en dette vis-à-vis d'eux. D'abord, pour le jet d'énergie qui foudroya ton vaisseau et éventra un côté de ma cage. Ensuite pour avoir détourné l'attention, ce qui me permit d'approcher des êtres humains sans être découvert et de les tuer tous. Je ne vois pas de raison pour que les Rulls n'acceptent pas avec satisfaction l'offre que je leur ferai au nom de ma propre race — de les aider à chasser les hommes de la planète de Carson. Et il faut espérer que les renseignements qu'ils tireront de ton cerveau contribueront au même but.

Jamieson sentit une fureur noire monter en lui. Il ne la combattit qu'à cause de l'extrême urgence. Il ne devait pas abandonner, même si la tâche semblait sans espoir. Il devait convaincre ce fier et imprudent ezwal de la complète folie de son plan. Il maintint sa voix dans un registre monotone et grinçant :

— Et quand vous aurez fait cela, imagines-tu que les Rulls s'en iront tranquillement et vous laisseront en paix ?

— Qu'ils osent donc rester !

La simple arrogance aveugle de cette remarque était déjà presque insupportable. De nouveau, Jamieson lutta pour contenir sa colère. Il ne devait pas oublier, se dit-il avec fermeté, que cette créature fondamentalement intelligente parlait du point de vue relativement ignorant d'une culture non technique — et sans connaissance préalable de l'ennemi radical du genre humain. Il parla lentement avec une grande insistance.

— Il est temps que tu prennes conscience de certains faits. L'homme n'est arrivé sur la planète de Carson qu'avec quelques mois d'avance sur les Rulls. Pendant que vous, les ezwals, nous rendiez aussi difficile que vous le pouviez l'établissement d'une base, nous menions dans l'espace de longues batailles retardatrices, vous protégeant des êtres les plus impitoyables, les plus dépourvus de raison que la Galaxie ait jamais engendrés. Les meilleures armes des hommes valent les meilleures armes des Rulls, mais à certains points de vue, nous avons découvert qu'ils ont l'avantage sur nous. D'une part, leur technologie est plus ancienne, elle s'est développée plus régulièrement que la nôtre. D'autre part, ils possèdent l'étonnante faculté de modifier et de contrôler certaines ondes électromagnétiques, y compris celle du spectre visible, par les cellules de leur organisme — un héritage de ces vers ressemblant à des caméléons dont on croit qu'ils sont issus. Cette faculté leur donne une maîtrise du déguisement et du camouflage personnels qui a fait de leur réseau d'espionnage une perpétuelle menace.

Jamieson marqua une pause, péniblement conscient de la barrière obstinée qui se dressait entre son esprit et celui de l'ezwal. Il poursuivit avec résolution :

— Nous n'avons *jamais* pu déloger les Rulls d'aucune planète où ils s'étaient établis. Au contraire, ils nous ont chassés de trois bases importantes, en l'espace d'un an, après notre premier contact, avant que nous ayons pleinement réalisé la menace du péril et résolu de résister partout à tout prix. Et c'est avec ces êtres-là que tu projettes de t'allier contre les hommes ?

« Dans quelques minutes d'ici, oui », répliqua la pensée butée de l'ezwal.

Cette réaction était encore plus choquante du fait qu'elle témoignait d'une insouciance complète à l'égard de tout ce que Jamieson avait dit.

Le temps de la discussion était passé. Jamieson s'en rendit compte brusquement — si brusquement qu'il agit presque sans y penser consciemment. C'est ainsi qu'il put dégainer son fulgurant sans être soupçonné et en enfoncer durement le canon dans le dos de l'ezwal. Triomphant, il appuya sur la détente ; il y eut un jet de flamme blanche qui jaillit sans obstacle de l'arme... et ne frappa rien !

Un instant passa avant que Jamieson put saisir le fait stupéfiant qu'il voltigeait dans l'air, où il avait été lancé d'une seule et vive contorsion de ce grand corps souple.

Il tomba dans les broussailles. Des lianes épineuses lacérèrent ses vêtements, écorchèrent ses mains et s'accrochèrent sauvagement à son pistolet. Ses vêtements se déchirèrent, son sang coula en longues traînées affreuses, tout céda à la jungle griffue, sauf la chose la plus importante de toutes. Avec une âpre ténacité, il ne lâcha pas son arme.

Il atterrit sur le flanc, roula sur lui-même en un éclair et braqua son fulgurant, le doigt de nouveau sur la détente. A un mètre de ce canon menaçant, l'ezwal se dressa, sa vaste gueule déformée par un grondement hideux, fit un bond de dix mètres sur le côté et disparut dans les épaisseurs de feuillage enchevêtré.

Etourdi et tremblant, presque malade à vomir, Jamieson s'assit et considéra à la fois l'étendue de sa défaite et les limites de sa victoire.

# 3

Tout proches, à l'entour, se dressaient les arbres bizarres au tronc épais de cette jungle étrange — bizarres parce que, en réalité, ce n'étaient pas vraiment des arbres mais des champignons d'un jaune brunâtre tacheté qui s'élevaient péniblement à une hauteur de dix ou douze mètres à travers la masse entremêlée de lianes hérissées d'épines, de lichens verts et d'herbes bulbeuses, rougeâtres. L'ezwal avait foncé à travers cette végétation épaisse et sauvage avec une force irrésistible. Pour un homme à pied — spécialement s'il n'osait gaspiller la charge faiblissante de son arme — c'était un obstacle presque insurmontable à toute progression, l'étroite bande de sable de la plage qu'ils avaient suivie n'était pas trop loin, mais elle avait brusquement tourné dans la mauvaise direction, peu avant, et l'ezwal s'était de nouveau enfoncé dans l'intérieur des terres.

Il n'y avait qu'un seul élément positif dans la situation actuelle : du moins n'était-il plus emporté, sans pouvoir résister, vers un croiseur spatial chargé de Rulls.

De Rulls !

D'un bond, Jamieson se remit sur ses pieds. L'herbe épaisse fléchit traîtreusement sous lui ; avec une hâte prudente, il gagna un sol plus ferme. Là, il se mit à parler d'une voix basse et monotone, sachant que ses pensées sinon ses paroles atteindraient l'intelligence aiguë, tapie quelque part dans ce fouillis insensé de lumière et d'ombre qui l'entourait. « Nous devons agir vite. Les décharges de mon fulgurant doivent avoir été enregistrées par les instruments des Rulls, et ils seront ici dans quelques minutes. C'est votre dernière chance de réviser votre position à l'égard des Rulls. Je ne peux que vous répéter que votre idée de prendre les Rulls comme alliés est une folie. Ecoutez la vérité pure et simple : nos vaisseaux espions qui ont eu la chance de revenir ont rapporté que chacune des planètes qu'ils ont visitées par centaines est habitée par... des Rulls. Aucune autre créature, d'une intelligence suffisante pour offrir une résistance organisée n'a pu être découverte. Il doit pourtant en avoir existé quelques-unes. *Que sont-elles devenues ?* »

Jamieson s'obligea à marquer un temps, afin de permettre à la question de bien s'enfoncer, puis il reprit rapidement : « Sais-tu ce que l'homme fait quand il se heurte à une hostilité aveugle, fanatique, sur une planète quelconque ? Cela est arrivé à maintes reprises. Nous mettons la planète en quarantaine, tout en plaçant autour d'elle un cordon de vaisseaux pour la défendre contre une attaque possible des Rulls. Puis nous consacrons beaucoup de temps, un temps que les Rulls considéreraient comme perdu,

34

à essayer d'établir des relations pacifiques avec les habitants de la planète. Des équipes d'observateurs entraînés étudient leur culture et en déduisent autant que possible de leur psychologie de façon à aller jusqu'à l'origine de cette discorde.

« Si toutes les tentatives échouent, nous décidons du moyen le moins sanglant de prendre la place de leur gouvernement ou de leurs gouvernements et lorsque cela est accompli, nous entreprenons de réviser avec soin leur culture pour n'en retirer que les éléments, généralement plus ou moins paranoïaques, qui s'opposent à une coopération avec d'autres races. Au bout d'une génération, leur complète autonomie est rétablie et le libre choix leur est offert de rejoindre ou non la fédération qui comprend maintenant près de cinq mille planètes. Pas une seule fois, cet énorme et coûteux pari de notre part n'a manqué de réussir.

« Je cite ces exemples simplement pour te montrer le gouffre immense qu'il y a entre la méthode des humains et celle des Rulls. Il ne devrait y avoir pour nous aucune nécessité d'occuper la planète de Carson. Vous, les ezwals, êtes assez intelligents pour voir qui est votre véritable ennemi, si vous voulez bien vous donner la peine d'y réfléchir. Toi-même, ici et maintenant, tu peux être le premier à le faire. »

Il n'y avait rien de plus à dire. Jamieson s'arrêta et attendit pendant un temps qui lui sembla long, mais pas la moindre réponse ne lui parvint de l'étrange jungle silencieuse qui l'entourait. Le découragement s'empara de lui. C'était la fin de l'après-midi et il pouvait apercevoir la lueur brouillée du soleil à travers les lianes retombantes. Il se rendit brutalement compte que sa situation déjà très grave deviendrait bientôt désespérée.

Car, même s'il échappait aux Rulls, dans deux heures au plus, les grands prédateurs et les reptiles carnassiers qui rôdaient dans les longues nuits de cette planète vierge sortiraient affamés de leurs tanières, tous leurs sens à l'affût de proies beaucoup mieux armées pour survivre que lui. Peut-être, s'il pouvait trouver un arbre, un vrai, avec de bonnes branches solides et élevées, et arranger une sorte de système avertisseur avec des lianes...

Il se mit à avancer peu à peu, en évitant les masses de buissons épars qui auraient pu dissimuler quelque chose d'aussi gros qu'un ezwal. La progression était pénible et au bout de quelques centaines de mètres il eut les bras et les jambes endoloris. A ce moment, très brusquement, la première indication que l'ezwal était encore dans le voisinage, lui parvint sous la forme d'une pensée âpre et pressente : « Il y a une créature qui plane au-dessus de moi, et qui me guette ! C'est comme un énorme insecte aussi gros que toi, avec des ailes diaphanes, presque invisibles. J'ai la sensation d'un cerveau mais ses pensées... n'ont pas de sens ! je... »

— Pas de sens ! l'interrompit Jamieson, la voix étranglée. C'est pas de sens pour toi qu'il faut dire. Les Rulls sont beaucoup plus différents de toi et de moi que nous ne le sommes l'un de l'autre. On a lieu de croire qu'ils peuvent être venus d'une autre galaxie, bien que cette théorie ne soit pas confirmée. Cela ne m'étonne pas que tu ne puisses pas lire dans sa pensée. (Tout en parlant, Jamieson se glissa lentement sous un abri plus épais, son arme levée, prête à tirer :) De plus, il est porté par une plate-forme antigravifique plus petite et plus efficace que tout ce que nous, les être humains, avons été capables de produire jusqu'à maintenant. Ce qui te semble être des ailes n'est qu'une sorte d'auréole, résultant de son contrôle cellulaire des ondes lumineuses. Tu as le périlleux privilège de voir un Rull sous sa forme naturelle, qui n'a été révélée qu'à quelques êtres humains. La raison peut en être qu'il pense que tu es un animal sans intelligence et tu es peut-être à l'abri de... Mais non ! Il doit voir le harnais que tu portes !

« Non ! (Le démenti de l'ezwal contenait une note de dégoût :) Je m'en suis débarrassé dès notre séparation. »

Jamieson eut un hochement de tête :

— Alors, agis à la manière d'un animal. Grogne contre lui tout en reculant, mais fonce comme une flèche dans la broussaille la plus épaisse s'il avance l'un de ses appendices réticulés qui se trouvent près des espèces d'entailles qu'il a de chaque côté du corps.

Il n'y eut pas de réponse.

Les minutes s'éternisèrent tandis que Jamieson s'efforçait de saisir les bruits qui pourraient lui permettre de deviner comment évoluait, hors de vue, la périlleuse situation. Est-ce que l'ezwal ferait une tentative pour entrer en communication avec le Rull par des moyens autres que la télépathie, en dépit du danger dont il semblait se rendre compte ?

Pire encore, le Rull, prenant conscience de l'intelligence de l'ezwal, verrait-il un avantage à former avec lui une alliance diabolique ? Jamieson eut un frisson à l'idée de ce qui pourrait alors arriver sur la planète de Carson.

Il entendit des bruits — de petits bruits troublants venant de partout autour de lui : le craquement éloigné des broussailles cédant au passage de quelque énorme créature impossible à deviner ; de faibles grognements et reniflements ; un sinistre cri vibrant, assourdi, venant d'un endroit indéterminé, peut-être très proche. Il s'enfonça plus profondément dans l'amas de broussailles et jeta prudemment un coup d'œil aux alentours, s'attendant à moitié qu'une forme colossale, menaçante, surgisse au milieu des brumes fétides qui retombaient maintenant sur le sol, envahi peu à peu par l'obscurité.

La tension devint plus forte que ce qu'il pouvait supporter. Il *fallait* qu'il sache ce qui se passait là-bas. Il supposerait donc que l'ezwal suivait ses conseils.

Se concentrant, silencieux, il lança une pensée : « Est-ce qu'il te suit toujours ? »

La rapidité de la réponse le surprit. « Oui ! Il semble m'étudier. Reste où tu es. J'ai un plan. »

Jamieson se redressa d'un coup sous son abri.
— Ah oui ? dit-il.

L'ezwal continua : « Je vais rabattre cette créature vers toi. Tu la détruiras avec ton fulgurant. En échange, je t'offre de t'aider à traverser le Pas du Démon. »

Toute lassitude abandonna Jamieson. Exultant, il se

leva et avança de quelques pas, soudain sans souci des dangers possibles.

Il ne pouvait pas y avoir de doute : l'ezwal avait abandonné tout projet d'alliance avec les Rulls ! Que ce fut à la suite des avertissements explicites de Jamieson ou de sa propre découverte d'une barrière de communication, ne faisait guère de différence. L'important était que le péril, qui était né lors de la première vision du vaisseau rull, avait maintenant disparu.

Il lui vint soudain à l'esprit qu'il avait négligé d'accepter formellement la proposition de l'ezwal. Il était sur le point de le faire quand une onde cinglante de pensée venant de la bête géante rendit cette réponse inutile.

« J'ai senti ton accord, Trevor Jamieson, mais prends garde ! Je n'ai considéré les Rulls en tant qu'alliés que simplement de manière à nous débarrasser de notre principal ennemi : l'Homme ! Il n'y a jamais eu aucune assurance que d'autres de ma race consentiraient à une alliance quelconque. Pour beaucoup d'entre nous, ce serait impensable. Pour le moment, j'espère que tu es prêt : je vais être là dans quelques secondes ! »

De la gauche de Jamieson, vint un bruit soudain de buissons écrasés. Il se raidit et quand le bruit devint plus fort, il leva son arme. A travers les brumes, il aperçut l'ezwal, se mouvant d'une manière trompeusement lourde sur ses six pattes. A quinze mètres, ses trois yeux en ligne, d'un gris d'acier, luisaient comme des phares. Puis, alors qu'il scrutait les vapeurs ondoyantes à la recherche d'une forme sombre, planant au-dessus de la tête de la bête...

« *Trop tard !* s'exclama la pensée perçante de l'ezwal. Ne tire pas, ne bouge pas ! Il y en a une douzaine au-dessus de moi et... »

Un éclair de lumière blanche illumina silencieusement la scène, bloquant complétement l'émission des pensées de l'ezwal, puis s'évanouit brusquement. L'éblouissement lui brûlant encore les yeux, Jamieson, réduit à l'impuissance, s'aplatit sur le sol dans l'attente d'un sort qui paraissait indubitable.

Des moments angoissants passèrent et rien ne se produisit. Lorsque ses yeux recouvrèrent partiellement leur fonction, il put voir ce qui l'avait sauvé — pas un miracle, mais simplement le brouillard qui roulait maintenant plus épais que jamais. Si déplaisant qu'il fût, il le dissimulait néanmoins tandis qu'il se réfugiait de nouveau dans l'épais fourré et s'y couchait sur le ventre, jetant un regard circonspect au-dehors. Une fois ou deux, il aperçut à travers le voile de brume des formes flottant dans l'air. L'absence du moindre signe de pensée de l'ezwal était inquiétante. Cette puissante bête pouvait-elle avoir été si vite frappée à mort et sans lutte perceptible à l'oreille ?

Cela semblait improbable. L'énergie nécessaire à cette fin n'aurait pas été silencieuse. Une autre explication était plus probable : les Rulls devaient avoir provoqué un choc mental chez l'ezwal. Rien d'autre ne pouvait justifier cet arrêt incohérent de la pensée dans un esprit aussi extraordinaire.

La projection de ce genre de choc était surtout

utilisée sur les animaux et autres formes de vie inférieures et non civilisées, inhabituées à l'effet combiné de lumières éblouissantes. Et en dépit de son puissant cerveau, l'ezwal était très animal, très peu civilisé et peut-être extrêmement sensible à l'hypnose mécanique.

Ce raisonnement tendait à indiquer que les Rulls avaient admis que l'ezwal *était* simplement un animal primitif. En considérant son aspect et son comportement délibéré, c'était une conclusion assez normale. Pourquoi alors auraient-ils voulu le capturer vivant ? Peut-être savaient-ils qu'il n'était pas natif de cette planète et recherchaient-ils un indice de son origine. Bien que cette planète fût à l'intérieur de la périphérie des bases militaires humaines, elle était assez accessible aux Rulls, qui pouvaient y être déjà venus.

Jamieson eut un pâle sourire. Si les Rulls embarquaient l'ezwal dans leur vaisseau en ayant l'impression qu'il n'était qu'un animal inintelligent, ils risquaient d'avoir une amère désillusion lorsqu'il reprendrait ses sens. Cette bête avait anéanti un équipage entier d'êtres humains, qui étaient beaucoup plus près de se rendre compte de toute l'ampleur de ses possibilités.

Un bref éclair illumina le ciel crépusculaire vers le Nord et au bout de quelques secondes arriva le roulement de tonnerre attendu.

Jamieson sauta sur ses pieds, soudain surexcité. Ce n'était pas là un orage. C'était un tonnerre de fabrication humaine, facilement reconnaissable à ses oreilles : le grondement vibrant d'une bordée de projecteurs de 250 d'un croiseur.

Un croiseur de bataille ! Une grosse unité venue probablement de la base la plus proche sur Kryptar IV, soit en patrouille, soit à la recherche de l'origine des décharges d'énergie.

Tandis qu'il était aux aguets, arriva la lueur d'un autre éclair et le bruit du tonnerre correspondant, plus proche mais moins fort. Le vaisseau rull aurait de la chance s'il parvenait à s'échapper !

Mais la sensation d'exultation de Jamieson faiblit rapidement. Ce nouveau tour des événements ne pourrait que peu lui profiter, ou même pas du tout. Pour lui, restaient la nuit et ses périls. Bien sûr, il n'aurait plus rien à craindre des Rulls, mais c'était tout. La bataille en cours entre les deux vaisseaux les entraînerait loin dans l'espace et pourrait durer des jours. Même si un patrouilleur était envoyé par ici et s'il avait la chance de le voir, il n'avait aucun moyen de lui faire des signaux, sauf avec son fulgurant s'il y restait encore assez de charge à ce moment-là.

Il faisait maintenant si sombre que la visibilité était réduite à une très courte distance et son péril personnel croissait, de ce fait, en proportion géométrique. Ses yeux et son pistolet étaient sa seule sauvegarde ; les premiers lui deviendraient bientôt presque inutiles, et la petite réserve d'énergie qui restait dans le second devait être conservée le plus longtemps possible... si ce n'était pas là chose impossible ; Anxieusement, Jamieson scrutait l'obscurité grandissante autour de lui. Il était possible qu'il fût déjà pisté par quelque monstre invisible. Il eut un mouvement involontaire pour fuir mais se maîtrisa. S'affoler ne ferait qu'attirer le danger. Il suça un de ses doigts, le leva et sentit une vague fraîcheur du côté droit. Cette direction devait être à peu près celle dans laquelle il estimait que le plateau antigravifique pouvait se trouver — mais ce n'était guère la peine d'y penser maintenant.

Il se mit en marche contre le vent et sut vite que la progression à travers le labyrinthe de la jungle, difficile le jour, était presque impossible la nuit. Il ne pouvait garder aucun sens de la direction et était obligé de vérifier d'où venait le vent tous les quelques mètres. Il faisait maintenant un noir d'encre et, en trébuchant continuellement sur des obstacles invisibles, il rendait son passage si bruyant qu'il douta de l'opportunité de poursuivre. En revanche, rester là immobile pendant les longues heures de l'obscurité semblait mille fois pire. Il avança tant bien que mal et, quelques instants plus tard, ses doigts touchèrent une écorce épaisse, carbonifère.

*Un arbre !*

## 4

De grands animaux allaient et venaient au bas de l'arbre, tandis qu'il se cramponnait à son perchoir précaire loin au-dessus d'eux. Sept fois au cours des quelques premières heures, des choses monstrueuses grimpèrent à l'arbre, miaulant et bavant d'appétit féroce et, sept fois, son pistolet lança un mince faisceau d'énergie destructrice. D'énormes carnivores à l'armure d'écailles dont l'approche ébranlait le sol vinrent se repaître de la chair odorante... et s'en allèrent.

Moins de la moitié de la nuit était passée ! A ce rythme la charge de son fulgurant ne durerait pas jusqu'au matin... pour ne rien dire de la nuit prochaine, de la suivante, et des autres. Combien de jours faudrait-il pour atteindre le disque-parachute... en admettant qu'il puisse le retrouver ? Combien de nuits... combien de minutes survivrait-il après que son arme fut devenue inutile ?

Le plus décourageant, c'était que l'ezwal avait accepté de collaborer avec lui contre les Rulls. La victoire était toute proche, et elle avait été instantanément repoussée au loin. Cette pensée s'arrêta là. Parce que quelque chose, quelque chose d'horrible gémissait au pied de l'arbre. De grandes griffes raclaient l'écorce, puis deux yeux, écartés de façon inquiétante, soudain s'écartèrent plus encore, et il se rendit compte dans une terreur affreuse qu'ils montaient vers lui à une vitesse étonnante.

Jamieson saisit son pistolet, hésita, puis se mit à grimper hâtivement dans les petites branches. A chaque seconde, tandis qu'il se hissait plus haut, il avait l'épouvantable sensation qu'une branche allait se briser et qu'il dégringolerait vers l'horrible chose qui était sous lui ; et il avait la conviction, pire encore, que sa gueule baveuse était tout près de ses talons.

Sa détermination d'économiser la charge de son fulgurant réussit au-delà de ses espérances. La bête atteignait les petites branches au-dessous de lui lorsqu'un hideux grondement retentit en bas. Puis une autre créature, plus grosse, se mit à grimper dans l'arbre. Une bataille ininterrompue s'engagea entre les animaux. L'arbre tremblait tandis que des bêtes félines, aux crocs luisants, luttaient contre des formes lourdes, grondantes. Puis des ténèbres environnantes vint un barrissement terrifiant et, un instant plus tard, un monstre énorme au long cou, dont les mâchoires de près de deux mètres auraient pu atteindre Jamieson sur son perchoir, entra lourdement dans le carnage et attaqua indifféremment toute la masse des combattants acharnés. Le premier à être tué fut traîné sur le côté et dévoré en un temps incroyablement court ; après quoi, la créature colossale s'en fut, provisoirement repue.

Vers l'aube, les beuglements et les grondements proches et lointains diminuèrent, à mesure que chaque ventre, l'un après l'autre, se gavait et se retirait, avec une énorme satisfaction, en quelque infecte tanière.

Quand le jour se leva, Jamieson était encore vivant ; totalement épuisé, tout son corps succombait à l'envie de dormir, et son cerveau ne contenait plus que la volonté de vivre, mais sans croire qu'il parviendrait jusqu'à la fin de la journée. Si seulement l'ezwal ne l'avait pas si vite acculé dans la salle de pilotage du vaisseau, il aurait pu se munir de pilules contre le sommeil, de capsules de combustible pour son fulgurant, d'un chronomètre compas et — il sourit futilement à cette idée — prendre aussi une vedette de sauvetage qui lui aurait permis, à elle seule, de voler vers le salut.

Du moins y avait-il des comprimés nutritifs dans la salle de pilotage et il en avait emporté de quoi tenir un mois. Jamieson descendit de l'arbre, s'éloigna à quelque distance du sol imbibé de sang qui l'entourait, puis il avala un peu de nourriture.

Il commença à se sentir mieux. Et à réfléchir. Pour autant qu'il pût en juger, en se fondant sur une estimation de la vitesse de l'ezwal pendant qu'ils voyageaient et du temps passé, le plateau antigravifique ne devait pas être à beaucoup plus d'une quinzaine de kilomètres vers le Nord. Mille accidents ou autres périls mis à part, cela signifiait pour lui au moins une journée entière, sinon plus, de marche, selon le nombre de bras de mer et de marécages rencontrés. Puis, bien entendu, il lui faudrait battre la jungle en ronds de plus en plus larges jusqu'à ce qu'il trouve le disque et recharge son arme. Le disque lui-même ne lui serait d'aucune utilité ; même avec son énergie qui n'était pas épuisée, ce n'était simplement qu'une sorte de super-parachute, incapable de maintenir dans l'air beaucoup plus que son propre poids.

En d'autres mots, avec beaucoup de chance, il n'aurait que le seul avantage d'une arme complètement rechargée avec laquelle commencer la longue marche de quelque cent cinquante kilomètres jusqu'au vaisseau naufragé. Cent cinquante kilomètres de jungle, de mer, de marécage... et le Pas du Démon. Cent cinquante kilomètres de chaleur torride, d'humidité, de carnassiers...

Mais cela ne servait à rien de s'appesantir sur les obstacles déprimants qu'il aurait à affronter. Faire un pas à la fois... c'était la seule façon de poursuivre sa route et de garder une saine faculté de jugement.

Epuisé par le manque de sommeil et la tension éprouvante de la nuit qu'il venait de passer, il entama la marche de la journée. La première heure de pénible progression ne réussit guère à lui redonner courage. Il avait à peine couvert un kilomètre et demi, et pas du tout en ligne droite. Il avait perdu au moins la moitié du temps à contourner des zones marécageuses et plusieurs vastes massifs d'épineux si entrelacés et si épais qu'il doutait même que l'ezwal aurait pu les franchir.

De plus, il lui fallait dépenser temps et énergie à grimper, quand il en avait l'occasion, dans un arbre afin de vérifier la distance et la direction — chose capitale s'il voulait arriver à l'endroit adéquat à partir duquel commencer la recherche du disque.

Vers midi, il estima qu'il n'avait avancé que d'un peu plus d'une demi-douzaine de kilomètres dans la bonne direction. La tache confuse de lumière blanche, qui marquait la position du soleil, était maintenant si proche du zénith qu'elle rendrait son orientation incertaine au moins pendant l'heure suivante. Ce fait, auquel s'ajoutait la présence, toute proche, d'un arbre de grande taille lui parut un argument irrésistible pour se reposer un moment. Au sommet de l'arbre se trouvait un groupe de branches qui formaient comme une main tendue et avec quelques-unes des lianes les moins épineuses du voisinage il pourrait s'attacher solidement et...

Quand il se réveilla, les bêtes de la nuit éristane grondaient, avides et sanguinaires, au pied de l'arbre.

Sa première réaction fut de terreur — une terreur suffocante de l'obscurité écrasante, menaçante partout autour de lui. Puis, quand il reprit le contrôle de ses nerfs, il ressentit un vif regret d'avoir perdu tellement de temps. Mais il avait eu désespérément besoin de repos, se dit-il, et il n'y avait pas de doute que, physiquement, il se sentait beaucoup mieux. Il n'avait aucun moyen de savoir combien de temps il avait dormi dans la nuit, il ne pouvait qu'espérer qu'elle s'achèverait bientôt.

L'arbre trembla soudain quand, très loin, au sol, des pattes monstrueuses s'abattirent sur son tronc. Sursautant, Jamieson se mit à défaire les lianes qui l'attachaient à son perchoir. Non qu'il pût grimper beaucoup plus haut, mais il avait appris que même un mètre ou deux pouvaient faire toute la différence.

Pas une étoile n'était visible à travers l'épaisse couverture de brume qui entourait cette planète vierge et, en l'absence de toute possibilité d'évaluer le déroulement du temps, les heures semblaient deux fois plus longues. Plusieurs des bêtes félines, affamées, tentèrent de grimper jusqu'à son perchoir, mais une seule arriva si près que Jamieson se vit contraint d'utiliser son pistolet. Lorsqu'il le fit, son cœur se serra en voyant la minceur du faisceau. Mais cela fut suffisant, grilla les pattes de l'animal et lui fit lâcher prise. Il s'abattit en hurlant et en se débattant et, en bas, les autres se le disputèrent férocement comme une proie.

Lorsque finalement l'aube pointa, elle monta lentement et, pendant un certain temps, Jamieson douta que le jour fût là. En bas le carnage s'était calmé et il pouvait distinguer des créatures ressemblant un peu à ces hyènes qu'il avait rencontrées au cours de sa folle chevauchée sur l'ezwal deux jours — deux jours seulement ? — auparavant. Elles dévoraient plus ou moins tranquillement les restes d'un nombre indéterminé de carcasses démembrées. Cela avait été la même chose le matin précédent mais, cette fois, la suite fut différente. Car soudain, sans bruit, une large tête suivie d'une douzaine de mètres d'un corps rond jaillit des broussailles comme une énorme flèche et s'abattit sur le plus proche charognard, qui poussa un hurlement avant d'être réduit en bouillie. Les autres se dispersèrent instantanément et disparurent.

Le reste du corps du serpent géant ondula sans

hâte hors des hautes herbes et il se mit à avaler sa proie tout entière. Le processus ne prit que quelques minutes, mais ensuite le serpent ne montra aucune intention de s'en aller. Il resta là tandis que le gonflement de son corps s'étirait, avançant peu à peu jusqu'à ce que, finalement, il disparaisse. Pendant tout ce temps, Jamieson resta assis, immobile sur son perchoir, respirant aussi doucement que possible. Il n'avait pas grande connaissance des habitudes de chasse de cette créature mais il semblait peu douteux qu'elle pût le cueillir au sommet de son arbre, si elle voulait essayer.

Au bout de l'heure la plus longue de la vie de Jamieson, le serpent remua et s'éloigna en rampant. Jamieson attendit encore quelques minutes puis descendit et suivit sa trace nettement marquée, se déplaçant aussi silencieusement que possible et gardant un regard vigilant braqué devant lui. Ce serait de ce côté, estimait-il, qu'il y avait le moins de risques que les charognards reviennent à leur festin, et il espérait que le serpent ne ferait pas demi-tour ni ne s'arrêterait trop tôt. Après tout, un seul animal n'était qu'un piètre menu pour un estomac aussi colossal, et il fallait que la chasse continue.

Il fut cependant assez content de quitter la piste après quelques centaines de mètres et de prendre la direction approximative qu'il avait suivie la veille. Il faisait maintenant grand jour et le soleil s'était probablement levé mais ne serait pas visible avant une bonne heure. Il serait alors temps de s'orienter et de corriger sa route. En attendant, il marcherait le plus possible en ligne droite.

50

A midi, il avait avancé considérablement plus que le jour précédent, en raison surtout de sa meilleure condition physique. Il ne s'accorda pas plus d'une heure de repos et acheva les trois derniers kilomètres au milieu de l'après-midi. La fatigue s'abattait lourdement sur lui maintenant mais l'idée de passer une autre nuit avec, comme protection, une arme lamentablement déchargée l'aiguillonna : il devait se mettre immédiatement à la recherche du disque pendant que restaient encore quelques heures de clarté.

Un grand arbre se trouvait à une quinzaine de mètres de l'endroit où il était ; il en étudia attentivement la forme pendant un instant, de façon à pouvoir le reconnaître de n'importe quelle direction. En le prenant pour centre, il décrirait son premier cercle à cette distance, le second, quinze mètres plus loin et ainsi de suite. Cette méthode lui donnerait une excellente chance de repérer un gros objet métallique tel que le plateau antigravifique, quoique certaines zones de végétation trop dense demanderaient à être explorées de plus près. Avant tout, bien entendu, il monterait à l'arbre et verrait ce qu'on pouvait découvrir de là-haut.

Quatre heures plus tard, il titubait de fatigue alors qu'il avait presque terminé son cinquième cercle. Le jour commençait à baisser, son examen préliminaire du haut de l'arbre ne lui avait rien révélé et il lui faudrait bientôt y retourner pour passer une autre nuit épuisante de sommeil entrecoupé et de cauchemars éveillés.

Cette pensée le poussa à poursuivre, comme elle l'avait déjà fait plusieurs fois. Il terminerait au moins le cercle commencé en dépit du danger croissant de bêtes en maraude. Mais il ne se cachait plus la morne constatation qu'il avait été follement optimiste d'espérer retrouver le disque. Il avait appris une chose de sa vue à vol d'oiseau dans l'après-midi : l'étendue de terre sur laquelle il était se rétrécissait en une péninsule de quelques kilomètres non loin de là, mais explorer complètement un tel territoire pourrait demander des semaines.

Il avançait, chancelant, ne faisant aucun effort pour marcher sans bruit, en fait se souciant peu qu'un désastre mette fin à cette situation désespérée, maintenant ou dans quelques jours.

La jungle épaisse s'ouvrit soudain devant lui en une petite clairière qui était restée invisible de son arbre, à un peu plus de deux cents mètres de distance seulement. Même là, naturellement, le sol n'était pas complètement dénudé mais parsemé vers le centre d'épais bouquets de lianes rampantes, grisâtres.

Il avait fait quelques pas à découvert quand un mouvement agita les broussailles de l'autre côté et un grand animal aux poils longs et touffus, aux yeux flamboyants et furieux en surgit, à moins de quinze mètres en face de lui. En voyant Jamieson, le fauve rugit horriblement, ouvrit une gueule garnie de crocs et chargea droit sur lui.

Jamieson se figea sur place, se rendant instinctivement compte de la futilité de toute fuite, et il attendit que l'énorme bête eût pris suffisamment d'élan en ligne droite avant de tenter de l'esquiver.

L'animal n'y réussit pas. Il s'était à peine élancé que ses pattes se prirent dans les lianes grises et il s'abattit lourdement parmi elles. Incroyablement, bien que la bête se débattît avec une violence qui faisait trembler le sol, elle semblait incapable de se dégager. La raison n'en fut pas immédiatement visible dans le crépuscule grandissant mais, comme Jamieson restait là, le regard fasciné, il commença à voir ce qui se passait. Les lianes étaient vivantes — férocement vivantes ! Des sortes de tentacules résistants, vifs comme des fouets, se nouaient si rapidement autour du cou et des pattes de la bête que ses puissants efforts ne pouvaient les rompre. Et d'autres, pointus comme des poignards, lardaient et relardaient sa chair à travers son pelage épais. Tout à coup le grand corps se raidit dans une dernière secousse, ses membres tendus dans une position anormale, et il s'immobilisa. La bête gisait là comme si elle avait été transformée en pierre.

Alors les lianes ralentirent leur frénétique activité et se mirent à ramper sur la carcasse rigide, s'étalant jusqu'à ce que, peu à peu, elles la fassent complètement disparaître à la vue.

Jamieson se secoua, arracha son regard de l'horrible spectacle, et inspecta hâtivement les environs pour s'assurer qu'aucune de ces lianes ne poussait près de lui. Il avait identifié maintenant ce genre de plantes, bien que ce fût la première fois qu'il les ait vues ou ait eu conscience de la manière dont elles opéraient. C'était la plante carnivore appelée Rytt qui, avec l'espèce des serpents géants, rendait cette planète impraticable comme base militaire. Il était exact que cette meurtrière liane rampante ne hantait pas toute la planète, comme le serpent, mais ne poussait que là où les conditions du sol répondaient exactement à son métabolisme particulier. Dans ces régions, elle était généralement abondante et Jamieson frémit à la pensée qu'il était très probablement passé assez près de plus d'un bouquet de ces lianes au cours des dernières heures.

Il fut soudain inquiet de remarquer combien il faisait sombre. En même temps, il s'aperçut que le niveau des bruits de fonds qui caractérisaient ce monde vierge s'était sinistrement accru depuis quelques instants. Il n'y avait rien ici qui ressemblât au calme du crépuscule ; c'était plutôt le moment d'un éveil démoniaque, la sortie de monstres affamés d'innombrables tanières puantes, le début d'un long crescendo de carnage insensé.

Il était en train de se tourner vers son arbre dont il apercevait tout juste le sommet dans le ciel qui s'obscurcissait de plus en plus, lorsqu'il ressentit un tâtonnement étonnant mais familier dans son cerveau, et une pensée claire s'y imposa : « Pas de ce côté, Trevor Jamieson, de l'autre. Le disque que tu cherches est dans la clairière suivante, pas très loin de celle où tu es. Et je t'y attends. Une fois de plus, semble-t-il, j'ai besoin de ton aide. »

Jamieson s'immobilisa, frémissant à la fois d'excitation et d'incertitude. La dernière fois qu'il avait vu l'ezwal, celui-ci était à la merci des Rulls. Cet appel ne pouvait-il être un piège de ceux-ci, et peut-être l'ezwal, après tout, collaborait-il avec eux. Mais pourquoi se donneraient-ils alors la peine de tenter de l'attirer ?

« Les Rulls qui m'ont capturé sont tous morts, intervint l'ezwal avec impatience. La vedette dans laquelle ils avaient atterri est également ici, indemne. Je ne peux pas la piloter ; j'ai besoin par conséquent de ton aide. Il n'y a pas de bêtes entre toi et ici pour le moment, donc dépêche-toi ! »

Jamieson partit en hâte et se mit à contourner la clairière, son énergie soudain recouvrée. Les renseignements sommaires, transmis comme à contrecœur par l'ezwal, commençaient à prendre quelque signification. Le croiseur rull devait avoir été forcé de s'enfuir si rapidement qu'il n'avait pas eu le temps de récupérer la patrouille de reconnaissance qu'il avait envoyée. Et les Rulls de cette patrouille, pensant n'avoir qu'un animal sans intelligence sous leur garde, avaient laissé à l'ezwal l'occasion qu'il attendait pour les anéantir, comme Jamieson avait supposé que cela se passerait. Donc, maintenant...

« Je ne les ai pas tués, expliqua l'ezwal d'une pensée laconique. Cela n'a pas été nécessaire. Tu verras dans un moment qui s'en est chargé. »

Jamieson se fraya un passage à travers une dernière frange de fougères épineuses, et pénétra dans une plus grande clairière. D'un côté, gisait la vedette rull, d'un métal sombre, longue d'une trentaine de mètres, et de l'autre, le disque si péniblement cherché, maintenant sans importance étant donné la tournure des événements. Entre les deux, parmi les bouquets grisâtres des lianes de rytt, se trouvaient les formes inanimées d'une douzaine de Rulls dont l'aspect vermiculaire restait étrange même dans ce décor insolite. Les lianes grises poussaient à profusion près du panneau ouvert de la vedette, quelques-unes même s'allongeaient par-dessus le seuil jusque dans l'intérieur obscur, comme si elles cherchaient, à leur manière aveugle, instinctive, d'autres proies.

Jamieson battit des paupières, et devina ce qui s'était passé.

« Tes processus logiques sont admirables, interrompit sardoniquement l'ezwal, bien qu'un peu lents. Oui, je suis dans le poste de pilotage de la vedette, avec une porte d'acier fermée entre moi et les lianes rampantes. Je suggère que tu te serves de ton pistolet pour t'ouvrir immédiatement un chemin parmi elles et venir t'abriter, toi aussi, dans la vedette. Plusieurs bêtes ne sont pas très loin et tu ne peux évidemment pas compter sur les lianes carnivores pour te protéger de nouveau. »

Jamieson prit une décision rapide et s'élança vers le disque à quinze mètres de distance, en s'écartant le plus possible des lianes grises. Le plateau était heureusement dans un endroit dégagé, Jamieson y grimpa, fit glisser une plaque de protection découvrant le mécanisme assez simple de commande. Il dévissa un bouchon sur son arme et fit tomber une petite capsule de son pistolet. Il n'aurait absolument plus aucune protection jusqu'à ce qu'il puisse le remettre en place.

Il leva le couvercle d'une sorte de cassette en plomb dans la boîte de commande, plaça la capsule sur un minuscule support de forme bizarre qui était à l'intérieur et referma le couvercle. C'était tout. Dans une dizaine de minutes, une réaction autorégénératrice, déclenchée par les neutrons relativement peu nombreux restant dans la capsule, l'aurait ramenée à pleine charge. Mais il n'avait pas l'intention d'attendre si longtemps. Trois minutes environ suffiraient à fournir toute la charge qu'il lui fallait.

Jamieson s'accroupit là, dans l'obscurité presque complète, prêt à essayer, en cas d'urgence, de récupérer cette capsule suprêmement importante et de la remettre dans son arme à temps pour sauver sa vie. Il n'était pas du tout certain que ce fût possible, mais il n'y avait rien à y faire. Toute l'horreur de la situation lui apparaissait à présent clairement. Et le simple fait qu'aucun démenti n'était venu de l'ezwal tendait à le prouver.

Tandis qu'il attendait, scrutant constamment les ombres noires autour de la clairière, il parla à haute voix, doucement, mais avec une insistance farouche :

— Donc les Rulls ne connaissaient pas les lianes de Rytt. Ce n'est pas tellement surprenant ; c'est l'une des quelques rares plantes de ce genre dans la galaxie connue. Mais ils doivent être bêtement tombés dessus dans la nuit pour que les lianes les aient tous attrapés. Est-ce ainsi que cela est arrivé, ou étais-tu encore sous hypnose à ce moment, comme l'animal stupide qu'ils pensaient que tu étais ?

La réponse de l'ezwal fut immédiate et hautaine : « Je me suis dégagé de leur hypnose avant qu'ils aient fini de me pousser dans la vedette en me faisant flotter sur le plateau antigravifique sur lequel ils m'avaient enchaîné. Comme ils étaient tous autour de moi et armés, j'ai pensé qu'il valait mieux ne pas leur montrer combien il m'eût été facile de me libérer ; j'ai donc fait semblant de rester inconscient tandis qu'ils m'enfermaient dans la soute. Puis j'ai brisé les chaînes. J'attendais de voir s'ils quitteraient de nouveau la vedette quand j'ai entendu comme un coup de tonnerre et ils sont tous sortis. Je ne pouvais rien tirer de leurs pensées étranges sauf qu'ils étaient surexcités. Tout à coup, ils devinrent encore plus surexcités puis, au bout d'une minute environ, leurs pensées s'arrêtèrent assez brusquement. Je pouvais deviner ce qui était arrivé mais, pour m'en assurer, je m'échappai de la soute et j'allai jeter un coup d'œil hors du panneau d'accès. Il faisait déjà très sombre mais je peux très bien voir dans l'obscurité. Ils étaient tous morts. »

Jamieson était en train de souhaiter qu'il pût aussi bien voir dans l'obscurité. Il s'imaginait voir quelque chose qui bougeait dans l'un des coins les plus noirs de la clairière, mais il ne pouvait en être certain. Les trois minutes devaient être presque écoulées maintenant. Il n'attendrait pas plus longtemps. Obligeant ses mains tremblantes à se mouvoir méthodiquement, il enleva une petite paire de pinces de leur fixation près de la cassette de plomb, ouvrit le couvercle et en tira précautionneusement la capsule. Il l'inséra dans le pistolet, revissa le bouchon et poussa un long soupir de soulagement.

Il jeta encore une fois un regard autour de la clairière puis scruta fixement le coin suspect ; on ne pouvait toujours rien y voir de précis. Ce n'était probablement que son imagination. Mais il continua d'observer avec vigilance tout en descendant du disque et en marchant lentement vers la vedette.

De nouveau, il parla doucement :

— Tu m'as dit tout ce que j'ai besoin de savoir. Je crois que je peux reconstruire moi-même le reste de l'histoire. Après avoir vu que les Rulls étaient morts, tu as décidé de passer la nuit dans la vedette. Tu n'as pas voulu te fier à tes yeux merveilleux pour te protéger contre l'atteinte possible des lianes de Rytt. C'est l'unique chose que tu craignes vraiment sur cette planète. Ta première rencontre avec elles doit avoir été intéressante. En plus de ta vitesse et de ta force prodigieuse, je suppose que tu as dû bénéficier d'une certaine chance pour en réchapper. Et tu as découvert que plus loin tu allais dans la péninsule, plus il y en avait. Ce qui t'a fichu une trouille bleue. Tu as décidé que tu avais besoin de moi — de moi et mon arme. Et tu es donc revenu ici.

Le premier massif de lianes grises apparaissait un peu plus clair sur le sol sombre. Jamieson braqua son fulgurant, mit sa main libre devant ses yeux et pressa le bouton. Un crépitement grondant éclata quand le faisceau d'énergie frappa les plantes, et bien qu'il ne pût voir la flamme, il ne faisait aucun doute que l'arme avait été adéquatement chargée. Il la balança d'un côté à l'autre en avançant de plusieurs pas puis s'arrêta et lâcha le bouton. Il regarda autour de lui et constata qu'il pouvait encore y voir assez bien. Il était au milieu d'une large traînée noire et le massif suivant était à six ou sept mètres plus loin.

— Tu es enfermé dans ce poste de pilotage depuis deux jours, n'est-ce pas ? reprit Jamieson. Cela n'a pas dû être facile pour toi de te faufiler par la porte. Mais il fallait bien que tu la franchisses, puisque le panneau principal fonctionne par une mécanique

que tu ne comprends pas, et que tu n'as pas pu le faire bouger en dépit de toute ta force. Le lendemain matin, quand tu as ouvert la porte du poste de pilotage, tu as trouvé les lianes de Rytt de l'autre côté. Je parie que tu l'as refermée en vitesse et que tu as mis tous les verrous. Cela a tenu les lianes en respect parce que leur force n'est pas suffisamment concentrée pour percer un panneau de métal. Elles peuvent accrocher et frapper à cent endroits à la fois mais elles ne peuvent abattre une porte d'acier, comme toi tu le peux. Et tu es resté là.

Le second massif de lianes grises — plus étendu — fut traité comme le premier. Entre Jamieson et la vedette ne restait plus que la plus grosse masse de lianes, une masse presque solide qui renfermait les Rulls morts.

Il continua de parler d'un ton calme sans mâcher ses mots :

— Pendant ces deux jours, tu as étudié le mécanisme de commande, en essayant d'en comprendre le fonctionnement, mais tu y as échoué totalement. Tu as dû en arriver au point où tu allais expérimenter les commandes à l'aveuglette, quoi qu'il pût advenir. Puis je suis arrivé et la situation a changé. Je parle de mon arrivée dans le voisinage, *voici des heures*. Tu l'as senti, bien entendu. Pour toi, cela ne représentait qu'une possibilité commode. Tu continuerais d'étudier les commandes. Si tu n'arrivais pas à les comprendre avant que le jour tombe, tu m'appellerais car, dans mon état d'épuisement, il était possible que je ne puisse pas survivre à une autre nuit. Mais s'il t'était possible d'apprendre comment piloter la

60

vedette, tu t'envolerais purement et simplement, en me laissant crever ici.

Il marqua une pause et attendit un bref instant, mais il ne vint toujours aucune réponse de l'ezwal, même à la dernière et accablante accusation. Il n'en fut pas surpris. L'étrange et orgueilleuse créature à l'intérieur de la vedette devait très bien savoir qu'elle n'avait rien à gagner d'une dénégation, et elle était incapable de ressentir du remords.

Jamieson s'était maintenant ouvert un chemin jusqu'à un mètre du panneau d'accès de la vedette. Seules demeuraient encore les lianes qui y pénétraient. Il réduisit la puissance de son arme de quelques crans, afin d'éviter d'endommager le joint d'étanchéité du panneau. Il prononça ce qu'il espérait être ses dernières paroles à l'ezwal.

— Je vais griller toutes les lianes jusqu'à ta porte. Lorsque ce sera fait, tu sortiras de là et tu iras dans la soute où tu devras rester. Afin de m'en assurer, je disposerai ce fulgurant de telle manière qu'un relais photo-électrique lui fera balayer le couloir de communication si tu y poses seulement le pied. Si tu te tiens tranquille, tu n'auras rien à craindre. Il faudra deux semaines pour atteindre la base la plus proche et, de là, nous pourrons rejoindre la planète de Carson sur laquelle je serai très heureux de te remettre en liberté. Dans l'intervalle, tu trouveras peut-être quelque chose de comestible dans la soute, quoique j'en doute. Tu pourras t'en consoler en réfléchissant que, sans aucune connaissance préalable de l'astrogation ni de l'hyperpropulsion, tu serais, sans le moindre doute, mort de faim avant d'avoir pu atteindre ta planète natale par toi-même. En tout cas, tu devrais être encore vivant quand je te verrai pour la dernière fois.

« Tu as échoué dans ta tentative de garder secrète l'intelligence des ezwals vis-à-vis de mon gouvernement. Mais je devrai indiquer dans mon rapport qu'à mon avis l'ezwal adulte moyen est tout aussi impossible à raisonner que s'il était un animal stupide ! Et maintenant, tu ferais mieux d'éloigner ton gros derrière le plus que tu pourras de cette porte. Elle va chauffer dans un instant !

# 5

A deux jours de distance d'Eristan II, Jamieson établit le contact radio avec un croiseur d'une race amie des hommes. Il expliqua la situation et demanda que le vaisseau lui permette d'utiliser ses puissants émetteurs comme relais afin qu'il puisse prendre contact avec la base terrienne la plus proche. Ce qui fut fait.

Mais une semaine passa avant qu'un vaisseau de guerre terrien embarque la vedette rull et accepte de transporter Jamieson et l'ezwal sur la planète de Carson. Le commandant du vaisseau ne savait rien du cas des ezwals. Il vérifia simplement l'identification que Jamieson lui fournit et admit que celui-ci avait autorité en matière d'ezwals.

Lorsqu'ils arrivèrent près de la planète de Carson, Jamieson reçut la permission du commandant de la base de faire atterrir le vaisseau dans une zone où n'habitaient pas d'êtres humains. C'est là qu'il eut sa dernière conversation avec l'ezwal.

Le décor était superbe. Des collines ondulaient jusqu'à l'horizon vers le nord. A l'ouest, verdoyait une forêt et dans la vallée, au sud, étincelait un grand fleuve. La planète de Carson était un monde où abondaient la verdure et l'eau.

L'ezwal débarqua, trottinant avec aisance, se retourna et leva son regard sur Jamieson — qui était resté sur une plate-forme saillant de la partie basse du vaisseau.

— As-tu changé d'avis d'une façon ou d'une autre ? attaqua Jamieson.

— Débarrasse notre planète et emmène tous les humains avec toi, répliqua sèchement l'ezwal.

— Veux-tu dire à tes frères ezwals que nous le ferons s'ils établissent une civilisation mécanique qui puisse défendre cette planète contre les Rulls ?

— Les ezwals n'accepteront jamais d'être les esclaves de machines.

Il y avait une telle détermination dans cette pensée que Jamieson hocha la tête devant cette attitude. Les ezwals adultes étaient émotionnellement figés dans un comportement qui avait probablement mis des millions d'années à se fixer. Ils étaient ainsi pris dans un piège dont ils ne pouvaient s'échapper sans aide.

— Tu es tout de même un individu libre, dit Jamieson doucement. Et tu veux vivre ta vie à toi. La preuve a été faite sur Eristan II.

L'ezwal sembla irrité et embarrassé.

— Je lis dans ton esprit qu'il existe des races qui mènent une vie collective. Les ezwals sont des individus indépendants qui ont un but commun. J'ai le sentiment, sans comprendre clairement ta pensée, que tu considères cette autonomie comme une faiblesse.

— Pas une faiblesse, dit Jamieson. Simplement un point vulnérable. Si vous étiez un groupe collectif, notre approche serait différente. Par exemple, vous n'avez pas de nom propre, n'est-ce pas ?

La pensée de l'ezwal exprima le dégoût. « Les télépathes se reconnaissent les uns les autres sans avoir besoin d'un moyen de désignation aussi élémentaire, et je te préviens (la colère apparut dans sa pensée) que si tu crois que tu vas faire de nous des conformistes grâce à l'idée que je décèle dans ton esprit, tu te trompes irrémédiablement. (De nouveau, le ton de sa pensée changea. La colère céda au mépris :) Cependant, bien entendu, ton problème n'est pas de savoir que faire de nous, mais comment tu arriveras à convaincre tes frères humains que les ezwals sont intelligents. Je te laisse avec ce problème, Trevor Jamieson. »

L'ezwal se détourna et s'éloigna au petit trot à travers la prairie. Jamieson le héla.

— Merci de m'avoir sauvé la vie, et merci d'avoir démontré, une fois de plus, la valeur de la coopération contre un danger commun.

La réponse arriva : « Je ne peux pas honnêtement offrir de remerciements à un être humain pour quelque raison que ce soit. Adieu et ne m'importune pas davantage. »

— Adieu, dit doucement Jamieson.

Il eut un sentiment aigu de regret et d'échec lorsque la plate-forme sur laquelle il se tenait commença de rentrer à l'intérieur de la coque. Quand elle se bloqua en place, il sentit l'effet de l'antigravité au moment où le grand vaisseau décolla. Quelques secondes après, l'appareil prenait de la vitesse.

Avant de quitter la planète de Carson, Jamieson parla au conseil de gouvernement militaire. Ses suggestions reçurent un accueil extraordinairement glacial. Dès que son propos fut clair, le gouverneur qui présidait le conseil l'interrompit :

— Monsieur Jamieson, il n'y a pas un être humain dans cette salle ni sur cette planète qui n'ait subi la perte de l'un des siens, massacré par ces monstrueux ezwals.

Comme cette remarque n'avait scientifiquement et militairement rien à voir avec la question, Jamieson resta muet. Le gouverneur poursuivit :

— Si nous devions croire que ces créatures sont intelligentes, notre première impulsion serait de les exterminer. Pour une fois, monsieur, l'homme ne devrait avoir aucune pitié pour une autre race, et n'espérez aucune pitié des habitants de cette planète pour les ezwals.

Un murmure coléreux d'approbation s'éleva des membres du conseil. Jamieson laissa errer son regard sur ce cercle de visages hostiles et se rendit compte que la planète de Carson était vraiment une base précairement tenue. En quelques rares occasions seulement, dans l'Histoire, l'homme avait rencontré une race qui lui fût aussi complètement antipathique que celle des ezwals. Ce qui rendait le problème terrible, c'était que la planète de Carson constituait l'une des trois bases sur lesquelles les humains fondaient leur défense de la galaxie. En aucune circonstance, il ne pouvait être question de retraite. Et au besoin, une politique d'extermination pourrait être justifiée devant l'assemblée des races extra-terrestres alliées à l'homme.

Mais même la clé de l'extermination résidait dans ce qu'il était seul à savoir : que les ezwals communiquaient par télépathie. En tant qu'animaux, les ezwals avaient fait échouer toutes les tentatives de les détruire, uniquement par ce simple fait. Peu de gens avaient jamais vu un ezwal, et la raison en était maintenant évidente : ceux-ci étaient toujours avertis d'avance.

S'il disait à ces gens emplis de haine que les ezwals étaient télépathes, les savants humains, présents sur la planète de Carson, imagineraient vite des méthodes de destruction. Ces méthodes, fondées sur l'émission artificielle d'ondes cérébrales, viseraient à embrouiller la race ezwale, dont les membres étaient, en réalité, tout à fait naïfs et vulnérables.

Debout là, devant le conseil, Jamieson se rendit compte que ce n'était pas le moment de raconter ses aventures sur Eristan II. Il fallait les laisser croire qu'il avait simplement une théorie. A cause de son rang, la plupart d'entre eux s'inclineraient devant les faits, s'il les leur présentait. Mais tous pouvaient rejeter une simple théorie pour la bonne raison qu'ils étaient sur place et que lui ne faisait que passer. Et pourtant, il devrait leur faire sentir nettement que leur attitude butée n'était pas acceptable.

— Mesdames, dit Jamieson en s'inclinant devant les trois membres féminins du conseil, et messieurs, je ne puis vous exprimer aussi bien qu'il le faudrait toute la sympathie et la bonne volonté qui furent à l'origine de mon envoi ici par l'Assemblée Galactique, dans l'espoir que je pourrais d'une manière ou d'une autre aider la population de la planète de Carson à résoudre le problème des ezwals. Mais je dois vous dire que j'ai l'intention de proposer à l'Assemblée qu'un plébiscite soit organisé afin de déterminer si les humains présents sur cette planète sont disposés à admettre une solution rationnelle au problème ezwal.

— Je pense, dit froidement le gouverneur, que nous sommes en droit de considérer ce que vous venez de dire comme une insulte.

— Cela n'en a jamais eu la moindre intention, répondit Jamieson. Mais mon sentiment est que les membres de ce conseil sont tellement accablés de douleur que nous n'avons pas d'autre recours que de nous tourner vers la population. Je vous remercie d'avoir bien voulu m'écouter.

Jamieson s'assit. Le dîner officiel qui suivit se déroula dans un silence presque complet.

Après le repas, le vice-président du conseil vint trouver Jamieson, accompagné d'une jeune femme. Elle avait une trentaine d'années, des yeux bleus, un agréable visage, et était fort bien faite, mais son expression avait une fermeté peu féminine qui nuisait à ce qui, autrement, eût été d'une grande beauté.

L'homme fut à peine poli en disant :

— Mme Whitman m'a demandé à vous être présentée, docteur Jamieson.

Il fit rapidement les présentations et s'en fut, comme si ce bref contact était tout ce qu'il pût supporter. Jamieson considéra pensivement la jeune femme. Il se souvenait maintenant l'avoir remarquée en conversation sérieuse avec ses deux voisins de table, dont l'un était l'homme qui venait de la lui présenter.

— Vous êtes docteur ès sciences, n'est-ce pas ? dit-elle.

— J'ai en effet, un doctorat de physique, reconnut-il, mais avec des certificats de mécanique céleste et d'exploration interstellaire, qui sont des domaines extrêmement spécialisés.

— J'en suis persuadée, répondit-elle. Je suis veuve avec un enfant, mon mari était ingénieur chimiste. J'ai toujours été émerveillée de l'étendue de son savoir. (Comme en y pensant après coup, elle ajouta :) Il a été tué par un ezwal.

Jamieson présuma que l'homme devait avoir été un ingénieur chimiste du plus haut rang pour que son épouse fréquente les membres du conseil. Mais il se contenta de dire :

— J'en suis navré pour vous et votre enfant.

Elle se raidit devant sa sympathie puis reprit :

— La raison pour laquelle j'ai demandé à vous être présentée est que la plupart des décisions fondamentales concernant la planète de Carson ont été prises voici deux générations. J'aimerais que vous restiez quelques jours ; je voudrais vous montrer personnellement ce qui pourrait être une solution au terrible problème que nous avons ici. Nous avons un satellite habitable, vous le savez sans doute ?

Jamieson avait remarqué ce satellite, lors de son arrivée à bord du vaisseau de guerre.

— Voudriez-vous laisser entendre que ce serait là

que devrait être située la base ? demanda-t-il lentement.

— Vous pourriez la visiter, dit-elle. Personne ne l'a
fait depuis cinquante ans.

C'était un argument, il lui fallait l'admettre. Dans
la vaste société galactique, la durée d'attention des
individus et même des grandes organisations tendait
à être réduite. Les informations essentielles étaient
souvent classées et oubliées. De trop nombreux problèmes en suspens attendaient toujours qu'une autorité leur prête attention. Chaque problème exigeait
un examen approfondi et une fois cet examen fait et
la décision prise, celui qui l'avait prise était peu
disposé à en ré-examiner les données.

Il doutait qu'elle eût réellement une solution. Mais
l'énorme antagonisme de tous l'avait accablé, et il
ressentit pour elle une certaine sympathie d'être
entrée en contact effectif avec lui au lieu de le haïr.

— Venez, je vous en prie, le pressa-t-elle.

Jamieson calcula mentalement le temps dont il
disposait. Il faudrait encore quelques semaines avant
que le cargo « lent » qui transportait l'ezwal femelle
et son petit ait terminé son voyage de milliers d'années-lumière jusqu'à la Terre.

— Très bien, dit-il. Je le ferai. (Et il ajouta :) Dois-
je comprendre que vous serez mon guide ?

Elle rit de toutes ses dents blanches :

— Vous ne croyez pas que quiconque d'autre voudrait même vous parler, non ?

Mélancoliquement, Jamieson dut l'admettre en son
for intérieur.

## 6

Ses yeux lui faisaient mal. Il ne cessait de cligner des paupières tout en volant, s'efforçant de ne pas perdre de vue l'étincellement métallique du scaphandre spatial à fusée de son guide.

Il regrettait déjà amèrement d'avoir entrepris ce voyage jusqu'à cet étrange satellite de la planète de Carson. En route entre la planète et le satellite, à bord du croiseur qu'il avait réquisitionné, il avait étudié l'Encyclopédie Interstellaire, et les données étaient peu encourageantes. D'énormes différences de température y existaient entre le jour et la nuit. Ce genre de corps céleste ne pouvait absolument pas être utilisé pour installer les millions de gens nécessaires au fonctionnement d'une grande base militaire.

La jeune femme était terriblement difficile à voir dans l'éclat flamboyant du soleil qui s'élevait de plus en plus au-dessus de l'horizon fantastique du satellite de Carson. C'était presque, se disait Jamieson, comme si celle qui lui servait de guide se maintenait délibérément dans l'éblouissement du soleil matinal pour détourner son attention et affaiblir sa résistance.

A plus de mille cinq cents mètres au-dessous d'eux, des forêts parsemaient irrégulièrement un sol morne et sinistre. Des roches criblées de trous, de la pierraille tourmentée avec, par endroits, quelques plaques d'une herbe rare, incertaine, paraissant aussi sombre et peu engageante que l'éparpillement de la forêt pelée qui s'effaça dans le lointain tandis qu'ils volaient haut dans le ciel, minuscules objets métalliques étincelants, fonçant à la vitesse d'étoiles filantes.

Plusieurs fois, il vit des troupeaux de grands herbivores gris pommelé, et une fois, loin sur la gauche, il aperçut l'éclat lustré de l'armure écailleuse d'un gryb vampire.

Il lui était difficile de voir son compteur de vitesse, qui était intégré dans la visière transparente du casque de son scaphandre volant — difficile, parce qu'il portait en dessous un autre casque, attaché à sa combinaison chauffée électriquement ; et la lumière du soleil se réfractait, aveuglante, en traversant les deux obstacles. Mais maintenant que ses soupçons étaient éveillés, il s'efforça de voir malgré cet éblouissement jusqu'à ce que ses yeux en pleurent et se brouillent. Ce qu'il vit lui fit serrer les mâchoires dans un violent rictus.

— Allô, madame Whitman ! jeta-t-il dans son micro, d'un ton aussi glacé et aussi dur que ses pensées.

— Oui, docteur Jamieson ! répondit la voix de la jeune femme. (Il sembla à l'oreille vigilante de Jamieson que l'accent mis sur le mot « docteur » contenait une nuance de sarcasme et de nette hostilité :) Qu'y a-t-il, docteur ?

— Vous m'avez dit que ce voyage serait de huit cent trente-huit kilomètres ou...

— Ou à peu près !...

La réplique fut rapide mais l'hostilité plus apparente, plus délibérée

Les yeux de Jamieson se rétrécirent jusqu'à n'être plus que des fentes d'un gris d'acier.

— Vous avez dit huit cent trente-huit kilomètres. Le chiffre est assez curieux pour être présumé exact, et il n'est pas possible que vous n'ayez pas connu la distance exacte des Cinq Cités aux mines de platine. Nous avons maintenant franchi mille douze kilomètres, et davantage de minute en minute, depuis que nous avons quitté les Cinq Cités voici plus de deux heures, et...

— Tout à fait exact ! interrompit la jeune femme avec une insolence marquée. C'est un peu fort, n'est-ce pas, docteur Trevor Jamieson ?

Il resta silencieux, examinant le danger éventuel de la situation. Sa première impulsion de colère fut de rembarrer cette arrogance inattendue, mais son cerveau, soudain clair comme du cristal, maîtrisa cette réaction et se lança dans un tourbillon de spéculations.

Il y avait là une intention meurtrière. Son esprit fonctionnait froidement, avec un sentiment de déjà connu, car il avait à plusieurs reprises affronté la menace de la mort, au cours des années terribles durant lesquelles il avait exploré les planètes les plus lointaines. C'était un réconfort glacial que de se souvenir qu'il en avait triomphé dans le passé. En face du meurtre comme de toute autre chose, l'expérience comptait.

Jamieson commença à freiner, luttant contre la violence de la vitesse acquise. Cela prendrait du temps — mais il restait peut-être du temps —, bien que l'attitude de la femme suggérât que le moment critique était périlleusement proche. Il ne pouvait rien faire de plus avant d'avoir considérablement ralenti.

Jamieson calma le battement de son cœur et murmura d'une voix douce :

— Dites-moi, est-ce que tout le Conseil est au courant de ce meurtre ? Ou est-ce une idée à vous ?

— Il n'y a plus de risque à vous le dire maintenant, répliqua la femme. Nous avons décidé que vous ne feriez pas votre recommandation au sujet des ezwals à l'Assemblée galactique. Bien entendu, nous savions que ce satellite ne serait jamais accepté comme base de remplacement.

Jamieson eut un rire dur, dénué de bonne humeur mais compréhensif et qui dissimulait la lente prudence avec laquelle il inclinait son vol vers le sol. L'accélération de la courbe de sa descente en piqué le mettait à la torture, lui arrachait les poumons, mais il continua désespérément. Il était seul dans le ciel maintenant, le scaphandre étincelant de son guide s'était évanoui dans le lointain. Evidemment, elle n'avait pas tourné la tête ni remarqué la déviation sur son indicateur de position. Soucieux qu'elle ne le découvre que le plus tard possible, Jamieson reprit :

— Et comment allez-vous me tuer maintenant ?

— Dans une dizaine de secondes, commença-t-elle d'un ton nerveux, votre moteur... (Elle s'interrompit brusquement :) Oh, vous n'êtes plus derrière moi. Vous essayez d'atterrir. Bien ! Cela ne vous servira pas à grand-chose. Je vais immédiatement revenir vers vous...

Jamieson n'était qu'à une quinzaine de mètres des roches nues, lorsqu'il y eut un grincement soudain dans le mécanisme jusque-là silencieux de son moteur. La rapidité meurtrière de ce qui se produisit alors ne lui laissa que le temps d'un réflexe instinctif. Il ressentit une douleur aiguë, violente, une sensation suffocante de brûlure qui ébranla sa raison. Puis il heurta le sol et, d'un geste aveugle, automatique, coupa le moteur, horriblement court-circuité, qui le brûlait vivant. Son cerveau sombra dans une inconscience qui le submergea totalement.

C'est dans un monde confus de roches qui roulaient, tanguaient, tournoyaient autour de lui, que s'éveilla Jamieson. Il se força à reprendre conscience et s'aperçut après un instant de vide mental qu'il n'était plus dans son scaphandre. Et lorsqu'il ouvrit les yeux, il put voir sans impression d'éblouissement qu'il ne portait plus qu'un casque — celui qui était attaché à sa combinaison chauffante. Il eut peu à peu la sensation que quelque chose — une saillie rocheuse — s'enfonçait douloureusement dans son dos. Encore étourdi, mais les yeux clairs, il leva son regard sur la jeune femme déterminée qui était agenouillée près de lui. Elle lui rendit son regard avec une hostilité sans joie et dit sèchement :

— Vous avez de la chance d'être vivant. De toute évidence, vous avez coupé le moteur juste à temps. Il était court-circuité par de la limaille de plomb et vous a légèrement brûlé les jambes. Je leur ai mis un peu de baume, de façon que vous ne sentiez plus la douleur et que vous puissiez marcher.

Elle s'arrêta et se remit sur pied. Jamieson secoua la tête pour en chasser les trous noirs, et la considéra d'un air interrogateur mais ne dit rien. Elle sembla comprendre ce qu'il avait dans l'esprit.

— Je ne croyais pas que j'aurais tant de scrupules de conscience étant donné tout ce qui est en jeu, avoua-t-elle presque avec irritation, mais c'est comme cela. Je suis revenue pour vous tuer, mais je ne tuerais même pas un chien sans lui laisser sa chance. Et voilà, vous avez votre chance si elle vaut quelque chose.

Jamieson se redressa. Ses yeux se fixèrent sur le visage sous son casque. Il avait rencontré des femmes dures auparavant mais jamais personne qui parût si sincère et si honnête dans ses intentions, maintenant qu'elle n'avait plus rien à cacher.

Le front plissé par la réflexion, Jamieson jeta un coup d'œil sur les alentours et ses yeux, entraînés à remarquer les détails, constatèrent une absence.

— Où est votre scaphandre ?

La femme montra le ciel d'un signe de tête. Sa voix n'avait aucun accent amical lorsqu'elle dit :

— Si vos yeux sont bons, vous verrez une tache sombre, presque invisible maintenant, à droite du soleil. J'ai lié votre scaphandre au mien et j'ai mis le moteur de celui-ci en marche. Ils tomberont tous deux dans le soleil, dans environ trois cents heures d'ici.

Il considéra cela froidement :

— Vous me pardonnerez de ne pas tout à fait croire que vous avez décidé de rester et de mourir avec moi. Je sais que des gens meurent pour ce qu'ils croient être juste. Mais je ne saisis pas très bien la logique selon laquelle vous devriez mourir. Vous avez sans doute pris des arrangements pour être secourue.

La femme rougit, son visage s'enflammant d'un afflux impétueux de couleur.

— Il ne viendra pas de secours, dit-elle. J'entends vous prouver que, dans cette affaire, aucun membre de notre communauté ne pense à lui-même, ou à elle-même. Je mourrai ici avec vous parce que, naturellement, nous n'atteindrons jamais les Cinq Cités à pied, et quant aux mines de platine, elles sont encore plus loin.

— Pure forfanterie ! dit Jamieson. Primo, que vous soyez restée avec moi ne prouve rien, sauf que vous êtes une sotte ; secundo, je suis incapable d'admirer un tel acte. Toutefois, je suis content que vous soyez ici avec moi, et j'apprécie le baume mis sur mes brûlures.

Jamieson se dressa avec précaution sur ses pieds, essaya de mouvoir ses jambes, d'abord la droite puis la gauche, et ressentit un léger retour de nausée et d'étourdissement, qu'il repoussa dans un effort.

— Hum, hum ! commenta-t-il à haute voix aussi froidement qu'auparavant. Pas de douleur, mais de la faiblesse. Ce baume devrait avoir guéri les brûlures d'ici cette nuit.

— Vous prenez les choses avec un calme extraordinaire, dit Barbara Whitman aigrement.

Il hocha la tête :

— Je suis toujours heureux de me retrouver vivant et j'ai le sentiment que je pourrai vous convaincre que la ligne de conduite que j'ai l'intention de recommander au sujet de la planète de Carson est une solution de sagesse.

Elle eut un rire sec.

— Vous ne semblez pas vous rendre compte de notre situation périlleuse. Nous sommes au minimum à douze jours de marche de la civilisation — en comptant cent kilomètres par jour, ce qui n'est guère possible. Cette nuit la température tombera à 70° au-dessous de zéro au moins, bien que cela puisse aller jusqu'à moins 115°, selon le déplacement du noyau de ce satellite, qui est très chaud, vous savez, et parfois très proche de la surface. C'est pourquoi les êtres humains — et les autres formes de vie — peuvent tout juste exister sur ce satellite. Son noyau est ballotté entre l'attraction du soleil et celle de la planète de Carson, l'attraction du soleil étant dominante, de telle sorte qu'il y fait toujours assez chaud pendant le jour, et cela explique aussi pourquoi, lorsque l'attraction s'exerce du côté opposé du satellite, il y fait si diaboliquement froid la nuit. Je vous explique cela pour que vous sachiez à peu près de quoi il retourne.

— Continuez, dit Jamieson sans commentaire.

— Bien. Si le froid ne nous tue pas, nous sommes à peu près certains de rencontrer au moins un gryb vampire de temps en temps. Ils peuvent sentir le sang humain à une distance stupéfiante, et le sang, pour quelque raison chimique, les rend fous de voracité. Une fois qu'ils ont coincé un être humain, c'est fini. Ils peuvent arracher les plus gros arbres ou creuser des cavernes dans le roc. Un fulgurant atomique est la seule protection contre eux, et les nôtres sont partis avec nos scaphandres. Nous n'avons plus que mon couteau de chasse. En dehors de tout cela, notre seule nourriture possible serait l'herbivore géant qui file comme un cerf dès qu'il aperçoit n'importe quoi de vivant et qui, de plus, pourrait tuer une douzaine d'hommes désarmés s'il était acculé. Vous serez surpris de ce qu'on peut être affamé au bout de très peu de temps. Il y a quelque chose dans l'air — et bien entendu, nous respirons de l'air filtré — qui active la digestion normale. Nous mourrons de faim dans deux heures environ.

— Ce qui semble vous donner une sorte de lugubre satisfaction, dit simplement Jamieson.

Elle éclata :

— Je suis ici pour être sûre que vous ne reviendrez pas vivant à la colonie, c'est tout.

Jamieson l'entendit à peine. Son visage était crispé d'une colère froide.

— Je suis désolé que vous m'ayez rejoint. Je regrette amèrement qu'une femme soit ici dans une situation aussi périlleuse. Vos amis sont des misérables de l'avoir permis. Mais je rentrerai sain et sauf.

Elle eut un rire de défi.

— Impossible. Essayez donc de trouver à manger sur ce satellite stérile ; essayez donc de tuer un gryb avec vos mains nues...

— Pas avec mes mains, répliqua Jamieson durement. Avec mon intelligence et mon expérience. Nous retournerons aux Cinq Cités en dépit de tous ces obstacles, et en dépit de vous !

Dans le silence qui suivit, Jamieson examina les alentours. Il ressentit son premier vrai frisson de doute, lorsque ses yeux et son cerveau enregistrèrent cet enfer de rochers sauvages et désolés qui s'étendait jusqu'à tous les horizons. Non, pas tous ! A peine visible dans l'extrême lointain de la direction qu'ils devaient suivre, apparaissait la forme indécise d'une falaise sombre. Elle semblait flotter là dans la brume à demi obscure qu'était le ciel au-delà de l'horizon. A courte distance, l'entassement des rochers prenait des formes fantastiques, comme figé dans un état d'angoisse torturée. Et il n'y avait là aucune beauté, aucun panorama grandiose, simplement des kilomètres sans fin, désespérants, d'une étendue noire, tourmentée, de mort — et de silence !

Il prit conscience de ce silence avec un sursaut qui le secoua comme un choc physique. Le silence semblait soudain vivant. Il pensait inexorablement sur cette étendue rocheuse où ils se trouvaient. Un silence maléfique qui durait et durait, sans écho, sans même un vent pour siffler ou gémir parmi le milliard de cavernes et de fosses béantes qui criblaient la contrée déserte, sombre, traîtresse. Un silence qui semblait être l'âme même de ce petit monde dur et dangereux, sous ce soleil froid et brillant.

— Accablant, n'est-ce pas ?

Jamieson la considéra sans exactement la voir. Son regard était très lointain.

— Oui, dit-il pensivement. J'avais oublié cette

80

sensation et je ne m'étais pas rendu compte de tout ce que j'avais oublié. Allons, nous ferions mieux de nous mettre en route.

Alors qu'ils sautaient de rocher en rocher, aidés par la faible gravité du satellite, la femme demanda :

— Que croyez-vous avoir découvert au sujet des ezwals ?

— Je ne peux pas vous le dire, répondit Jamieson. Si vous saviez ce que je sais, et les haïssant, vous les massacreriez.

— Pourquoi n'avez-vous pas dit au conseil que vous aviez des renseignements spécifiques au lieu de leur offrir ce qui semblait n'être qu'une hypothèse ? Ce sont des gens raisonnables.

— Raisonnables ! répéta en écho Jamieson et le ton de sa voix était lourd d'ironie.

— Je ne crois pas que vous ayez autre chose qu'une théorie, dit carrément Barbara Whitman. Cessez donc de feindre !

# 7

Deux heures plus tard, le soleil était haut dans ce ciel triste et sombre. Deux heures de silence entre eux ; deux heures de marche précaire le long de minces crêtes de rocher entre des ravins fantastiques qui s'ouvraient de chaque côté, alors qu'ils contournaient le bord d'excavations dont les profondeurs ténébreuses s'enfonçaient tout droit dans les entrailles turbulentes du satellite ; deux heures de désolation.

La grande falaise noire, qui n'était plus maintenant embrumée sous l'effet de la distance, s'élevait proche et gigantesque. Aussi loin que l'œil pût voir, chacun de ses flancs se dressait abruptement et de l'endroit où Jamieson avançait et sautait toujours plus péniblement, son mur semblait s'élever tout droit, lisse comme du verre et impossible à escalader.

— J'ai horreur de l'avouer, haleta-t-il, mais je ne suis pas sûr de pouvoir franchir cette falaise.

La femme tourna vers lui un visage dont le teint doré avait pris le gris morne de la fatigue. Une faible lueur étincela dans ses yeux :

— C'est la faim ! dit-elle sèchement. Je vous ai dit ce qui allait arriver. Nous sommes en train de mourir de faim.

Jamieson continua d'avancer, mais au bout d'un moment, il ralentit le pas :

— Cet herbivore, dit-il... il mange aussi les petites pousses des arbres, n'est-ce pas ?

— Oui, c'est pour cela qu'il a un long cou. Et alors ?

— Est-ce tout ce qu'il mange ?

— Cela et de l'herbe.

— Rien d'autre ? questionna Jamieson, le visage crispé d'insistance. Réfléchissez.

Barbara se rebiffa :

— Ne prenez pas ce ton avec moi, dit-elle. Et puis, à quoi tout cela sert-il ?

— Pardon... pour le ton. Je veux dire : qu'est-ce qu'il boit ?

— Il aime la glace. Ces animaux restent toujours près des cours d'eau. Pendant les courtes périodes de dégel, chaque année, toute l'eau des forêts s'en va dans les rivières et regèle. La seule chose que cet herbivore mange et boive, c'est du sel. Comme tant d'autres animaux, il lui faut absolument du sel, et celui-ci est plutôt rare.

— Du sel ! Mais oui, c'est cela ! (Le ton de Jamieson était triomphant :) Il faut que nous revenions en arrière. Nous sommes passés près d'un affleurement de sel gemme il y a un peu plus d'un kilomètre. Il faut que nous allions en chercher un peu.

— Revenir en arrière ! Vous êtes fou ?

Jamieson la regarda, les yeux luisants d'un éclat gris d'acier.

— Ecoutez, Barbara, j'ai dit, voici un instant, que je ne croyais pas pouvoir escalader cette falaise. Et bien, ne vous inquiétez pas, je l'escaladerai. Et je survivrai à tout, aujourd'hui, demain et les douze ou quinze ou vingt jours qu'il faudra. J'ai pris une bonne douzaine de kilos au cours des dix dernières années pendant lesquelles j'ai été administrateur. Eh bien, tonnerre, mon organisme utilisera cette réserve pour se nourrir et, bon Dieu, je serai vivant et je marcherai, toujours solide, et je vous porterai même, au besoin. Mais si nous voulons tuer un herbivore et survivre convenablement, il nous faut du sel. J'en ai vu et nous ne pouvons pas nous permettre de laisser passer cette occasion. Donc, nous rebroussons chemin.

Ils échangèrent des regards furieux avec la rage folle, impétueuse, de deux êtres dont les nerfs sont à bout. Puis Barbara prit une profonde respiration et dit :

— Je ne sais pas quel est votre plan mais il me paraît fou. Avez-vous jamais vu un de ces herbivores ? Eh bien, il ressemble à peu près à une girafe, sauf qu'il est plus gros et court plus vite. Peut-être avez-vous quelque idée de l'appâter avec du sel et de le tuer avec un couteau. Vous ne pourrez pas en approcher, je vous le dis, mais je retournerai en arrière avec vous. Cela n'a pas d'importance, parce que nous allons mourir, quoi que vous en pensiez. Ce que j'espère, c'est qu'un gryb nous voie. Ce sera plus vite fini comme cela.

84

— Il y a, dit Jamieson, quelque chose de lamentable et d'horrible à voir une jolie femme aussi déterminée à mourir.

— Vous ne pensez pas que je veuille mourir ! éclata-t-elle.

Sa voix véhémente se tut brusquement mais Jamieson avait trop d'expérience pour laisser passer un sentiment aussi ardent sans pousser plus loin.

— Et votre enfant ?

Il vit à l'expression misérable de son visage qu'il avait touché le point sensible. Il n'en ressentit aucun scrupule. Il était impératif que Barbara reprenne le désir de vivre. Dans les moments critiques qui ne semblaient maintenant que trop proches, son assistance pouvait, en fait, constituer la différence entre la vie et la mort.

C'était bizarre, ce besoin fiévreux de parler qui s'empara de Jamieson tandis qu'ils revenaient laborieusement sur leurs pas jusqu'au sel gemme. C'était comme si sa langue, comme si tout son être étaient ivres, et pourtant ses paroles, bien que rapides, n'étaient pas incohérentes mais raisonnées et calculées pour la convaincre. Il parla des problèmes de l'Homme débarquant sur des planètes habitées et des nombreuses solutions qui avaient été obtenues par la raison. Les humains ne se rendaient souvent pas compte de la profondeur avec laquelle la vie était attachée à sa planète natale et avec quel acharnement désespéré chaque race luttait contre les intrus.

— Voilà votre sel ! l'interrompit finalement Barbara.

Le sel gemme formait une saillie étroite, comme une longue barrière qui suivit une ligne étonnamment droite et se terminait brusquement au bord d'un canyon où la barrière se redressait comme si elle reculait véritablement de terreur en se voyant suspendue au bord d'un abîme.

Jamieson ramassa deux gros fragments de sel gemme et les glissa dans les vastes poches de son survêtement — et il repartit vers le mur sombre de la falaise à près de cinq kilomètres de distance. Ils cheminèrent péniblement, en silence. Tous les muscles de Jamieson lui faisaient mal, tous ses nerfs donnaient l'alarme à son cerveau. Il s'accrocha avec une force désespérée, entêtée, à chaque saillie de la paroi de la falaise, affreusement conscient qu'un faux mouvement signifiait la mort. Il regarda une fois vers le bas et son cerveau eut un vertige d'épouvante à la vue de l'abîme qui était en dessous de lui.

Les yeux brouillés, il vit la forme de la femme à guère plus d'un mètre de lui, les traits crispés de son visage lui rappelant sinistrement la faim torturante qui rongeait les racines mêmes de leurs vies si chèrement défendues.

— Accrochez-vous, haleta Jamieson. Il n'y a plus que quelques mètres.

Ils les franchirent et s'effondrèrent au bord de cette terrifiante falaise, trop épuisés pour gravir la pente douce qui restait avant qu'ils puissent contempler la contrée qui s'étendait au-delà, trop exténués pour faire autre chose que rester là, à respirer l'air vivifiant dans leurs poumons. Finalement, Barbara murmura :

— A quoi bon ? Si nous avions le moindre bon sens, nous nous jetterions de cette falaise pour que c'en soit fini.

— Nous pouvons nous jeter dans un gouffre à n'importe quel moment, répliqua Jamieson. Reprenons notre chemin.

Il se remit sur ses pieds, chancelant, fit quelques pas, puis se raidit et se jeta à terre avec un sifflement aspiré entre les dents. Il saisit la jambe de Barbara et, d'une secousse, la plaqua brutalement au sol.

— Couchez-vous ! Il y a un troupeau d'herbivores à sept ou huit cents mètres d'ici. Et cela signifie la *vie* pour nous !

Barbara se rapprocha de lui en rampant, presque avec impatience, et tous deux risquèrent un coup d'œil prudent par-dessus la crête rocheuse, sur la plaine herbue. Celle-ci était un peu en dessous d'eux. A gauche, à moins d'une centaine de mètres, s'avançait, comme un coin enfoncé dans la prairie, la corne d'une forêt. L'herbe, au-delà, semblait presque un prolongement des arbres. Elle aussi formait une sorte d'angle qui disparaissait dans la rocaille morne. Tout au bout, se trouvait un troupeau d'une centaine d'herbivores.

— Ils viennent par ici ! dit Jamieson, et ils vont passer tout près de cette pointe de forêt.

Une légère ironie aiguisait la voix de sa compagne lorsqu'elle répondit :

— Et qu'est-ce que vous ferez... vous leur courrez après pour leur mettre un peu de sel sur la queue ?

Je vous le dis, docteur Jamieson, nous n'avons rien qui...

— La première chose que nous allons faire, dit Jamieson, sans lui prêter attention, comme s'il pensait tout haut, c'est de nous glisser dans cette épaisse ceinture d'arbres. Nous pouvons y arriver en longeant le bord de cette falaise et en mettant les arbres entre les animaux et nous. Ensuite, vous pourrez me prêter votre couteau.

— Okay, fit-elle d'une voix lasse. Si vous ne voulez pas écouter, il faudra que vous appreniez par expérience. Je vous répète que vous n'approcherez pas à deux cents mètres de ces bêtes.

— Je n'en ai pas l'intention, rétorqua Jamieson. Voyez-vous, Barbara, si vous aviez davantage confiance en la *vie*, vous vous souviendriez que ce problème de tuer des animaux par ruse a déjà été résolu. Il est absolument stupéfiant de constater combien peut être similaire la solution trouvée sur des mondes différents, et dans des conditions différentes. On penserait presque à une évolution commune mais en réalité, il ne s'agit que d'une situation parallèle qui produit une solution parallèle. Suivez bien ce que je vais faire.

— D'accord, dit-elle. Je préférerais mourir à peu près de n'importe quelle manière plutôt que de faim. Un repas de viande est sans doute coriace mais ce sera tout de même le paradis. N'oubliez cependant pas que les grybs vampires suivent les troupeaux d'herbivores, s'en approchent le plus près possible la nuit pour les tuer le matin, quand ils sont paralysés par le froid. En ce moment même, pas loin dans l'ombre, un gryb doit être là, qui se cache et s'en rapproche furtivement. Bientôt, il nous sentira et alors, il...

— Nous nous occuperons du gryb quand il s'occupera de nous, dit calmement Jamieson. Je regrette de n'avoir jamais visité ce satellite quand j'étais plus jeune : ces problèmes auraient été réglés depuis longtemps. En attendant, la forêt est notre objectif.

Le calme apparent de Jamieson n'était que le masque de son excitation intérieure. Tout son être frémissait de faim et d'espoir ardent tandis qu'ils gagnaient l'abri de la forêt. Ses doigts tremblaient violemment lorsqu'il prit le couteau de Barbara et se mit à creuser au pied d'un grand arbre au tronc nu, brunâtre.

— C'est sa racine, n'est-ce pas ? demanda-t-il d'une voix mal assurée, qui est d'une dureté et d'une élasticité presque comparable à celle de l'acier trempé, et qui ne casse pas même si elle est courbée jusqu'à former un cercle ? On l'appelle l' « eurood » sur la Terre et elle est utilisée dans l'industrie.

— Oui, dit-elle d'un air dubitatif. Qu'est-ce que vous allez en faire ? Un arc ? Je suppose que vous pourriez vous servir d'une ou deux longues herbes, qui sont très solides, en tant que corde.

— Non, dit Jamieson, je ne fais pas un arc. Remarquez que je suis un bon tireur à l'arc. Mais je me souviens de ce que vous avez dit quant à l'impossibilité d'approcher à deux cents mètres de ces bêtes.

Il arracha une racine qui avait environ deux centimètres et demi d'épaisseur, en coupa une bonne soixantaine de centimètres de long et se mit à la tailler en pointe d'abord à un bout puis à l'autre. Ce n'était pas facile, encore moins facile qu'il l'avait escompté, parce que le couteau dérapait sur la surface presque comme si ç'avait été du métal. Finalement, il réussit quand même à la tailler.

— Cela fera une pointe bien affûtée, déclara-t-il. Et maintenant, aidez-moi à la courber en deux, tandis que je vais attacher quelques herbes autour, pour qu'elle reste ainsi.

— Oh ! fit-elle avec étonnement. Je vois ! C'est ingénieux. Cela fera une touffe d'herbe d'une quinzaine de centimètres d'épaisseur. L'herbivore qui la trouvera l'avalera d'un seul coup pour empêcher les autres d'attraper le sel que vous allez répandre dessus. Les sucs digestifs dissoudront les liens d'herbe, les pointes se détendront de chaque côté et déchireront la paroi de l'estomac, ce qui produira une hémorragie interne.

— C'est une méthode, dit Jamieson, employée par les primitifs de diverses planètes, et nos propres Esquimaux sur la Terre l'utilisent sur les loups. Naturellement, ils se servent tous d'appâts différents mais le principe est le même.

Il se fraya un chemin avec précaution jusqu'à la lisière de la forêt. A l'abri d'un arbre, il lança son petit morceau de bois recourbé en y mettant toute sa force. Il atterrit dans l'herbe à une bonne quarantaine de mètres.

— Nous ferons bien d'en préparer quelques autres, dit Jamieson. Nous ne pouvons pas nous fier à un seul pour qu'il soit trouvé.

90

Le repas fut bon ; la viande rôtie était dure mais savoureuse, et c'était bon aussi de sentir la force revenir en soi. Jamieson poussa enfin un soupir et se leva, regarda le soleil couchant, boule de feu de la taille d'une orange, à l'ouest dans le ciel.

— Nous devrons porter une trentaine de kilos terrestres de viande chacun, cela représente deux kilos par jour pour les quinze prochains jours. Manger seulement de la viande est dangereux ; nous pourrions en devenir fous, bien qu'en réalité il faille environ un mois pour cela. Il nous faut emporter cette viande parce que nous ne pouvons pas perdre davantage de temps à tuer des herbivores.

Jamieson se mit à tailler dans la partie charnue de l'animal qui gisait allongé sur l'herbe dure et en quelques minutes, il eut ficelé ensemble deux paquets. En tressant des herbes, il s'en fit des bretelles, et souleva le long cuissot de viande jusqu'à ce qu'il fût bien fixé sur son dos. Il fallut un petit ajustement pour empêcher la charge d'appuyer trop fortement son vêtement chauffant contre lui ; lorsqu'il leva enfin les yeux, il vit que Barbara le regardait bizarrement.

— Bien entendu, dit-elle, vous vous rendez compte que vous êtes maintenant complètement fou. C'est vrai que, grâce à nos combinaisons chauffantes, nous pouvons réussir à survivre au froid de cette nuit, pourvu que nous trouvions une caverne profonde. Mais n'espérez pas une seconde, une fois qu'un gryb sera sur notre piste, que nous pourrons lui lancer un bout de bois pointu et nous attendre qu'il ait une hémorragie interne.

— Pourquoi pas ? demanda Jamieson d'un ton âpre.

— Parce que c'est la créature la plus coriace qu'ait jamais engendrée une évolution insensée, la principale raison, j'imagine, pour laquelle aucune forme de vie intelligente ne s'est développée sur ce satellite. Ses griffes sont littéralement aussi dures que le diamant, ses dents peuvent tordre le métal ; c'est tout juste si la paroi de son estomac peut être entaillée avec un couteau, encore moins avec un bout de bois grossièrement appointé.

Sa voix prit une note d'exaspération :

— Je suis heureuse que nous ayons eu ce repas ; mourir de faim n'était pas mon idée d'une fin facile. Je préfère la mort rapide que le gryb nous donnera. Mais pour l'amour du ciel, enlevez de votre tête l'espoir que nous survivrons à tout cela. Je vous le dis, ce monstre nous suivra dans n'importe quel trou, l'agrandira adroitement partout où il aura quelque difficulté à passer, et il nous aura finalement parce que nous ne pourrons pas reculer plus loin. Ce ne sont pas des cavernes normales, vous savez, mais des trous de météorites, le résultat d'un cataclysme cosmique, il y a des millions d'années, et ces trous ont tous été tordus, déformés, par le mouvement de la croûte du satellite. Pour cette nuit, nous ferions mieux de nous dépêcher de trouver une profonde caverne avec des tas de tours et de détours, et peut-être un endroit où nous pourrons empêcher les courants d'air d'entrer. Les vents se lèveront environ une demi-heure avant que le soleil se couche et nos chauffages électriques ne vaudront rien contre ces rafales glacées. Nous aurions probablement intérêt à ramasser un peu de bois mort autour de nous, de façon à pouvoir faire du feu au moment le plus redoutablement froid de la nuit.

Porter le bois dans la caverne fut assez facile. Ils en ramassèrent de grandes brassées et les entassèrent jusqu'à former un amas qui bloquait le premier détour du souterrain. Puis après avoir ramassé tout le bois épars aux environs, ils descendirent au premier palier, Jamieson en tête, avec précaution ; la jeune femme — il le remarqua —, avec une vivacité manifeste. Un sourire plissa ses lèvres. L'ardeur de la jeunesse, se dit-il, ne peut être réprimée.

Ils avaient tout juste fini de lancer le bois sur le palier suivant quand soudain, une ombre obscurcit l'entrée de la caverne. Jamieson leva le regard dans un sursaut terrible et il eut la vision fugitive d'une gueule garnie de crocs énormes et d'yeux qui flamboyaient dans une tête hideuse. Une épaisse langue rouge apparut, animée par un désir affreux et un jet de salive atteignit leurs casques de métal et leurs combinaisons de cuir.

Alors, les mains gantées de Barbara s'enfoncèrent comme des griffes dans son bras ; il se sentit entraîné par-dessus le bord.

Ils tombèrent sans mal dans les branches entassées en contrebas et ils se mirent frénétiquement à les lancer plus bas encore. Le raclement affolant et l'horrible miaulement, au-dessus d'eux, les poussaient à une ardeur désespérée. Ils eurent terminé juste au moment où l'énorme bête apparut au second palier, visible seulement par la phosphorescence de ses yeux, luisants comme deux tisons ardents à cinquante centimètres l'un de l'autre.

Un terrible tumulte s'éleva derrière eux tandis qu'ils se hâtaient éperdument vers le palier suivant. Une grosse pierre dégringola avec fracas, les manquant de peu en rebondissant près d'eux ; puis brusquement, ce fut le silence et l'obscurité.

— Qu'est-il arrivé ? demanda Jamieson déconcerté.

— Le gryb s'est calé lui-même entre les pierres, parce qu'il a compris qu'il ne pourrait pas nous atteindre dans les quelques instants qui restent avant que la nuit devienne glaciale, répondit-elle d'une voix amère. Et, maintenant, bien entendu, nous ne pourrons pas sortir d'ici avec ce grand corps qui bloque le passage. C'est vraiment un animal très intelligent à sa manière. Il ne pourchasse jamais les herbivores, il se contente de les suivre. Il s'est aperçu qu'il se réveillait quelques minutes avant eux ; naturellement, il s'imagine que, nous aussi, nous nous engourdirons de froid, et qu'il s'éveillera avant nous. En tout cas, il sait que nous ne pouvons pas sortir. Et c'est vrai que nous ne le pouvons pas. Nous sommes perdus.

Toute cette longue nuit, Jamieson attendit et veilla. Par moments, il somnola, et par moments, il crut qu'il somnolait, simplement pour s'apercevoir dans un affreux sursaut que les horribles ténèbres jouaient des tours diaboliques à son esprit.

L'obscurité au début de la nuit fut comme un poids qui les écrasait. Pas le moindre soupçon de lumière naturelle ne filtrait dans cette nuit d'enfer. Et lorsque enfin ils allumèrent un feu avec le tas de branchages, les pauvres flammes vacillantes ne repoussèrent que faiblement la force oppressante, implacable, des ténèbres et parurent incapables de lutter contre le froid.

Jamieson commença à la ressentir, d'abord comme un frisson désagréable qui lui contractait la peau, puis comme une moiteur glacée, incessante, presque douloureuse, qui le transperçait jusqu'aux os. Le froid se voyait aussi au givre qui s'épaississait sur les parois. De larges fissures s'ouvrirent dans le roc et, non pas une fois mais à plusieurs reprises, des pans du plafond s'écroulèrent avec un grondement de tonnerre, menaçant leur vie. Le fracas de la première chute de pierres sembla éveiller la jeune femme d'un état semi-comateux. Elle se dressa chancelante et Jamieson la regarda en silence aller et venir nerveusement, battant des mains car ses gants chauffants étaient devenus inefficaces.

— Pourquoi, demanda Jamieson, ne monterions-nous pas allumer un feu près du corps du gryb ? Si nous pouvions le brûler...

— Ça ne ferait que le réveiller, dit-elle sèchement, et de plus sa peau ne brûle pas aux températures ordinaires. Il a toutes les propriétés de l'amiante métallique, il est conducteur de la chaleur mais pratiquement incombustible.

Jamieson resta silencieux, les sourcils froncés :

— La capacité de résistance de cette créature, dit-il enfin, n'est pas une plaisanterie, et le pire, c'est que tous les dangers que nous affrontons, toute cette affaire sont, en fait, complètement inutiles. Je suis la seule personne qui possède une solution au problème ezwal, et je suis celui que vous essayez de supprimer.

— Je ne crois vraiment pas que cela ait de l'importance, dit-elle. Quel intérêt y a-t-il à ce que vous et moi discutions là-dessus ? C'est trop tard. Dans quelques heures, cette maudite bête qui nous a enfermés ici va se réveiller et nous achèvera. Nous n'avons rien qui puisse la faire reculer d'un centimètre ni d'une seconde.

— N'en soyez pas si sûre ! dit Jamieson. J'avoue que ce monstre coriace me donne du tourment, mais n'oubliez pas ce que j'ai dit : ce genre de problème a déjà été résolu sur d'autres planètes.

— Vous êtes fou ! Même avec un fulgurant, tuer un gryb avant qu'il vous tue, c'est un coup de pile ou face. Sa peau est si résistante que vous serez mort de peur avant qu'elle ne commence à se désintégrer. Que pouvons-nous faire contre un pareil monstre alors que nous n'avons, en tout et pour tout, qu'un couteau ?

— Passez-moi le couteau, que je l'aiguise, répondit-il, avec un sourire un peu forcé.

Peut-être cela ne signifiait-il pas grand-chose mais, d'après le ton de sa voix, elle semblait commencer à admettre l'attitude de Jamieson.

L'obscurité constante de cette nuit, le grésillement continu des flammes tremblotantes paraissaient devenir de plus en plus palpables à mesure que les heures passaient dans la tension. C'était Jamieson qui marchait maintenant de long en large, tout le corps fiévreux et tendu dans une incertitude anxieuse.

Il commençait à faire nettement moins froid ; le givre fondait par endroits, cédant pour la première fois à la chaleur du feu crachotant, et le froid humide ne traversait plus leurs combinaisons chauffantes.

Un éparpillement de cendres fines jonchait le sol, montrant combien la combustion des branches avait été totale, mais même ainsi, la caverne commençait à s'emplir d'un brouillard de fumée à travers lequel il était difficile de bien voir.

Brusquement il y eut un grand remue-ménage au-dessus d'eux, puis un miaulement profond, avide, et un bruit de raclement précipité. Barbara se releva d'un coup :

— Il est réveillé, haleta-t-elle, et il n'a pas oublié.

— Eh bien, fit Jamieson, sinistre, c'est ce que vous vouliez tellement, non ?

Par-dessus le feu, elle le regarda, maussade :

— Je commence à voir que vous tuer ne résoudra rien. C'était une idée folle.

Une pierre dégringola et rebondit entre eux, ratant de peu le feu, pour disparaître à grand fracas plus loin dans les ténèbres. Puis suivit un bruit affreux d'arrachement, un crissement comme celui d'écailles métalliques raclant le rocher, et ensuite, terriblement proche, le cognement d'un monstrueux marteau en action.

— Il est en train de dégager un morceau de rocher ! souffla-t-elle. Vite ! Aplatissez-vous dans une anfractuosité de la paroi. Il va pleuvoir des pierres par ici, et elles ne nous manqueront pas indéfiniment. Mais que faites-vous ?

— Je crois bien, dit Jamieson d'une voix mal assu-

rée, qu'il faut que je prenne le risque des pierres. Il
n'y a pas de temps à perdre.

Ses mains gantées tremblaient de la nervosité qui
l'étreignait, tandis qu'il détachait l'un des gants de
sa combinaison. Il grimaça un peu quand sa main
sortit dans l'air glacé et il la tendit vivement au-
dessus des flammes chaudes du feu.

— Brrr ! Il fait froid. Encore au moins 25° au-
dessous de zéro. Il va falloir que je chauffe ce couteau
sinon le métal me collera à la peau.

Il avança le couteau dans les flammes, puis le retira, fit une petite entaille dans le pouce de sa main
nue et passa le sang sur la lame jusqu'à ce que son
doigt, bleui par le froid, refuse de saigner davantage.
Il remit alors rapidement son gant. Sa main lui cui-
sait en se réchauffant, mais malgré la douleur, il ramassa une branche enflammée du côté où elle ne
brûlait pas et avança dans l'obscurité, ses yeux ex-
plorant le sol. Il eut vaguement conscience que la
jeune femme le suivait.

— Ah ! s'exclama Jamieson.

Même à ses propres oreilles, sa voix parut sortir
difficilement. Il s'agenouilla, tremblant, près d'une
fente étroite dans le rocher :

— Cela doit à peu près aller. C'est pratiquement contre la paroi et protégé de la chute des pierres par cette
saillie. (Il leva les yeux vers Barbara :) La raison
pour laquelle je nous ai fait camper ici hier soir, au
lieu de descendre plus bas, c'est parce que cette corniche a près de vingt mètres de long. Le gryb a une
dizaine de mètres de long du muffle à la queue,
n'est-ce pas ?

— Oui.

— Bien, cela lui laissera la place de descendre et d'avancer un peu ; et de plus, la caverne est assez large ici pour que nous puissions nous faufiler quand il sera mort.

— Quand il sera mort ! répéta-t-elle avec un faible gémissement. Vous êtes vraiment le roi des fous !

Jamieson l'entendit à peine. Il coinçait soigneusement le manche du couteau dans la fente du rocher. Puis il l'essaya.

— Hum ! cela semble assez solide, mais deux précautions ne seront pas de trop.

— Dépêchez-vous ! s'écria Barbara. Il faut que nous descendions plus bas. On a peut-être une chance d'y trouver un passage qui rejoigne une autre caverne.

— Il n'y en a pas ! Je suis descendu voir pendant que vous dormiez. Il n'y a que deux autres paliers en dessous de celui-ci.

— Pour l'amour du ciel, il va être ici dans une minute.

— Une minute, c'est tout ce qu'il me faut, répondit Jamieson luttant pour calmer les battements de son cœur, pour ralentir le halètement convulsif de ses poumons. Je veux enfoncer ces éclats de pierre près du couteau pour le consolider.

Et Jamieson se mit à frapper tandis qu'elle sautait frénétiquement d'un pied sur l'autre dans une anxiété folle. Il frappa tandis que le branle-bas au-dessus d'eux devenait assourdissant. Il frappa tandis que ses nerfs vibraient et tremblaient du miaulement démoniaque que leur lançait la bête affamée.

Enfin, le souffle haletant, il rejeta la pierre avec

laquelle il avait frappé, et ils se lancèrent à corps perdu par-dessus la crête, juste au moment où deux grands yeux flamboyants les cherchaient. La lueur du feu révéla les vagues contours d'une gueule sombre, des crocs, une langue épaisse qui s'agitait, puis des écailles étincelèrent quand le monstre plongea droit dans le feu.

Jamieson ne vit rien de plus. Il lâcha prise et dégringola de six ou sept mètres avant de toucher le fond.

Pendant une minute, il resta là couché, trop étourdi pour se rendre compte que le vacarme avait cessé au-dessus de lui. Au lieu de cela, vint un sourd grognement de souffrance, puis comme un bruit de succion.

— Qu'est-ce que cela peut bien être ? demanda la jeune femme, déconcertée.

— Attendez ! souffla Jamieson nerveusement.

Ils attendirent peut-être cinq minutes, puis dix, puis une demi-heure. Le bruit de succion était plus faible, et les grognements avaient cessé. Une fois, leur parvint un gémissement étranglé de douleur.

— Aidez-moi à grimper, chuchota Jamieson. Je veux voir s'il en a encore pour longtemps avant de mourir.

— Ecoutez, cria-t-elle, ou vous êtes fou ou c'est moi qui vais devenir folle. Pour l'amour du ciel, qu'est-ce qu'il fait ?

— Il a senti le sang sur le couteau, répondit-il, et il s'est mis à le lécher. En le léchant, il s'est coupé la langue en lambeaux, ce qui l'a littéralement plongé dans une véritable frénésie, parce qu'à chaque coup de langue, toujours plus de son propre sang s'écoulait de sa gueule. Vous avez dit qu'il aimait le sang. Depuis une demi-heure, il se gorge de son propre sang... C'est un truc primitif, commun à de nombreuses planètes.

— Je pense, dit Barbara Whitman d'une voix bizarre, au bout d'un moment, qu'il n'y a plus rien maintenant qui nous empêche de regagner les Cinq Cités.

Jamieson considéra, les yeux plissés, sa forme vague dans l'obscurité :

— Rien, sauf... vous !

Ils se hissèrent en silence sur le palier où le gryb gisait mort. Jamieson sentit que Barbara l'observait quand il retira avec précaution le couteau de la fente où il était coincé dans le roc. Puis brusquement, durement, elle lui dit :

— Donnez-moi cela !

Jamieson hésita, puis lui passa le couteau. Dehors le soleil matinal les accueillit, pâle mais pourtant plus engageant. Il était déjà bien au-dessus de l'horizon et quelque chose d'autre était également dans le ciel : une grosse boule de feu, rouge pâle, qui descendait à l'horizon vers l'ouest. C'était la planète de Carson.

Le ciel, le monde de ce satellite, était plus léger, plus lumineux, même les rochers ne paraissaient plus aussi morts ni aussi noirs. Un vent fort soufflait et ajoutait à ce sentiment de vie. Le matin semblait joyeux après cette sombre nuit, comme si l'espoir était de nouveau possible.

« Un faux espoir, se disait Jamieson. Dieu me

garde de ce sens têtu du devoir chez une honnête femme. Elle va attaquer. »

Pourtant, l'attaque, quand elle se produisit, dépassa son attente. Il aperçut du coin de l'œil, le geste, l'éclair du couteau et il se jeta de côté. Sa force l'étonna. Le couteau accrocha le tissu résistant de la manche de sa combinaison chauffante, laissa une balafre de trente centimètres sur ce matériau tenace, à demi métallique, et Jamieson avait déjà bondi loin sur un méplat solide de rocher.

— Espèce de folle, gronda-t-il, vous ne savez pas ce que vous faites !

— Ah si ! je le sais ! s'écria-t-elle d'une voix entrecoupée. Il faut que je vous tue et je le ferai en dépit de vos belles paroles. Vous êtes pire que le diable quand vous parlez, mais maintenant, je vais vous tuer.

Elle avança, le couteau levé et Jamieson la laissa venir. Il existe un moyen de désarmer une personne qui vous attaque avec un couteau, pourvu que l'attaquant ne connaisse pas cette riposte. Elle approcha, muette ; sa main libre s'avança vers Jamieson, c'était tout ce qu'il voulait. Ce n'était qu'une novice, elle ne savait pas que ceux qui se battent au couteau n'essaient pas d'empoigner leur adversaire. Jamieson agrippa la main qui s'avançait, la serra brutalement et d'une saccade tira la femme de toutes ses forces. Lorsqu'elle fut propulsée autour de lui autant par son propre élan que par cette secousse à lui arracher le bras, Jamieson tourna avec elle. Au dernier instant, il se raidit pour résister au choc et envoya la jeune femme virevolter comme une toupie.

Elle s'efforça désespérément de reprendre son équilibre. Mais le sol rugueux ne lui laissait aucune chance. Jamieson fit un bond formidable et la rattrapa alors qu'elle allait tomber sur une aspérité rocheuse. Il la saisit, la retint, enleva le couteau de ses doigts engourdis.

Elle le regarda et ses yeux s'emplirent soudain de pleurs. Jamieson vit, soulagé, que sa cuirasse de dureté l'avait quittée et qu'elle était de nouveau une femme et non un agent de destruction. Sur la Terre lointaine, il avait sa propre épouse, intensément féminine, et de sa profonde expérience personnelle, il sentit que Barbara avait capitulé et que, désormais, le danger viendrait de ce monde hostile et non de sa compagne.

Toute la matinée, Jamieson scruta le ciel. Barbara n'espérait évidemment aucun secours, mais lui y comptait. A l' « Ouest », la planète Carson s'engouffra dans l'horizon bleu sombre de son satellite, répétition d'un cycle éternel. Le vent fort tomba et le calme s'étendit sur le paysage sauvage, fantastique.

Vers le milieu du jour, il aperçut ce qu'il avait cherché depuis des heures : un point mouvant dans le ciel, qui se rapprocha et prit la forme d'un petit engin volant.

Celui-ci entama une large courbe descendante et Jamieson vit avec soulagement — mais, en fait, comme il s'y était attendu — que c'était son propre croiseur. Un officier se pencha vers eux :

— Nous avons cherché toute la nuit, monsieur. Mais de toute évidence, vous n'aviez pas pensé à em-

porter aucun équipement que nous puissions dé-
tecter.

— Nous avons eu un accident malheureux, dit
tranquillement Jamieson.

— Vous nous aviez dit que vous alliez vers les
mines d'uranium. Et elles sont dans la direction
opposée....

— Tout va bien maintenant, je vous remercie, dit
Jamieson sans insister.

Quelques instants plus tard, Barbara et lui
volaient vers la sécurité et le confort de la civilisation.


Une fois à bord du grand vaisseau, Jamieson se
demanda sérieusement s'il devait ou non envisager
une action en représailles de la tentative de meurtre
qui avait été faite contre lui. Deux points étaient
importants. Ces gens étaient trop enragés pour comprendre le pardon. Ils l'interpréteraient comme un
signe de crainte. Et ils étaient trop de parti-pris
pour accepter un châtiment comme justifié.

Il décida finalement de ne rien faire. Ne pas
formuler de grief. Ne pas déposer de plainte. Considérer cela comme une simple aventure personnelle.
Il ressentit une profonde tristesse à devoir conclure
ainsi. Il était assez pénible pour les hommes raisonnables de l'Administration terrienne de se rendre
compte que, par moments, l'ennemi n'était pas les
Rulls mais d'autres hommes. C'était un défaut de
la nature humaine, pour lequel il ne pourrait jamais
y avoir d'expiation suffisante. Peut-être un jour, un

châtiment adéquat serait-il imaginé par quelque cour de justice surhumaine pour des groupes entiers de gens ou des individus tombés au-dessous du degré nécessaire de courage et de bon sens. En ce jour lointain, l'inculpé serait appelé à la barre et accusé de s'apitoyer sur lui-même, de manifester un chagrin excessif, d'être incapable de tout sentiment de honte ou de culpabilité, de n'avoir pas su vivre une vie digne de toutes les potentialités humaines.

Barbara Whitman, d'une manière assez confuse, avait compris un peu de cette vérité. Et elle était donc restée pour partager les dangers avec lui. Mais c'était une solution ambiguë à un problème qui ne pouvait exister que dans un monde d'humanité déchue.

Parfois, comme à ce moment, Jamieson se rendait compte du nombre immense de caractères irrésolus parmi les humains, dans un univers menacé par l'impitoyable ennemi Rull.


En route vers la Terre, Jamieson envoya un message, demandant si le commandant McLennan était bien arrivé avec l'ezwual femelle captif et son petit.

La première réponse fut brève : « Vaisseau lent. Pas encore arrivé. »

La seconde réponse vint deux semaines plus tard, un jour seulement avant l'arrivée sur la Terre du vaisseau ultra-rapide qui transportait Jamieson. Son contenu agit sur lui comme un choc électrique : « Dépêche de presse reçue voici quelques heures annonçait que vaisseau McLennan allait s'écraser dans le nord Canada. On pense que les deux ezwals seront tués dans la catastrophe. Pas d'autre information quant à l'équipage du vaisseau. »

— Oh, mon Dieu ! s'exclama tout haut Jamieson accablé.

Le message glissa de ses mains et tomba en flottant sur le plancher de sa cabine.

# 8

Le visage sombre du commandant McLennan se tourna vers les deux officiers.

— Complètement désemparé ! dit-il. Le vaisseau s'écrasera sur la Terre dans quinze minutes quelque part dans le golfe de l'Alaska, peut-être aussi loin à l'Ouest que la Péninsule.

Il se redressa, rejeta les épaules en arrière.

— Il n'y a rien à faire, reprit-il plus calmement. Nous avons inspecté le vaisseau à la recherche d'avaries, autant qu'il est humainement possible dans l'espace, et nous n'avons rien trouvé. (Sa voix se fit tranchante :) Carling, faites évacuer les hommes dans les vedettes de sauvetage, puis prenez contact avec la base militaire des Aléoutiennes. Dites-leur que nous avons deux ezwals à bord qui pourraient survivre à la chute. Ce ne sera pas tout à fait un écrasement au sol ; l'antigravité résiduelle l'évitera, même si le moteur principal est arrêté. Ce qui signifie qu'ils devront suivre ce vaisseau avec tous les postes radar dont ils disposent, de façon à repérer avec précision le point où il tombera et à nous le faire connaître rapidement. Si ces monstres se trouvaient lâchés sur la terre ferme, on ne sait pas combien de gens ils tueraient. Compris ?

— Oui, monsieur.

Carling s'éloigna d'un pas rapide.

— Un instant ! lui cria McLennan. Faites-leur bien comprendre — c'est important — qu'aucun mal ne doit être fait aux ezwals sauf s'ils s'échappent. Les amener sur Terre était une mission de la plus haute priorité, et le gouvernement les attend, vivants si possible. Personne ne devra pénétrer dans le vaisseau naufragé avant que j'arrive. C'est tout. Brenson !

Le jeune officier, très pâle, se raidit au garde-à-vous.

— A vos ordres, commandant !

— Prenez deux hommes et descendez vérifier si tous les panneaux au-dessus de la cale principale sont fermés et verrouillés. Ils pourront résister un moment à ces animaux si leur cage est ouverte. Même s'ils survivent à l'écrasement, ils devraient être au moins passablement commotionnés. Maintenant, filez, et soyez aux vedettes de sauvetage dans cinq minutes, pas une de plus !

Brenson pâlit encore plus :

— Oui, commandant ! dit-il — et il disparut.

Pour McLennan, il restait des choses essentielles à faire, des papiers importants à récupérer. Puis le temps fut écoulé. Lorsqu'il approcha du poste central des vedettes de sauvetage, le sifflement de l'air sur la coque extérieure devenait audible. Carling le salua nerveusement.

108

— Tout le monde est embarqué, commandant, sauf Brenson.

— Sacré bon Dieu de Brenson ! Que fait-il en bas ? Et les hommes qui étaient avec lui ?

— Apparemment, il est descendu seul, monsieur. Tous les hommes sont ici.

— Seul ? Du diable si... Envoyez quelqu'un le chercher. Non, laissez cela. J'y vais moi-même.

— Excusez-moi, commandant, dit Carling avec un visage angoissé. Il n'est plus temps. Si nous ne démarrons pas d'ici deux minutes, le vent relatif peut nous fracasser ! De plus, il y a quelque chose que vous ne savez pas sur Brenson, monsieur. Ce n'était pas l'homme à envoyer, je le crains bien.

McLennan ouvrit de grands yeux :

— Pourquoi ? Qu'est-ce que je ne sais pas à propos de Brenson ?

— Son frère aîné, dit Carling, était dans la Garde Coloniale stationnée sur la planète de Carson, et il a été mis en pièces par des ezwals.


Au-dessus du jeune ezwal retentit le terrible grondement de sa mère, puis sa pensée, dure et nette comme du cristal :

« Mets-toi sous moi ou tu es mort ! Le deux pattes vient pour nous tuer ! »

Comme une flèche, il bondit du coin de la cage, monstre bleu sombre de deux cent cinquante kilos. Des pattes préhensiles aux griffes tranchantes comme des rasoirs cliquetèrent avec un bruit métallique sur le plancher d'acier, puis il disparut dans l'ombre sous la forme énorme de sa mère, s'enfonçant dans le creux de sa chair molle qu'elle forma pour lui. Il s'accrocha de ses pattes à cette peau incroyablement résistante, de telle façon que quelle que fût la violence de ses mouvements, ils resterait là en sécurité, douillettement enfoui dans les replis entre les grands muscles de son ventre.

Sa mère lui adressa une autre pensée : « Souviens-toi de toutes les choses que je t'ai dites. L'espoir de notre race est que les hommes continuent de nous prendre pour des bêtes. S'ils soupçonnaient notre intelligence, nous serions perdus. Et l'un d'entre eux le soupçonne. Si son savoir demeure, les nôtres mourront ! »

Sa pensée se précipita : « Souviens-toi, tes pires faiblesses sont celles de la jeunesse. Tu aimes trop la vie. Tu dois accepter la mort si l'occasion se présente de servir ta race en mourant. »

Son cerveau ralentit, elle devint calme. Il guetta avec elle, accrocha son esprit à celui de sa mère aussi étroitement que son corps était accroché au sien. Il vit les épais barreaux d'acier de leur cage, et à demi caché par leurs dix centimètres d'épaisseul, la silhouette d'un homme. Il lut les *pensées* de l'homme !

« Maudits monstres ! Vous n'aurez plus jamais une chance de tuer un autre être humain ! » La main de l'homme bougea. Il y eut un reflet métallique quand il fit passer une arme entre les barreaux. Elle cracha une flamme blanche. Un moment, le contact mental avec sa mère s'obscurcit. Ce furent ses propres oreilles qui entendirent le rugissement étranglé, ses propres narines aplaties qui sentirent l'odeur de la chair brûlée. Et il n'y avait pas d'erreur quant à la réalité physique de la charge sauvage dans laquelle elle se lança sur l'impitoyable fulgurant qui s'avançait entre les barreaux.

Avec un déclic, la flamme s'éteignit. L'obscurité s'effaça de l'esprit de sa mère. Le jeune ezwal vit que l'arme et l'homme avaient reculé devant la menace des puissantes griffes tendues.

L'homme jura, puis :

— Eh bien, puisque c'est comme cela, vous le prendrez d'ici !

Il dut y avoir une douleur terrible mais rien n'en parvint à son cerveau. Les pensées de sa mère restèrent à leur point exacerbé de haine et pas un instant elle ne cessa de bouger. Elle se dérobait d'un côté, de l'autre courait, plongeait, s'élançait, roulait, glissait, luttant pour sa vie dans les limites étroites de la cage. Mais toujours, en dépit de son désespoir, une partie de son esprit restait libre, calme. La flamme dévorante la suivait, la ratait, puis la frappait en plein, la frappait si souvent que finalement, l'ezwal ne put se cacher que sa fin était proche. Et avec cette pensée en vint une autre : le jeune animal prit conscience que sa mère avait eu un but en repoussant cette arme hors des barreaux et en l'obligeant à la suivre dans ses mouvements rapides, frénétiques. En la poursuivant, la flamme du fulgurant avait touché les épais barreaux d'acier, et les avait fait fondre sur son passage.

Maintenant, entre les sifflements des jets de flamme du fulgurant, un nouveau bruit étrange se faisait entendre, comme un gémissement continu, qui s'infiltrait partout. Il semblait venir d'en dehors de la cale et il devenait peu à peu, plus fort, plus aigu.

« Dieu ! pensa l'homme. Ces sales bêtes ne mourront donc jamais ? Il faut que je sorte d'ici, nous sommes entrés dans l'atmosphère ! Et où est-il ce sacré jeune ? Il doit être... » Sa pensée s'arrêta d'effroi lorsque les trois cent vingt et quelques kilos d'un corps aux muscles d'acier enfoncèrent avec la puissance d'un char d'assaut, les barreaux détendus de la cage. Le petit se cramponna de toutes ses forces, luttant contre la contraction de la masse de muscles durs comme la pierre qui l'entourait — et il survécut. Il entendit et sentit les barreaux de métal se courber et se briser là où la flamme les avait fait fondre.

Il y eut un hurlement étranglé, et l'image d'un homme debout là, sans barreaux devant lui, le visage déformé par une folle terreur. L'arme tomba de sa main molle sur le plancher, il fit demi-tour et se mit à courir les jambes flageolantes vers la plus proche échelle de sortie. Il s'effondra presque sur elle et commença à y grimper avec difficulté, tremblant de tous ses membres.

Le jeune ezwal sentit la ruée de sa mère lorsqu'elle se libéra de sa dernière entrave. En deux bonds énormes, elle atteignit l'échelle, et l'image de l'homme sembla se précipiter vers les deux ezwals. Il y eut un autre hurlement, coupé court d'un seul terrible coup de patte, puis le silence. Et la scène s'effaça dans le noir.

*Le noir !* Quand l'énorme forme qui l'enveloppait. s'abattit et s'affaissa sur lui, le jeune ezwal comprit ce que signifiait ce noir, avec le sentiment presque insupportable de la perte de sa mère. Pour lui, cette perte était doublement accablante ; non seulement la protection de cet être aux capacités formidables, mais aussi l'expérience sécurisante de son fier et puissant esprit, désormais n'étaient plus. Il avait considéré ces choses comme allant de soi et maintenant, pour la première fois, il commença à comprendre toute la confiance qu'il avait mise en elle, spécialement depuis leur captivité. Il se trouvait absolument, épouvantablement seul et la vie lui était soudain devenue intolérable. Il voulait mourir.

Et pourtant, tandis qu'il restait là blotti, apathique, à demi suffoqué par la masse inerte de sa mère, il prit vaguement conscience de deux choses. La première était une sensation un peu étourdissante de légèreté et d'une diminution du poids qui l'oppressait. La seconde était l'espèce de gémissement qu'il avait déjà entendu mais qui, maintant, s'était accru et transformé en un long sifflement aigu. Le vaisseau tombait en chute de plus en plus libre d'instant en instant !

Un instinct profond, stimulé par cette compréhension subite, le poussa à se libérer de la masse qui pesait sur lui. Le sifflement était maintenant très fort et encore plus perçant. Et la sensation de tomber devenait horrible, comme si le plancher sous lui allait lui manquer complètement l'instant d'après. Ce plancher était dur comme du métal et froid ; il regrettait le refuge du ventre de sa mère.

A défaut de cela, il sauta sur son large dos, ressentant la nécessité d'un contact qui amortît le choc. Mais il sauta trop haut, ayant oublié de compter avec la diminution de la pesanteur, et il retomba gauchement de l'autre côté. L'air extérieur hurlait maintenant contre la coque. Malgré son vertige, il s'efforçait de grimper en s'accrochant à son flanc, sur le vaste dos de sa mère, lorsque toutes sensations de vision, d'audition et autres sombrèrent dans un fracas de fin de monde.

## 9

La première notion qui lui revint fut celle de la souffrance. Tous les os de son corps hurlaient de douleur dans son cerveau encore hésitant ; tous ses muscles signalaient leurs cruelles meurtrissures. Il aurait voulu retomber dans l'inconscience, mais il y avait autre chose qui l'en empêchait. Des pensées ! Tout un mélange confus de pensées étranges provenant du cerveau de nombreux hommes. Danger !

S'éveillant tout à fait, il se retrouva couché sur le plancher de métal froid. Sans doute avait-il glissé ou roulé du dos de sa mère, après que sa masse élastique eut suffisamment absorbé l'effroyable choc pour lui sauver la vie. Au-dessus de lui, le vaisseau s'était fendu, laissant voir un ciel sombre par la crevasse, et dans ce qu'il voyait de la paroi, une douzaine d'autres trous béaient. A travers eux, soufflait un vent glacé et, au-delà, le sol apparaissait étrangement blanc. Sur cette blancheur se mouvaient des silhouettes noires. Tandis qu'il regardait, un faisceau de lumière jaillit près de lui, se fixant sur l'énorme corps de sa mère. D'un mouvement convulsif, évitant la tache de lumière, il se précipita sous la masse maternelle, se blottit dans les plis de son ventre et s'y accrocha, immobile et frémissant.

Des mots hurlés résonnèrent sourdement dans le vide de la cale, rebondirent en échos fantastiques contre les cloisons tordues et devinrent totalement indistincts. Non qu'ils eussent pu avoir le moindre sens pour l'ezwal. Mais la pensée qu'ils exprimaient était claire, et l'esprit de l'homme qui l'avait formée semblait immensément soulagé.

— Tout va bien, commandant, il est mort !

Il y eut un bruit bizarre de pas traînants puis le martèlement de nombreux pieds sur le métal.

— Que voulez-vous dire en disant qu'il est mort ? (Il s'agissait d'esprit différent, très péremptoire et qui donna lui-même la réponse :) Vous voulez dire que le gros est mort, n'est-ce pas ? Voyons, passez-moi cette torche. »

— Vous ne supposez pas que le petit ait pu...

— On ne peut être sûr de rien. Et de plus, il n'est pas si petit. Probablement dans les deux cent cinquante kilos, et je préférerais plutôt me trouver nez à nez avec un tigre du Bengale adulte qu'avec lui. (Plusieurs faisceaux de lumière exploraient maintenant méthodiquement la cale :) J'espère seulement qu'il n'est pas déjà sorti d'ici. Il y a des douzaines d'endroits où... Carling, faites passer une vingtaine d'hommes de l'autre côté, au trot, et installez votre projecteur dans cette grande crevasse. N'oubliez pas de vérifier s'il n'y a pas de traces dans la neige avant de les brouiller ! Qu'est-ce qu'il y a, Daniels ?

Une vague d'horreur et de nausée émanait de l'esprit de cet homme.

— C'est... c'est Benson, commandant... ou plutôt ce qu'il en reste. Là, près de l'échelle.

Immédiatement, son émotion fut partagée par les autres à divers degrés. Elle fut suivie d'un raidissement mental et la naissance parmi eux d'une fureur amère qui fit se tasser le jeune ezwal dans son refuge.

« C'est révoltant ! » Une pensée explosa. « Bien sûr, c'était idiot de faire cela mais... Dites donc ! D'après l'aspect de cette bête, ce n'est pas seulement le choc qui l'a tuée. Elle a la peau à moitié carbonisée ! Et regardez les barreaux de cette cage ! » Alors s'ensuivit une conjoncture assez exacte de ce qui était arrivé, puis : « Bien entendu, si le jeune a été pris sous elle, acheva le commandant McLennan, il a été réduit en bouillie. Toutefois... Parker ! »

« Oui, commandant. » Curieusement, la pensée qui répondait ne parvint pas directement à l'ezwal, mais ne lui fut perceptible que lorsqu'elle s'enregistra dans le cerveau du commandant. Celui qui l'émettait devait donc se trouver à une certaine distance et communiquait par un moyen artificiel. L'ezwal savait que ce genre de chose était possible.

— Amenez votre vedette juste au-dessus de la plus large crevasse de la coque. Faites passer une boucle de câble autour de la patte du milieu de cette bête et retournez-la. Carling, avez-vous trouvé des traces autour du vaisseau ?

— Non, commandant.

— Alors, il y a une bonne chance qu'il soit encore

sous sa mère, mort ou vivant. Disposez vos hommes de façon à surveiller toutes les ouvertures de ce côté. Tournez votre projecteur par ici, où le nôtre laisse de l'ombre. Tout le monde sur le qui-vive, maintenant ! S'il sort, tirez, et vite, et pour tuer !

L'ezwal se renfonça lentement dans son abri de chair. Son nez capta une bouffée d'air et se contracta à l'odeur de chair grillée de sa mère. Les souvenirs que cela évoqua en lui, de brûlure et de souffrance, firent passer un frisson d'horreur dans ses nerfs.

Il refoula sa douleur et considéra ses chances. Dans l'esprit de ces hommes étaient passées des images de broussailles et d'arbres. Cela représentait des endroits où se cacher. Mais il s'y mêlait une sensation de blancheur éblouissante et cela, d'une manière ou d'une autre, était en rapport avec quelque chose d'humide et de froid qui s'accrochait aux pieds et qui le ralentirait si, par miracle, il arrivait jusque-là. Mais il faisait presque noir à l'extérieur et cela l'aiderait.

Quand il souleva précautionnement un pli de peau, juste assez pour lui révéler un peu de ce qui se passait, ses espérances s'évanouirent, et le terrain qui s'étendait hors du vaisseau lui sembla vraiment très lointain. Une lumière blanche, aveuglante, inondait l'intérieur de la cale et des hommes étaient aux aguets devant toutes les ouvertures, les armes à la main. Il était pris dans un piège dangereux, aussi inéluctable que pouvaient le rendre cinquante hommes armés et déterminés. Le jeune ezwal recula lentement afin que le reflet de ses trois yeux alignés ne le trahisse pas. Sa mère lui avait enseigné cette précaution utile pour suivre une proie, sans se laisser voir, dans les immenses forêts de son monde natal, maintenant inimaginablement éloigné.

Soudain les parois de chair qui l'enveloppaient bougèrent et commencèrent à se soulever ! Un instant, comme électrisé, il imagina que sa mère revenait à la vie, puis la panique s'empara de lui quand il comprit la vérité. Ils étaient en train de la retourner ! Il s'immobilisa, presque aveuglé par le flot croissant de lumière. Mais l'instant d'après, celui-ci s'éteignit et simultanément, il eut le souffle coupé par la masse qui retombait sur lui. Quelque chose avait dû lâcher et tandis que l'ezwal s'efforçait de reprendre sa respiration, les ordres impatients de McLennan parvenaient à son cerveau.

« Parker ! Avancez un peu plus votre vedette et rapprochez le câble du corps... Là, c'est mieux. Très bien, recommencez. »

De nouveau, le corps de sa mère se mit à bouger, le privant de son abri, et continua de se soulever. Le jeune ezwal se fit le plus petit possible, ses poumons aspirant l'air avec peine. A tout moment, maintenant, les hommes allaient le découvrir. Alors viendrait une affreuse souffrance, le même feu qui avait dévoré la vie de sa mère, mais multiplié des dizaines de fois.

Il se raidit en pensant à la fin de sa mère, et se souvint de ce qu'elle lui avait dit pour lutter contre la peur. Elle aussi avait su que sa mort était certaine, mais elle avait bondi à travers les barreaux pour atteindre son bourreau et le tuer en rassemblant ses dernières forces. Ces hommes étaient nombreux

— si nombreux qu'ils ne lui laissaient aucun espoir — mais il n'y avait pas de barreaux pour lui faire obstacle. S'il bondissait assez vite !

Toute crainte l'avait maintenant abandonné, chassée par l'intensité de sa terrible résolution. Dans un instant, la masse qui se soulevait au-dessus de lui, lui laisserait le champ libre. Il prit une profonde respiration et appliqua avec soin ses pattes de derrière contre la chair la plus solide qu'il put trouver.

*Maintenant !* Comme propulsé par un ressort, l'ezwal s'élança tout droit sur le plus proche groupe d'hommes, à une dizaine de mètres. Alors, la vague de surprise et de terreur surgie de l'esprit de tous ces êtres humains le frappa avec une force presque physique. Elle fut instantanément suivie d'une volonté unanime et mortelle : « Tirez ! Mais tirez donc ! » Les armes tenues par les trois hommes qui se trouvaient directement devant lui comptaient à peine parmi les douzaines d'autres qui le visaient à ce moment même, le doigt serré sur la gâchette.

Encore à demi aveuglé par la lumière éblouissante, il ne vit pas une fente ouverte entre deux plaques tordues du plancher avant que l'une de ses pattes n'y glisse et se coince. Par un réflexe fantastique, il put rejeter tout son corps de côté, juste à temps pour libérer sa patte sans en briser les os. Mais cela le fit complètement rouler sur lui-même et glisser sans pouvoir se retenir dans un trou large de trois mètres là où une grande portion du plancher s'était effondrée.

Cette manœuvre imprévue lui sauva la vie — au

120

moins sur le moment. Alors qu'il heurtait le fond, les jets de flamme convergents d'une douzaine de fulgurants crépitèrent dans l'air au-dessus de lui.

Une ouverture sombre et déchiquetée béait d'un côté de la cavité, assez large pour qu'il puisse s'y faufiler. Elle conduisait probablement à un étage inférieur qui lui donnerait peut-être, ou peut-être pas, accès au-dehors. Il décida de ne pas prendre ce chemin. L'étage du dessous devait avoir été encore plus écrasé que celui où il se trouvait et constituerait facilement un piège fatal.

Les hommes les plus proches allaient atteindre le bord du trou d'une seconde à l'autre. Estimant du mieux qu'il put la direction qu'ils emprunteraient, il se ramassa et sauta ; il franchit le rebord déchiré, acéré du trou, tout juste assez large, et atterrit à portée du premier homme qui arrivait. Il allongea la patte. Le sang gicla quand l'homme s'abattit comme une quille, son arme se déchargeant vainement en l'air.

Sans hésitation, l'ezwal fonça sur les deux hommes qui suivaient. Ils n'avaient pas tiré à cause de celui qui les précédait et maintenant, c'était trop tard. L'ezwal se jeta sur le premier avec une force qui lui brisa les os et, au passage, mit la poitrine et le ventre du second en lambeaux. Résistant à une intense envie de s'arrêter et de broyer leurs corps avec ses dents, l'ezwal se précipita vers l'ouverture la plus rapprochée dans la coque, qui n'était qu'à six ou sept mètres. L'instant d'après, il passait d'un bond à travers et s'esquivait brusquement sur le côté. Presque au même moment un torrent rugissant de flamme jaillit de l'ouverture et illumina brutalement les alentours couverts de neige.

*La neige !* Sa sensation de triomphe féroce diminua d'un coup lorsque l'étrange substance blanche, froide et molle, ralentit de moitié la rapidité de ses pattes.

Et soudain, un faisceau de lumière, lancé du vaisseau, s'étala, éblouissant sur la neige, et projeta son ombre loin devant lui. Il éclaira aussi un gros rocher tout proche. L'ezwal se jeta dans l'obscurité qui s'étendait au-delà. Derrière lui, le rocher fut frappé par une flamme sauvage. Il y eut un sifflement assourdissant et le roc s'écroula en morceaux. La flamme rebondit plus loin, s'allongeant avec une violente incandescence au-dessus de lui lorsqu'il sauta dans un ravin peu profond. Mais là, la neige s'était accumulée, molle et épaisse, et il y pataugeait avec une lenteur exaspérante. Après quelques pas, il se risqua à emprunter la saillie rocheuse qui bordait le ravin, courant juste au-dessous de la crête du côté le plus éloigné du vaisseau.

Par deux fois il s'aplatit alors que des faisceaux de lumière fouillaient les rochers sans réussir à le découvrir. Puis, jetant un coup d'œil derrière lui, il vit quelque chose qui fit retomber ses espoirs. La vedette venait droit sur lui le long de la crête, à une allure qu'il ne pouvait égaler. En dessous d'elle, une demi-douzaine de projecteurs balayaient le sol en éventail, formant une bande de lumière bien trop large pour y échapper. Le seul abri qui aurait pu le dissimuler était un bouquet d'arbres beaucoup trop éloigné pour qu'il puisse l'atteindre à temps.

La vedette serait au-dessus de lui dans quelques secondes.

Un groupe de gros rochers était tout près, à demi enfoui dans la neige, et le plus proche n'était qu'à six ou sept mètres ; se ramassant sur lui-même, il bondit pour l'atteindre sans laisser de traces dans la neige molle qui l'en séparait. Atterrissant en plein dessus, il reprit instantanément son élan et bondit de nouveau très haut pour retomber au beau milieu du groupe de rochers, les pattes repliées sous lui. Il enfonça sa tête dans la neige, arrondit son dos souple en bosse et se figea dans une immobilité rigide.

Il ne put voir les faisceaux de lumière quand la vedette passa au-dessus de lui, mais les pensées des observateurs ne donnèrent aucun signe de l'avoir découvert. Le pilote était évidemment en communication avec le commandant resté près de l'épave, et la situation antérieure se trouvait renversée. Cette fois, c'étaient les pensées du pilote qui parvenaient directement à l'ezwal.

— Je ne vois pas comment il pourrait être allé beaucoup plus loin qu'ici, commandant, mais on ne voit aucun signe de lui.

— Etes-vous certain qu'il ne s'est pas écarté de la saillie rocheuse à un endroit quelconque ?

— Certain, monsieur. La neige est épaisse des deux côtés. Il n'aurait pas pu s'en éloigner sans laisser des traces. Et il n'y a absolument rien où il aurait pu se cacher. Attendez un instant, il y a un bouquet d'arbres et de broussailles juste devant nous — le seul aux environs. Je ne suis pas certain que nos projecteurs pourront suffisamment le fouiller pour...

— Alors il vaut mieux atterrir et aller voir. Mais pour l'amour de Dieu, soyez prudent. Nous avons déjà perdu assez de monde comme cela.

L'ezwal relâcha sa position inconfortable mais ne quitta pas son trou dans la neige. Celle-ci fondait à la chaleur de son corps et élargissait le trou dans des proportions trop visibles autour de lui. Et ses six extrémités, plongées dans autant de flaques d'eau glacée, s'engourdissaient. Dans le milieu tropical de ses origines, l'eau était abondante mais sa température variait du tiède au chaud. De tout son être, le jeune animal ressentit la nostalgie de ce monde.

Brusquement, il fut en alerte. Les hommes revenaient à leur vedette.

— Il n'est pas ici, commandant. Nous avons ratissé tout le bouquet d'arbres, mètre après mètre.

Un temps passa puis :

— Très bien, Parker. Faites-en le tour encore une ou deux fois, d'un peu plus haut, et voyez s'il n'y a aucun endroit où il pourrait se cacher. En attendant, appelez l'autre vedette. Elle ne devrait pas être loin d'arriver à la base maintenant. Dites-leur qu'aussitôt les blessés installés à l'hôpital, ils embarquent cette meute de chiens de chasse et les amènent ici. Avec eux, nous pourrons suivre le jeune monstre à la piste, qu'il y ait oui ou non des traces. Et je vous garantis que les chiens auront finalement raison de ses six pattes !

L'ezwal regarda anxieusement la vedette s'élever, mais elle s'éloigna vers la gauche en prenant de l'altitude. Dès qu'elle fut à bonne distance, il retourna en deux bonds à la crête rocheuse, la suivit au galop jusqu'à ce qu'il pût sauter dans le bouquet d'arbres et s'abriter sous leurs branches tombantes. Là, il serait en sûreté jusqu'à ce que la vedette ait quitté les environs.

Cinq minutes plus tard, il s'arrêtait sur le rebord rocheux d'une large vallée qui s'incurvait dans le lointain brumeux. Là, il y avait beaucoup plus d'arbres, et un terrain plus sauvage, plus accidenté, couvert d'une neige qui luisait doucement sous les étoiles de la nuit sans lune. Au loin sur sa gauche, le ciel était faiblement éclairé d'une lueur bizarrement intermittente. Cela pouvait signifier n'importe quoi, sur ce monde étrange, mais cela pouvait être le signe d'une présence humaine. Cette direction était donc à éviter.

Il sauta de la corniche et descendit vers la vallée d'une allure régulière et rapide. Là, la neige était plus tassée, plus dure et il s'aperçut qu'il pouvait avancer sans laisser de traces profondes, spécialement s'il contournait les congères. Il serait ainsi impossible aux êtres humains de le pister du haut des airs ou tout au moins seraient-ils limités par la vitesse des chiens. L'image de ceux-ci n'avait pas été bien claire, cependant il avait compris que les chiens étaient plus petits que les humains et moins intelligents, mais possédaient un sens de l'odorat aussi aiguisé que le sien.

## 10

Une aube grise s'étendait lentement sur les collines neigeuses et boisées, lorsque le jeune ezwal s'arrêta afin de prendre un peu de repos. Il choisit pour cela un renfoncement sous un surplomb rocheux, sans neige et protégé du vent cinglant. Durant les longues heures de la nuit, il avait triomphé du froid inaccoutumé grâce à l'activité continue de sa course, et la magnifique machine de son corps avait fourni une chaleur convenable à ses extrémités. Mais maintenant, il se pelotonna, les pattes serrées contre lui, et ce ne fut pas avant d'avoir réchauffé la surface de la paroi qui l'entourait qu'il se sentit suffisamment confortable pour somnoler.

Après un temps indéterminé, une pensée timide effleura son cerveau, mi-craintive, mi-curieuse, mais surtout inintelligible. Pendant un instant, dans son état de demi-sommeil, il lui sembla que c'était là sa propre conscience des choses.

Il lui fallut un moment pour rejeter cette idée ; très nettement, ses caractéristiques ne s'appliquaient pas à lui. Quand il comprit, avec un sursaut, qu'il s'agissait d'une intrusion mentale étrangère, l'ezwal ouvrit les yeux.

Un daim broutait quelques touffes d'herbe roussie qu'il avait découvertes sur une pente à peu de distance. Il roulait de grands yeux, tournant à demi la tête, et sa pensée restait faite du même mélange de besoin pressant de nourriture et de crainte du danger.

Proie possible ? Avec des yeux avides, l'ezwal étudia la créature et évalua ses chances de la tuer. Il y avait beaucoup de neige entre elle et lui, de neige d'épaisseur et de consistance différentes ; l'essentiel de sa force d'attaque devrait venir de son bond initial. Doucement, l'ezwal ramena ses membres sous lui, cala solidement une patte griffue, puis une autre, dans le sol dur, et il se ramassa, prêt à foncer.

La chair était mangeable, sans plus. Il l'avalait hâtivement pour ne pas en garder le goût dans la gueule. A plusieurs reprises, il plongea celle-ci dans la neige et laissa l'humidité glaciale y effacer la saveur et la sensation du sang. Il se rinçait une fois encore, de cette manière, quand un bruit flotta dans l'air calme.

Le jappement d'animaux !

Le bruit était lointain, mais accompagné d'une faible trace de pensée, pensée humaine, volonté humaine. Avec un frisson d'inquiétude, l'ezwal devina que c'étaient les chiens — les chiens et les hommes qui allaient le prendre en chasse !

Il bondit sur un rocher pour mieux voir. Il se dressa sur ses pattes de derrière et tendit le cou.

De cette hauteur, il pouvait apercevoir l'empreinte de ses pas loin dans la vallée qu'il avait franchie le soir précédent. Le chemin qu'il avait suivi se détachait sur la neige ; il ne laissait aucun doute — il était trop droit, trop facile à suivre. Sa confiance s'en trouva ébranlée ; il allait sauter à terre et fuir quand une ombre glissa sur la neige.

L'ezwal s'immobilisa. Un instant après, une machine volante passa à moins cinq cents mètres sur sa droite et se posa dans la vallée à un kilomètre et demi, près de sa piste. Une ouverture apparut dans son flanc. Cinq chiens en bondirent. Rapidement, ils se précipitèrent dans toutes les directions ; et leur impatience était nettement perceptible dans leurs aboiements excités. Tandis que l'ezwal observait, l'un d'eux découvrit sa piste et donna de la voix. Une minute plus tard, les cinq bêtes se dirigeaient vers lui, à travers la neige.

L'ezwal eut d'abord envie de s'enfuir droit devant lui. Au lieu de cela, après un sursaut mental de peur, il se mit à suivre la crête rocheuse vers les hautes montagnes, le dos tourné au soleil levant. Le chemin n'était pas facile. Là où il n'était pas recouvert par la neige, le sol était raboteux et, tandis qu'il se hâtait en trébuchant — tantôt courant, tantôt au pas, tantôt sautant avec précaution au-dessus d'une crevasse dangereuse —, il avait la sensation désagréable que les chiens couraient droit sur lui. Ou qu'à tout moment, leurs maîtres humains viendraient planer au-dessus de lui et le précipiteraient foudroyé, de ces rochers périlleux. Dans son esprit surgit la vision d'une seconde machine volante embarquant d'autres chiens, plus loin en arrière, et les amenant encore plus près sur sa piste.

Brusquement, il s'écarta de la crête et dévala rapidement la pente raide. Changeant encore de direction, il coupa à travers une vallée étroite vers une autre crête plus éloignée, évitant automatiquement le parcours le plus facile, et dissimulant instinctivement ses traces chaque fois que possible. Il ne se fit pas cependant une obsession de se cacher. A certains moments, les abois des chiens s'évanouissaient dans le lointain ou se perdaient dans l'étendue des vallées. Mais ils revenaient toujours. Et chaque fois, comme un coup de fouet, cela le poussait à exiger de son corps fatigué un nouvel effort. Quand, enfin, le soleil rougeoyant commença à baisser entre deux pics escarpés au loin, et que les ombres allongées devinrent plus sombres, l'ezwal, épuisé, estima que, pour ce jour-là, il était maintenant hors de danger.

Il avait prévu ce qu'il ferait à ce moment. Par bonds énormes et en utilisant toutes les forces qu'il avait en réserve, il franchit une rangée de collines, à angle droit avec le chemin qu'il avait suivi, et à distance de quelques centaines de mètres revint en arrière sur le parcours qu'il avait suivi durant toutes ces longues heures.

Bientôt, de la sécurité relative d'un point élevé couvert de broussailles, il domina une vallée où deux machines volantes étaient posées sur le sol l'une près de l'autre. De petites silhouettes d'hommes s'agitaient dans la neige, et un peu à l'écart, à l'abri d'un rocher, on donnait à manger aux chiens.

Les chasseurs semblaient s'installer pour la nuit.

L'ezwal ne perdit pas de temps à s'en assurer. Tandis que les ténèbres de la nuit proche envahissaient ce morne paysage, il descendit la montagne. Il dut faire un large détour, le vent du soir était irrégulier. Et suivant ainsi le vent, il arriva au sommet du rocher.

Les yeux luisants, il compta du haut de son observatoire, dix chiens. Ils étaient attachés les uns près des autres, certains étaient déjà endormis dans la neige. Une horrible odeur étrangère émanait d'eux, et il jugea qu'en meute ils étaient dangereux. Mais s'il pouvait les tuer, on devrait en amener d'autres par les airs. Et cela lui donnerait peut-être le temps de se perdre dans ces kilomètres de forêts et de montagnes.

Il faudrait, cependant, qu'il les tue en un éclair. Sinon les hommes pourraient se précipiter hors de leurs machines et foncer sur lui avec leurs armes irrésistibles.

Cette pensée le fit s'élancer sur la pente plus vite que l'avalanche de neige qu'il provoqua.

Le premier chien le vit. L'ezwal capta son sentiment d'effroi lorsque l'animal se dressa sur ses pattes, entendit son aboiement aigu d'alarme, et sentit le noir envahir son cerveau quand il l'abattit d'un formidable coup de patte. Il virevolta sur lui-même et ses mâchoires se trouvèrent exactement sur la trajectoire du chien qui lui sautait à la gorge. Des dents qui pouvaient entamer le métal mordirent férocement. Le sang jaillit dans sa gueule, affreusement, aigrement désagréable. Il le cracha avec un grognement sourd tandis que huit chiens hurlants bondissaient sur lui. Il leva une patte armée de griffes pour arrêter le premier.

Les mâchoires furieuses tentèrent de happer la patte bleu sombre et menaçante, avide de l'écharper, mais d'un de ses mouvements vifs, l'ezwal évita la gueule tendue et saisit le cou. Des griffes aiguës comme des poignards s'enfoncèrent profondément dans l'encolure du chien qui fut rejeté comme un boulet au bout de sa chaîne. La force avec laquelle il avait été lancé brisa celle-ci, la bête glissa sur la neige et ne bougea plus, le cou rompu. L'ezwal se retourna, prêt à un assaut des autres chiens, et il s'arrêta. Ils s'enfuyaient tous, leurs cerveaux envahis par la peur. Ils étaient battus, complètement épouvantés.

Il prit un temps pour s'en assurer. Des hommes criaient, des lumières jaillissaient, mais il explorait encore les pensées et les sentiments des chiens. Finalement, il n'y eut plus de doute. Ils étaient terrorisés. Ce groupe de chiens avait cessé d'être dangereux pour lui. Il était certain que rien maintenant, pas même le fouet, ne pourrait les relancer à sa poursuite.

L'ezwal s'éloigna en courant. Un projecteur l'atteignit en pleine face, transformant sa fuite en panique. Celui qui dirigeait le faisceau lumineux n'était pas adroit, et le perdit presque aussitôt. Alors qu'il était déjà à l'abri derrière une autre pente, quelqu'un se mit tardivement à tirer, avec un fulgurant, sur les ombres des alentours. Les détonations illuminèrent le ciel.

Il dormit satisfait cette nuit-là. A l'aube, il reprit sa course. Ce ne fut qu'au milieu de l'après-midi qu'il entendit de nouveau les aboiements des chiens. Il en eut un choc, car il avait été enclin à se faire des illusions, à espérer, en dépit de toute raison, qu'en allant jusqu'à l'extrême limite de ses forces, il réussirait d'une manière ou d'une autre à trouver refuge dans cette contrée désertique.

Il continua de courir, envahi par une immense fatigue ; non seulement il était épuisé physiquement, mais sa volonté de vivre s'affaiblissait. Car il ne pouvait pas imaginer comment il pourrait attaquer avec succès cette nouvelle meute de chiens. Néanmoins, quand vint la nuit, il le tenta. Comme la fois précédente, il revint sur ses pas, astucieusement, prudemment, tous ses sens aux aguets. Son cerveau télépathique détecta l'embuscade prévue à bonne distance.

Il battit en retraite, frustré et inquiet, dans l'obscurité. Il détala, détala à pas sourds sur le sol enneigé. La nuit devint plus noire tandis que des nuages masquaient lentement les étoiles ; seule la blancheur vague de la neige lui permettait de voir assez clair pour éviter les embûches.

Le froid devint plus vif. Des flocons se mirent à tomber toujours plus obliquement, chassés par le vent du Nord qui souffla d'abord légèrement, puis avec violence.

Pendant toute cette longue nuit, il lutta contre le blizzard et le froid. Car il devinait en eux la sécurité qu'il avait cherchée. Une fois de plus, son but fut de mettre le plus de distance possible entre lui et

132

ses poursuivants, sachant que, sur des kilomètres et des kilomètres sa piste, cette fois, serait effacée sous l'amoncellement de neige.

A la première lueur pâle de l'aube, la tempête se calma. Mais ses dernières bourrasques continuèrent par rafales. Ce fut un jeune ezwal glacé, misérable, affamé, qui aperçut l'ouverture d'une caverne au flanc d'une pente raide et qui, très fatigué, voulut y pénétrer. Dans les ténèbres de l'entrée, il s'arrêta. Une forme se dressait à l'intérieur, une créature massive et sombre.

La surprise fut mutuelle et intense. L'ezwal épuisé perçut l'odeur humide d'une chaleur animale, le relent d'excréments et l'onde soudaine de pensées tâtonnantes qui rayonnaient vers lui — et il supposa qu'il avait surpris le monstre alors qu'il dormait profondément.

Un autre ours qui osait le déranger... un outrage... un besoin désespéré de rejeter l'engourdissement d'un long sommeil — voilà les idées qui se formaient chez l'ours Kodiak. Ne voyant qu'une énorme silhouette et encore vaguement, l'animal passa en un instant de l'apathie à la rage furieuse, gronda horriblement et chargea.

L'impact envoya l'ezwal glisser en arrière dans la neige mais pas loin. Ses pattes griffues accrochèrent le sol gelé et, avec sa tenacité habituelle, il tint bon et mordit sans merci dans l'épaule colossale qui le poussait.

L'ours réagit en rugissant et, d'un mouvement brutal soulevant presque l'ezwal plus léger, le saisit dans une étreinte qui lui chassa littéralement l'air des poumons. Pendant un moment, l'ezwal lutta faiblement pour se dégager, se sentant trop las pour une bataille à mort avec une bête aussi puissante.

Cette tentative fut une grave erreur. Il avait déjà perçu chez l'autre la soudaine conscience de combattre une créature inconnue. Un soupçon de peur, un étonnement stupide, un désir absurde de rompre le corps à corps et d'étudier la situation. Mais lorsque l'ezwal essaya de se libérer, le changement fut rapide chez le formidable Kodiak. Il resserra son étreinte et, de ses longues mâchoires, déchira le flanc de l'ezwal, y ouvrant une douloureuse entaille.

La bête gronda d'un affreux triomphe et maintenant tout l'afflux de sa pensée ne fut plus que rage, sauvagerie et soif de tuer. Elle leva une patte énorme et frappa avec une rapidité surprenante.

Le coup fut d'une force terrible. L'ezwal en ressentit le choc dans un moment de quasi-inconscience. La douleur le galvanisa, lui faisant oublier sa fatigue, et pendant un instant il se retrouva lui-même. Il happa d'un mouvement si prompt la patte qui se retirait que ses dents se refermèrent sur elle. Une secousse de sa tête rompit les tendons et écrasa les os. Simultanément, il mit en action ses pattes du milieu et, raclant le ventre de l'ours de ses longues griffes, il déchiqueta la peau, arracha la paroi abdominale, s'enfonça profondément dans le corps de cette bête de cinq cents kilos, en une seule et même suite de mouvements.

Cette contre-attaque fut si violente qu'elle aurait dû mettre fin au combat. Mais l'ours était trop plein de rage pour tenir compte de l'effroyable blessure qu'il avait reçue. Si l'ezwal avait été moins fatigué, il aurait pu s'échapper à ce moment. Tel que cela se passa, l'ours poussa un hurlement et, aveuglé par la souffrance, ne sut que retomber dans sa furie. De nouveau, il agrippa son antagoniste plus petit avec une force désespérée. Mais ses grandes pattes n'avaient jamais affronté une telle machine de destruction.

L'ezwal ne put réagir rapidement, mais la vitesse n'était pas nécessaire. Avec lassitude, il mit ses pattes du milieu en position. Avec lassitude, il éventra encore. Cette fois, des masses entières d'organes vitaux furent complètement arrachées du corps de l'ours.

Aucune fureur bestiale ne pouvait plus résister à une telle dévastation. Dans une immense surprise stupide, l'ours s'effondra dans la neige. Enserrant toujours l'ezwal, il vomit dans un râle une écume sanglante et mourut.

L'ezwal resta dans cette étreinte de mort jusqu'à ce que, finalement, l'ours soit secoué de convulsions musculaires mécaniques et que ses lourdes pattes de devant se détendent. L'ezwal se dégagea péniblement et s'en fut chancelant dans la caverne. Il lécha et nettoya ses blessures, s'enroula en une boule chaude, et s'endormit.

## 11

Il s'éveilla une fois avec l'impression mentale que des animaux étaient proches. L'impression était assez précise pour donner une idée de leur taille. Et bien qu'ils fussent nombreux, la notion de taille qu'il reçut fut celle d'animaux beaucoup plus petits que l'ours.

Il en émanait un flux mental dominant d'absolue bestialité, ce qui le rassura. Pas de danger à craindre d'êtres humains tant que ces créatures se sentiraient en sécurité. Il déduisit des bruits et des images mentales qu'il percevait qu'elles étaient en train de dévorer l'ours. L'ezwal se rendormit. Lorsqu'il se réveilla, il faisait encore jour, et les loups étaient presque tous partis. L'ezwal eut une vision d'os et de fourrure éparpillés sur la neige et l'intuition que quatre bêtes étaient encore là. Deux d'entre elles essayaient de briser l'os d'une cuisse. L'image télépathique n'était pas claire quant à ce que l'une des autres faisait. Mais la dernière bête était en train de renifler l'entrée de la caverne.

L'ezwal se mit souplement sur ses pieds, prêt à

l'attaque, l'énergie affluant dans ses muscles. A son premier réveil, il était encore trop fatigué pour s'inquiéter de se trouver acculé. Maintenant, de nouveau en possession de toute sa force, il avança à pas sourds vers l'entrée, l'atteignit alors que le loup avançait prudemment la tête à l'intérieur. A moins d'un mètre de distance, ils se considérèrent.

Plus de sauvagerie que chez les chiens et même que chez l'ours — telle fut l'impression donnée par la pensée du loup. Et pourtant, après un long grondement, le loup recula en montrant les dents, la queue basse, et s'éclipsa furtivement. L'ezwal lut dans sa pensée, non pas la peur, mais un salutaire respect. Il y reconnut aussi les signes d'un appétit rassasié. Le loup, le ventre plein, ne trouvant aucun véritable intérêt à attaquer une créature étrange, plus grosse et qui semblait plus forte que trois ou quatre loups réunis.

L'ezwal était nerveux maintenant. Il éprouvait un besoin urgent de faire disparaître toute trace de la mort de l'ours. Il lui semblait que les os et les touffes de fourrure éparpillés, la neige ensanglantée, ainsi que les marques très abondantes de piétinements d'animaux pourraient être nettement observés du ciel.

Il était tout à fait conscient d'avoir dormi pendant la plus grande partie du jour, trop fatigué pour s'en soucier. Mais l'inquiétude revenait en lui, très forte. Il sortit.

Deux loups étaient non loin de là, les deux autres à une centaine de mètres. Les plus proches le regardèrent avec des yeux emplis de rage, mais ils s'éloignèrent lorsqu'il avança, abandonnant les os qu'ils étaient en train de ronger. Ne leur prêtant aucune attention, l'ezwal enterra tout ce qu'il put trouver, égalisa la neige par-dessus, du mieux qu'il put. Puis il recula pas à pas dans la caverne, effaçant ses traces au fur et à mesure.

Il dormit toute la nuit, paisiblement, au cœur de la montagne. Le lendemain, il dormit par à-coups, sentant les tiraillements d'une faim qui renaissait. Vers le milieu de l'après-midi, la neige se mit à tomber. Dès que les rafales blanches s'épaissirent, l'ezwal s'aventura hors de la caverne. Il avait un but déterminé. Il se rappelait avoir traversé une rivière gelée pas très loin de là et se souvenait d'autres rivières, où il avait perçu la présence de formes de vie sous la glace. Cela valait la peine d'être examiné.

Il brisa la glace à un endroit où la rivière coulait rapidement sous la surface et il s'accroupit, aux aguets. Des pensées rudimentaires lui parvenaient de l'eau, tantôt proches, tantôt lointaines. Deux fois, il vit des formes brillantes dans les tourbillons du courant et se contenta d'observer leurs mouvements rapides, saccadés.

La troisième fois, il abaissa sa patte droite de devant dans l'eau glaciale et la laissa pendre là, pendre, prendre... jusqu'à ce que le poisson fût tout près.

D'un seul coup de patte, rapide comme un éclair, il fit voler l'écume et le poisson sur la glace. Il mangea cette friandise avec plaisir. Elle avait un goût agréable, contrairement au daim.

Il lui fallut une heure pour attraper et manger quatre autres poissons. Ce succès le laissa encore insatisfait, mais le plus fort de sa faim était calmé. Il commençait à faire noir quand il revint à la caverne.

Pensivement, il s'installa pour la nuit. Il se rendait bien compte que les problèmes accablants des quelques derniers jours étaient résolus — et beaucoup mieux qu'il ne l'avait escompté. Il était maintenant à l'abri de ses ennemis, il avait un asile convenable — et même une source inespérée de nourriture savoureuse. Toutes ces choses, il les avait accomplies seul ; pour la première fois de sa jeune vie, il venait de mettre à l'épreuve la confiance qu'il pouvait avoir en lui-même, et il était certain que sa mère aurait été immensément fière de lui si elle avait pu en avoir connaissance.

Mais en dépit de tout cela, il avait un vague sentiment de mécontentement. Il n'avait, après tout, qu'assuré sa propre fuite, il n'avait fait que peu sinon rien pour venger la mort de sa mère.

Combien de vies humaines faudrait-il pour cela ? Il décida qu'il y avait à peine assez d'êtres humains sur cette planète pour y parvenir. Assurément, il y en avait beaucoup trop peu dans cette région écartée et, en étant réaliste, il ne voyait guère comment il pourrait atteindre des régions plus peuplées.

Cependant, de l'esprit de ses poursuivants lui étaient venues des visions fugitives de villages et de petits groupes d'habitations. Il devait donc finalement lui être possible d'atteindre l'un ou l'autre et d'exécuter au moins une part de sa vengeance avant d'être tué.

Mais pas encore. Ce serait absurde d'imaginer que

la chasse était terminée. Il ferait bien de se montrer le moins possible dans les prochains jours et ensuite de profiter des chutes de neige pour descendre des collines.

Quatre jours après, quelque chose se produisit qui lui fit changer ses plans. Alors qu'il longeait la rivière à la recherche d'un bon endroit pour pêcher, il posa sa patte de derrière gauche en plein dans un piège à castor. Le claquement des mâchoires métalliques le fit sursauter sous la douleur instantanée et il voulut se dégager d'une violente secousse. Ce fut cette réaction qui provoqua une grave blessure à sa patte, car sa force était si grande qu'elle arracha la chair et endommagea les tendons.

L'ezwal s'affaissa de souffrance et examina l'instrument qui l'avait saisi. En quelques instants, il eut compris comment il fonctionnait. Il appuya sur les extrémités plates et dégagea sa patte qui maintenant l'élançait de douleur. Peu après, il s'en alla en suivant le sens du courant. Il aurait aimé retourner à sa caverne et y rester jusqu'à ce que sa patte soit guérie, mais il n'osait pas.

Seraient-ils longs à découvrir le piège détendu et feraient-ils le rapprochement avec lui ? Il ne pouvait le deviner. Mais il faisait peu de doute que le pays n'était plus sûr pour lui.

Vers l'aube, il se trouva un endroit pour se reposer sous un rocher en surplomb. Il dormit la plus grande partie de la journée. A la tombée du soir, il en sortit prudemment, se dirigeant vers le lit de la rivière, et après avoir trouvé l'endroit où la glace était le moins épaisse sur l'eau rapide, il se servit d'une grosse pierre pour la briser. Il ne tarda pas à attraper quelques poissons.

Toute la nuit, il poursuivit son chemin le long du cours d'eau. Et il en fut de même la nuit suivante.

Le troisième jour, il fut éveillé d'un profond sommeil par le sifflement familier de réacteurs. De son abri, l'ezwal observa attentivement tandis qu'un petit engin aérien volait à quelques mètres au-dessus de la rivière, venant dans sa direction.

Tandis qu'il se reculait pour ne pas être vu, une pensée claire, apparemment dirigée droit sur lui, atteignit son esprit :

« Quitte ce cours d'eau immédiatement. Tes traces ont été repérées et les recherches ont commencé. Je m'appelle Jamieson et j'essaie d'obtenir l'autorisation de sauver ta vie. Mais elle peut arriver trop tard. Quitte ce cours d'eau immédiatement. Tes traces ont été repérées... »

L'engin aérien continuait son vol vers l'aval, hors de vue, et hors de portée de sa perception des pensées. Le jeune ezwal resta accroupi où il était, encore un instant, réfléchissant avec inquiétude. Etait-ce un piège destiné à le faire sortir à découvert alors qu'il faisait encore jour ?

Il décida que non. C'était là l'un des hommes qui avaient découvert le secret des ezwals. En fait, son amitié — réelle mais limitée — était plus dangereuse pour la race ezwal que la mort de sa mère ou la sienne.

Le jeune ezwal ressentait une grande répugnance à mourir sans combattre. Comme un coureur s'élançant sur une piste, il bondit hors de sa cachette, se dirigeant vers l'amont, dans la direction d'où il était venu. Très tôt ce matin-là, il était passé devant une profonde coupure de terrain qui formait une vallée aux rochers déchiquetés, s'étendant des deux côtés de la rivière ; elle n'était pas loin.

Il l'atteignit, et sa patte recommença à lui faire mal. Négligeant la douleur, il fonça dans ce qui lui parut la plus impraticable des deux routes. Le sol vierge, rocailleux, montait de plus en plus haut et bientôt l'ezwal se trouva sur une crête à près de deux cents mètres au-dessus de la rivière.

Il n'y avait pas encore d'engin aérien en vue, ni signe de poursuite. Soulagé, l'ezwal se dirigea vers le col très élevé qu'il apercevait loin en avant.

La nuit tombait alors qu'il courait sur un terrain qui semblait d'une infinie désolation hivernale. Une grosse lune ronde se leva derrière lui et, à droite, le ciel s'emplit des étranges lumières qu'il avait appris à reconnaître comme une singularité de la planète elle-même.

Au bout d'un temps interminable, les premiers rayons de soleil le trouvèrent fatigué, et avec une patte qui l'élançait sans relâche. Plus inquiétant encore, le panorama qui s'éclairait devant lui, révélait aussi loin que l'œil pût porter une mer grise. Sur la côte il distingua quelques habitations humaines.

L'ezwal eut une hésitation et regarda autour de lui. En un certain sens, c'était le genre d'endroit qu'il avait désiré atteindre — de nombreux êtres humains sur lesquels commencer à assouvir sa vengeance —, mais pas au moment où ses poursuivants étaient rela-

142

tivement proches, et où sa patte blessée gênait tous ses mouvements.

Il lui faudrait contourner ce village sur la droite ou sur la gauche, s'enfoncer de nouveau dans les terres, et se tenir tranquille jusqu'à ce que...

Soudain, à la hauteur d'un proche bouquet d'arbres, un engin aérien volant très bas apparut et fut au-dessus de sa tête en un instant. L'ezwal fila comme un éclair mais non sans avoir reconnu l'engin qu'il avait vu la veille au bord de la rivière. Maintenant celui-ci le suivait facilement, dans tous ses tours et ses détours, et d'en haut, le même esprit clair, qui s'était adressé à lui, lui lançait une série de pensées rapides, incisives.

« Je ne te ferai aucun mal ! Si je le voulais, tu serais mort. Arrête-toi de courir sinon tu seras vu ! Tu as déjà été repéré par d'autres dans les environs et ta présence a été signalée. Sachant la direction d'où tu venais, j'ai pu te trouver le premier. Mais la région tout entière a été alertée et d'autres appareils la fouillent. Arrête-toi de courir, sinon tu seras vu ! »

L'ezwal se sentit impuissant — partagé entre ce puissant appel à son instinct de prudence et la frustration cuisante de ne pouvoir se défaire de son poursuivant immédiat. Mais moins d'une minute plus tard, la question fut réglée pour lui. Il vit un petit groupe de maisons devant lui, changea de direction et aperçut l'une des vedettes qu'il redoutait, se déplaçant lentement à un kilomètre et demi à peine. Il plongea dans un fourré où il se blottit, tremblant.

Promptement, le petit engin piqua comme une

pierre et vint se poser doucement à une quinzaine de mètres. L'ezwal eut un sursaut quand un panneau glissa à l'arrière et s'ouvrit, mais personne n'en sortit. Au lieu de cela lui parvinrent des pensées pressantes.

« Hier, j'ai tenté de te diriger vers l'intérieur des terres mais maintenant que tu es arrivé dans cette région habitée, il ne reste qu'un seul moyen de te sauver la vie. Il te faut monter dans le compartiment arrière et me laisser t'emmener où tu seras en sécurité. Non, je ne peux pas te remettre en liberté mais je crois pouvoir garantir qu'il ne te sera pas fait de mal. La vedette approche ! Les hommes qui sont à son bord ne croient pas que tu sois une créature intelligente, ils ne voient en toi qu'une menace pour les vies humaines, et le temps manque pour les convaincre de la vérité. Ils te tueront si tu n'agis pas rapidement ! Comprends-tu ? »

La vedette n'était plus qu'à quelques centaines de mètres de là, planant au-dessus d'un fourré très semblable à celui où se cachait l'ezwal. Ils le scrutaient évidemment de très près.

L'ezwal resta tapi, tendu. Ses traces, il en était certain, étaient impossibles à distinguer dans la neige boueuse, piétinée, et il y avait une chance que la vedette se dirige d'un autre côté, mais tandis qu'il l'observait, elle s'éleva et vint lentement droit sur lui.

« Vite ! lança l'appel pressant qui venait du petit engin. Il vaut mieux qu'ils ne te voient pas entrer ! »

L'ezwal hésita encore, répugnant âprement à abandonner sa liberté durement conquise, même pour sauver sa vie. Puis au tout dernier moment, ce ne fut pas la considération de sa sécurité personnelle qui le décida, mais le souvenir de quelque chose que son soi-disant protecteur avait dit : « *Les hommes qui sont à bord ne croient pas que tu es une créature intelligente...* » Cela pouvait vouloir dire que l'homme dans l'engin qui attendait était le seul à le croire. Et si cet homme pouvait être tué, ce qu'il savait disparaîtrait avec lui.

## 12

Le corps aplati contre le sol, profitant des buissons, l'ezwal se glissa rapidement jusqu'à l'engin volant et sauta dans le compartiment arrière. Le panneau se ferma avec un bruit sec derrière lui, le laissant dans l'obscurité, mais en un éclair il vit que l'intérieur était nu à part deux petites ouvertures de ventilation. Lorsqu'il sentit le plancher se soulever soudain sous lui, il s'assit, très las, et ne bougea plus. Etrangement, le très net sentiment qu'il n'aurait aucune occasion immédiate de tuer le possesseur du secret essentiel ne suscita en lui aucun chagrin ; il ne ressentit qu'une acceptation sourde : les choses maintenant devraient suivre leur cours quoi qu'il puisse faire.

Et voilà que, de quelque part hors de l'engin, arrivèrent des pensées qui s'enregistrèrent en même temps dans le cerveau de l'homme qui était assis dans le compartiment voisin, et qui s'accompagnèrent de sons à peine audibles à travers la cloison métallique : « Docteur Jamieson ! Vous arrivez toujours avant nous, dirait-on ! Vous n'avez rien vu de ce pauvre petit monstre si mal jugé, n'est-ce pas ? » C'était le même esprit énergique qui avait donné des ordres autour du vaisseau écrasé, bien des jours auparavant, et il manifestait maintenant une animosité mal dissimulée.

Il y eut un temps puis une réponse teintée d'une certaine ironie prudente : « Je suis tout à fait certain qu'il a quitté la région, commandant McLennan. »

— Ah, vraiment ? Eh bien, nous le saurons bientôt. Six chiens sont sur sa piste, avec l'autre vedette derrière eux. Une belle piste toute fraîche à en juger d'après leur vitesse. Cette fois, nous ne nous arrêterons pas avant de l'avoir rattrapé, où qu'il soit. Ce n'est pas de chance que vous n'ayez pu convaincre le commissaire que cet animal était assez peu dangereux pour que nous essayions de le capturer vivant — mais peut-être vous permettront-ils de le faire empailler.

Tandis que le commandant parlait, ses pensées directes devinrent plus faibles et l'ezwal sentit que le petit engin de Jamieson prenait de la vitesse. Le moment d'après, Jamieson manifesta de l'inquiétude en voyant que la vedette revenait rapidement sur eux. « Jamieson ! » C'étaient la voix et la pensée du commandant McLennan, qui toutes deux avaient des notes furieuses. « Posez immédiatement votre engin au sol, sinon nous serons forcés de vous abattre ! »

L'ezwal lut la consternation et la déception dans l'esprit de l'homme du compartiment voisin. Et aussi l'indécision, un débat mental : fallait-il manœuvrer les commandes de manière à faire atterrir l'engin, ou, au contraire, le lancer à toute vitesse afin qu'il s'esquive parmi les montagnes et les nuages bas. Mais rien de cette incertitude n'apparut dans la réponse indignée de Jamieson.

« Qu'est-ce que cela signifie, commandant ? »

« Cela ne vous servira à rien de bluffer, Jamieson ! L'un des habitants a tout vu de sa maison sur une colline, là-bas. Voyant votre engin manœuvrer aux alentours, il a pris ses jumelles et vous a regardé atterrir. Il a vu l'animal sauter dans votre engin. Comment avez-vous fait ? Vous l'avez appâté avec une friandise de sa planète ? Je vous préviens, Jamieson, nos canons sont braqués sur votre engin. Si vous n'avez pas commencé à atterrir quand je compterais trois, je donnerai l'ordre de tirer ! Un... deux... »

L'ezwal sentit le plancher sous lui se mettre à s'enfoncer mais, juste avant, il avait eu conscience d'une série de pensées passant comme des éclairs dans l'esprit de Jamieson — une image de l'engin abattu, de Jamieson tué dans la chute, de l'ezwal survivant assez longtemps pour être tué par les armes sans pitié des hommes de la vedette. Et parmi ces images, un sentiment de frustration et d'amer regret devant l'échec d'un plan d'importance vitale.

C'était très étrange. L'esprit de cet homme semblait tout à fait différent de celui de l'autre homme qui avait tué sa mère. Dans cet esprit, il n'y avait aucun désir de détruire ceux de la vedette, alors même qu'ils avaient menacé sa vie. Et peu, sinon pas de trace de crainte personnelle.

Là-dessus, arriva un flot hâtif de pensées venant du compartiment voisin, dirigées vers lui : « Pas le temps de t'expliquer tout cela en détail, mais il faut que tu comprennes une chose essentielle. Tu sais, bien entendu, pourquoi les ezwals ont choisi de dissimuler leur intelligence, ils craignent un durcissement de l'antagonisme des hommes si ceux-ci la découvrent. Cela pourrait être très vrai... si aucune des parties n'avait plus de droits sur la planète de Carson que l'autre. En tant que simples animaux — ce que vous, les ezwals, prétendez être —, vous ne pouvez avoir aucun droit de ce genre, selon la loi interplanétaire. Mais en tant qu'êtres intelligents et en tant que premiers habitants, vous auriez les droits les plus sûrs.

« Les ezwals ne pourront jamais chasser les humains de la planète de Carson par la force brutale, mais en tant que race scientifiquement développée vis-à-vis d'une autre, vous pourriez nous demander de nous en aller, dès l'instant où vous pourriez défendre votre planète, et nous serions obligés de le faire.

« J'ai risqué ma réputation professionnelle — et ma sécurité personnelle — pour t'amener devant les autorités de mon gouvernement dans l'espoir de leur prouver que toi et les tiens, vous êtes des créatures intelligentes et que nous devons cesser de vous tuer et commencer à discuter avec vous. Naturellement, je ne peux pas faire cela sans ta totale coopération. »

Au moment où l'homme cessa de parler, une légère secousse indiqua que l'engin avait touché le sol. L'ezwal avait éprouvé les parois du compartiment en appuyant sur elles de toutes ses forces mais il n'y existait apparemment aucun point faible nulle part. Les deux groupes de trous qui y étaient percés, pour former les ouvertures de ventilation, montraient que les parois d'acier environnantes étaient d'une épaisseur presque égale à la longueur de ses griffes.

Jamieson parlait de nouveau, assez hâtivement : « Les hommes de la vedette, comme tu le sais probablement, sont des militaires qui ont reçu l'ordre de te poursuivre et de te capturer mort ou vif. Quand je suis arrivé sur la Terre, voici quelques jours, j'ai demandé à être chargé de cette opération, puisque le commandant McLennan n'avait pas réussi à te trouver. Mais ma demande a été repoussée parce que j'ai insisté sur l'importance de te prendre vivant, alors que tu étais considéré comme beaucoup trop dangereux. Je suis ici contre la volonté de McLennan. Il pense que les soldats sont les mieux équipés pour pendre en main ce genre de situation. »

L'ezwal recevait les explications de Jamieson avec une partie seulement de son cerveau ; une autre partie était de plus en plus consciente de la pression des pensées embrouillées, dont certaines étaient hostiles, et une part de cette hostilité était dirigée contre Jamieson. Elles semblaient signifier que l'homme n'avait pas joué le jeu honnêtement. Mais aussi, par endroits, se glissait une nuance d'admiration pour la manière dont Jamieson avait accompli ce qu'ils avaient considéré comme impossible.

Ce mélange de pensées s'était renforcé de plus en plus au cours des dernières minutes, et maintenant il demeurait constant. La vedette avait évidemment atterri tout près.

Jamieson conclut d'une manière pressante : « La situation m'échappe maintenant. Mais tu peux nous

150

aider tous les deux en me faisant savoir ce que McLennan a dans l'esprit — ce que sont ses projets — dès que tu en auras connaissance. Ou les connais-tu déjà ?

L'ezwal se cala dédaigneusement dans son coin. Il n'avait encore rien admis. Et il ne se laisserait certainement pas prendre au piège d'une ruse aussi élémentaire pour avouer quoi que ce soit, même si rien ne prouvait que l'homme ait eu cette intention.

## 13

Et maintenant les images venant de l'esprit de Jamieson montraient qu'il avait ouvert la porte du poste de pilotage et qu'il en sortait pour se trouver en face de plusieurs hommes dont les armes étaient pointées sur lui.

La voix de McLennan, qui était encore dans la vedette, retentit par le haut-parleur.

— Docteur, je suis pour l'instant trop étonné par votre acte illégal pour décider des mesures à prendre. Ecartez-vous.

Jamieson ne répondit pas mais s'éloigna de l'engin comme il lui était ordonné.

— Très bien, Carling, vous pouvez y aller, dit McLennan d'un ton brusque.

L'un des hommes qui portait un petit cylindre de métal alla au poste de pilotage que Jamieson venait de quitter et y entra. Une série de bruits métalliques suivirent. Alors Jamieson parla d'une voix cinglante :

— Je vous avertis, commandant, que si vous faites

le moindre mal à cet ezwal qui est un captif sans défense, vous aurez beaucoup de peine à vous en justifier.

— Ne craignez rien, docteur Jamieson, on ne fera aucun mal à votre petit camarade. Je considère seulement nécessaire de vérifier le compartiment afin de voir s'il convient bien au transport d'une bête aussi dangereuse, en pays civilisé. Le gaz rendra simplement l'animal inconscient pour une durée de quelques heures.

— Il n'aura aucun effet sur lui, dit Jamieson, parce qu'il en a été prévenu d'avance.

— Ah oui, dit le commandant ironiquement. Votre petite théorie préférée. Bon, nous verrons s'il est assez intelligent pour s'arrêter de respirer pendant plusieurs minutes. Carling, êtes-vous prêt ? Si oui, lâchez le gaz.

— Bien, commandant.

L'ezwal prenait sa troisième profonde inspiration quand le bruit de sifflement commença, et il retint son souffle. Il n'avait aucune idée de ce que pouvait être une durée de plusieurs minutes, il resta donc allongé là, inerte, résolu à contenir sa respiration jusqu'à l'évanouissement si c'était nécessaire.

Pendant ce temps, au-dehors, Jamieson reprit :

— Je vous le dis, commandant, vous commettez une périlleuse erreur si vous vous fiez au gaz pour immobiliser cette créature.

— Vous nous demandez de croire, dit McLennan, que cette bête sait que nous sommes en train de la gazer, simplement parce que nous en avons parlé — en bref, qu'elle comprend nos paroles.

**153**

— Elle lit dans les esprits.

Cette déclaration parut stopper McLennan. L'ezwal perçut un changement dans la pensée de l'homme, l'acceptation partielle soudaine de ce que Jamieson avait dit.

— Vous êtes sérieux, Jamieson ? demanda lentement McLennan.

— Je n'ai jamais été plus sérieux de ma vie. Les ezwals sont de parfaits télépathes, les seuls télépathes de l'univers que nous connaissions, qui peuvent à la fois capter les pensées de non-télépathes et en émettre vers eux.

— Ce serait idéal, dit méditativement McLennan, si nous pouvions avoir un tel télépathe à bord de chacun de nos vaisseaux.

— Tout à fait vrai, dit Jamieson, et ce n'est qu'une possibilité parmi beaucoup d'autres.

L'hésitation de McLennan prit fin. C'était un homme de décision.

— Cela nous laisse quand même le problème de nous assurer qu'il reste captif et ne fasse pas davantage de dégâts. Carling, administrez-lui encore cinq minutes de gaz. Puis ouvrez la porte.

Cinq minutes, trente... soixante minutes, cela n'aurait fait aucune différence. Les ezwals étaient des amphibies, et une heure et demie aurait été plus proche du temps nécessaire pour être certain qu'un ezwal était convenablement anesthésié.

Pour l'ezwal, la demi-acceptation par McLennan de la théorie de Jamieson cristallisa la décision qu'il devait prendre. C'était maintenant ou jamais. Jamieson devait mourir d'une manière telle que la croyance momentanée de McLennan en l'intelligence des ezwals soit à jamais détruite par un déploiement de sauvagerie bestiale.

Il se prépara à pouvoir agir instantanément, puis il laissa son corps devenir mou comme une chiffe. Il eut conscience que Jamieson se rapprochait de l'engin sans être remarqué. Le savant dut regarder à l'intérieur car il s'écria d'un ton bref.

— Commandant, j'exige que vous arrêtiez l'utilisation de ce gaz. Personne ne peut en savoir l'effet sur un ezwal.

— C'est celui que vous avez utilisé quand vous les avez capturés.

— Nous avons eu de la chance.

— Très bien, dit McLennan. Carling, ouvrez cette porte. Que tout le monde recule.

— Qu'avez-vous l'intention de faire ? demanda Jamieson.

— S'il est inconscient, nous le hisserons avec un palan pour le faire passer dans la vedette qui est plus grande.

Jamieson parut résigné :

— Laissez-moi au moins lui passer le harnais.

L'ezwal eut une image mentale de Jamieson avançant vers la porte du compartiment qui s'ouvrait et cela modifia complètement ce qu'il avait prévu. Il avait eu l'intention de rester inerte pour le moment, espérant simplement qu'une chance indéfinie amènerait Jamieson à sa portée. Maintenant, l'homme se trouvait juste en bonne place pour qu'il le tue facilement. L'ezwal ramassa ses pattes sous lui et bondit par-dessus le rayon de lumière qui s'élargissait, jusqu'à la porte.

Celle-ci s'ouvrit toute grande. L'ezwal et l'homme se trouvèrent face à face. Les trois yeux alignés, luisant comme l'acier, furent à la hauteur de deux yeux marron, calmes et résolus.

D'au-delà, du dehors glacial, parvint un brouhaha nerveux, la tension de plusieurs esprits. L'ezwal en fut conscient, puis il en repoussa la perception à l'arrière-plan de sa pensée.

Une chose étonnante se produisait. En dépit de sa détermination désespérée, il hésitait. Vaguement, il comprit pourquoi. Auparavant — des jours auparavant — il avait tué des hommes impitoyablement parce que, pour eux, il était un animal, et pour lui, ils étaient des ennemis de sa race.

Ici, c'était différent. Cet homme était un ami, indubitablement et immanquablement. Et ce n'était pas tout. Ils étaient tous deux des êtres intelligents en face l'un de l'autre ; et bien que l'ezwal s'en rendît à peine compte, il sentait la parenté qui existe entre toutes les intelligences, dès qu'elles sont en communication.

Il comprenait dans un coin reculé de son esprit le genre d'antagonisme qui peut exister entre des formes de vie intelligentes. Mais son développement émotionnel n'avait pas atteint ce stade. Et ainsi, seul le sentiment de communication et de parenté restait dominant.

Puis Jamieson parla d'une voix grave, raisonnante ; ses mots n'avaient aucun sens pour l'ezwal, mais ses

156

pensées étaient claires comme du cristal. « Je suis ton ami et je me dresse entre toi et une mort certaine. Non pas parce que ces hommes sont tes ennemis mais parce que tu ne veux pas les laisser être tes amis.

« Tu peux me tuer facilement et je sais que tu ne considères pas ta vie comme importante. Mais réfléchis à ceci : pendant que nous sommes ici, un ezwal est peut-être en train de tuer un humain sur ta planète natale, ou d'être tué par un humain. Et bien que nous en soyons à une énorme distance, il est maintenant en ton pouvoir de décider si ce massacre cessera bientôt ou continuera longtemps.

« Ne crois pas que je t'offre un moyen commode, lâche, de t'en sortir. La tâche d'amener les ezwals et les humains à vivre en mutuelle harmonie ne sera pas facile. Il faudra convaincre de cette réalité beaucoup de membres de nos deux races. Tu rencontreras beaucoup des miens qui considèrent tous les êtres très différents d'eux comme des animaux et automatiquement comme inférieurs à eux. Ces gens ignorants ne gouvernent pas le monde mais ils pourront te mettre à bout de patience avant que nous en ayons terminé. Nombre de tes semblables te considéreront d'abord comme un traître, simplement parce qu'ils ne comprennent pas mieux la réalité que les hommes qui sont derrière moi, ici. La tâche peut être longue et difficile mais elle peut être accomplie avec ton aide. Et elle peut commencer dès maintenant. »

Calmement, Jamieson tourna le dos à l'ezwal et fit face aux hommes. Le commandant McLennan resta muet de stupeur quand Jamieson dit :

— Commandant, voulez-vous, s'il vous plaît, demander à l'un de vos hommes d'aller chercher ma trousse médicale dans le poste de pilotage. Notre hôte a une patte grièvement blessée qui exige des soins.

McLennan battit des paupières comme ébloui. Incapable de prononcer un mot, il fit un signe de tête à l'un de ses hommes et celui-ci se dirigea vers le poste de pilotage.

— Mais vous remarquerez, ajouta Jamieson, qu'il lui en reste encore cinq autres en bon état ; que personne ne fasse donc l'erreur d'essayer de refermer cette porte avant que nous soyons certains qu'il y consent.

L'ezwal était resté figé comme une statue ; la torture de l'indécision croissait dans son esprit à mesure que passaient les instants. Déjà, en tardant si longtemps, il avait donné à ceux qui étaient présents l'impression même qu'il voulait à tout prix éviter de leur donner : l'idée indélébile qu'il était un être intelligent.

L'homme qui s'était rendu au poste de pilotage revint avec une petite trousse et la remit à Jamieson, la lui tendant de loin. Jamieson se retourna et posa la trousse sur le seuil de la porte entre l'ezwal et lui. De nouveau, il le regarda dans les yeux : « Si tu veux te coucher afin que je puisse examiner ta patte, dit-il tranquillement, je crois que je peux faire quelque chose pour la soigner. »

L'esprit de l'homme semblait totalement tendu vers lui ; l'instant était décisif et il n'y avait pas la moindre possibilité d'y échapper — mais lui aussi, sincèrement, voulait être utile.

Alors même qu'il prenait sa décision, l'ezwal se rendit compte qu'elle avait été inévitable. Il n'en ressentit qu'un grand soulagement quand il se coucha et tendit sa patte blessée.

# 14

La grande ville était maintenant visible dans la brume. La ville du Vaisseau. Un peu plus tôt, de l'avion, Jamieson avait téléphoné à sa femme, et cela avait été la première nouvelle qu'elle ait eu de son retour. Elle était vite allée chercher Dex au Franc jeu et leur conversation téléphonique à trois avait été très animée.

Leur impatience lui donnait un sentiment de culpabilité, car il aurait dû appeler sa femme dès son arrivée. Il avait été quatre mois et demi absent, dans l'espace, et il savait que cela la contrarierait si elle découvrait qu'il avait passé des semaines de plus à sauver la vie d'un jeune ezwal. Il avait déjà décidé de ne pas le lui dire.

Assis maintenant dans son fauteuil de l'avion, Jamieson hocha la tête à la pensée de tous les problèmes qui confrontaient les hommes et les femmes de cette époque. Tout, la vie de famille, l'éducation des enfants, l'amour et les désirs personnels, était subordonné aux nécessités dévorantes de la guerre, qui durait depuis cent ans ; contre l'ennemi rull. Dans moins d'une heure, il serait chez lui. Il y aurait des baisers mêlés de larmes, car Veda était une femme d'une sensibilité intense. Pendant un moment, il le savait, elle répondrait à son ardeur, ensuite ses exigences dépasseraient les siennes, et puis la flambée de passion s'affaiblirait peu à peu, Entre-temps il serait rapidement absorbé par sa haute fonction administrative, qu'il désertait de moins en moins souvent maintenant. Il pouvait compter sur les doigts d'une main le genre de problèmes qui lui feraient quitter son bureau. L'un d'eux était l'idée qui lui était venue à propos des ezwals.

Deux circonstances en avaient fait une affaire relevant du chef du Département Scientifique. Premièrement, personne d'autre n'aurait conçu le moindre enthousiasme quant à l'hypothèse selon laquelle les ezwals étaient intelligents, et il ne pouvait donc pas escompter que quelqu'un d'autre aurait pris au sérieux le projet de capturer un ou plusieurs de ces êtres. Deuxièmement, le fait que cela avait un rapport avec la planète de Carson, l'un des trois pivots de la défense des hommes contre les Rulls. En de telles circonstances, avoir une idée nouvelle au sujet des ezwals l'avait contraint à l'action. Il existait quelques autres possibilités mais, dans l'ensemble, il n'y avait plus aucune nécessité pour lui de travailler « sur le terrain ».

Ainsi, un jour, peu après que le jeune ezwal eût été capturé, il était assis dans son bureau, menant une discussion suffisamment importante pour exiger son attention de « grand patron ». C'était une discussion de la plus haute priorité, sans cependant qu'elle risque de lui faire quitter la Terre.

— Là ! dit Trevor Jamieson, pointant son crayon au centre d'une tache verte sur la carte qui était devant lui. (Il leva son regard sur l'homme sec et nerveux qui lui faisait face :) C'est exactement là, monsieur Clugy, que le camp sera bâti.

Ira Clugy se pencha en avant et considéra l'endroit. Il semblait perplexe et avec un commencement d'irritation dans sa voix, il demanda :

— Pourquoi à cet endroit en particulier ?

— C'est très simple, dit Jamieson. (Cela le gênait de traiter un homme adulte comme s'il était un gamin. Mais la guerre contre le Rull exigeait des administrateurs qu'ils jouent bien des rôles :) Le but tout entier du projet est de se procurer du liquide provenant de la progéniture des bêtes à lymphe de la planète Mira. Cette région forestière est leur principal habitat. Par conséquent, c'est là que le camp doit être situé afin d'obtenir les résultats les plus rapides.

Il ne put s'empêcher d'approuver la réaction exaspérée de Clugy. « Ce serait une chance déjà de ne pas recevoir un coup de poing dans le nez », pensa mélancoliquement Jamieson. Les mains énormes de l'astronaute se crispèrent dans un effort pour se maîtriser et il avala sa salive :

— Monsieur Jamieson, dit-il doucement, comme vous le savez, nous avons déjà fait une reconnaissance préliminaire. Jamais on n'a vu une forêt comme celle-là dans l'expérience humaine. Elle grouille de jeunes de la bête à lymphe et de mille autres créatures dangereuses.

Il se leva et se pencha sur le relevé topographique de la planète Mira.

— Alors que là, dit-il vivement, dans cette région montagneuse, c'est déjà suffisamment mauvais, mais la vie animale et végétale peut être neutralisée et le climat est supportable. Nous pouvons nous y installer, faire l'aller et retour par équipes alternées et ramener toute la lymphe dont vous avez besoin. Et d'une manière plus économique, si l'on considère ce qu'il en coûtera de dégager et d'entretenir un emplacement dans la forêt.

C'était l'analyse la plus cohérente que Jamieson eût jamais entendue. Si Clugy était sous contrôle rull, il jouait vraiment bien son rôle. Jamieson savait que les réactions de Clugy étaient étudiées par une équipe psychotechnique dans une autre pièce où la scène était projetée. S'il faisait une fausse note, un signal lumineux, invisible pour Clugy, s'allumerait sur un panneau du bureau de Jamieson. Mais rien ne s'y allumait pour le moment.

— Pour des raisons dont nous ne sommes pas autorisés à discuter, insista Jamieson, cette lymphe est trop importante pour considérer ce qu'elle coûte à obtenir. Il nous la faut et il nous la faut vite. De plus, le contrat, si vous l'obtenez, sera établi tous frais en plus — après vérification bien sûr. Par conséquent...

— Au diable ce que cela coûtera ! s'écria Clugy, la voix rauque. Je n'aurais pas dû en parler ! Ce qui compte vraiment, c'est d'exposer plusieurs centaines de braves gars à des risques inutiles.

— Je conteste que ces risques soient inutiles, dit Jamieson. (Il poussait à fond maintenant, désireux de provoquer une réaction violente :) Et je prends toute la responsabilité de ma décision.

Clugy s'affaissa lentement dans son fauteuil. Le hâle de son visage bruni par de nombreux soleils se colora d'une rougeur de colère. Mais, de nouveau, il se contint visiblement.

— Ecoutez, monsieur Jamieson, prononça-t-il enfin, il y a une petite hauteur, une éminence à la lisière de cette jungle. Elle est signalée dans mon rapport. Ce n'est pas ce que j'appellerais un bon emplacement mais on n'y trouve pas quelques-unes des pires caractéristiques des basses terres. Si le gouvernement insiste sur un camp à proximité de la source d'approvisionnement — ou plutôt, si *vous* insistez, puisque vous avez pleine autorité — nous le construirons sur cette colline. Mais je vous le dis tout net, au-delà de cette limite, je n'engagerai pas mes hommes, même si cela doit me coûter le contrat.

Jamieson était maintenant nettement mal à l'aise. Il était conscient à quel point il devait paraître déraisonnable à cet ingénieur logique. Mais la pointe de son crayon revint au milieu de la tache verte et appuya fermement.

— Là ! dit-il d'un ton péremptoire.

Ce fut la goutte d'eau. Le corps nerveux de Clugy se détendit de son fauteuil comme un ressort d'acier. Son poing s'abattit sur le bureau de Jamieson assez violemment pour le faire vibrer.

164

— Sacré bon Dieu ! explosa-t-il, vous êtes comme un tas d'autres petits génies que j'ai rencontrés, enfoncés dans leurs fauteuils tournants ! Vous êtes resté assis derrière ce bureau si longtemps que vous avez perdu tout contact avec la réalité, mais vous croyez que vous pouvez soutenir votre réputation de « dur » simplement en ordonnant que tout soit fait de la manière la plus difficile, même si cela met en danger la vie d'hommes qui valent mieux que vous ! Mon bonhomme, si je pouvais seulement vous débarquer cinq minutes dans cet enfer vert, là où est posée la pointe de votre crayon, on verrait alors où vous voudriez que le camp soit bâti !

C'était l'éclat que Jamieson avait cherché à provoquer et il n'y avait toujours pas de signal lumineux. Il se sentit soulagé. Il restait maintenant à conclure la discussion sans révéler qu'elle avait été un test.

— Vraiment, monsieur Clugy, dit-il avec calme, je suis surpris que vous mêliez des questions de personnes à cette affaire purement gouvernementale.

Le regard de Clugy ne flancha pas, bien que son expression furieuse ait laissé place à un air renfrogné.

— Monsieur Jamieson, dit-il aigrement, c'est l'homme qui veut en mettre d'autres dans une situation impossible par simple lubie qui introduit un élément personnel dans cette affaire. Si c'est là que vous voulez que le camp soit bâti, vous pouvez aller le bâtir vous-même. Je vais donner l'ordre à mon équipe de revenir sur la Terre. Au diable votre contrat, tous frais en plus ou en moins !

Clugy tourna les talons et se dirigea vers la porte,

Jamieson ne fit aucune tentative pour l'arrêter. Le test n'était pas encore complet. La preuve irréfutable serait faite si Clugy allait jusqu'à mettre à exécution sa menace de rappeler tous les hommes de Mira 23 et à renoncer ainsi à toute prétention au contrat. C'était ce que les Rulls ne feraient jamais — abandonner, par l'intermédiaire de Clugy, le contrôle d'un projet de la plus haute priorité comme celui de la lymphe — même si le camp devait être bâti sur un volcan. Il était inconcevable qu'ils poussent un semblant de souci du personnel humain aussi loin.

Trevor Jamieson tourna un cadran et abattit un commutateur sur le panneau de son bureau. Un écran s'éclaira, montrant un groupe de trois personnes. C'était l'équipe psychotechnique qui avait observé Clugy aussi minutieusement qu'une quantité d'instruments ultra-sensibles le leur permettait.

— Eh bien, dit Jamieson, on dirait que Clugy est impeccable, n'est-ce pas votre sentiment, messieurs ?

L'un des hommes sourit :

— Cette crise de colère était du pur Clugy. Je suis prêt à parier sur lui.

— Si je peux le faire revenir sur sa décision, dit Jamieson avec amertume. Espérons que les Rulls ne s'empareront pas de lui avant qu'il parte pour Mira.

Cela, malheureusement pour l'humanité, c'était le côté désastreux. On ne pouvait jamais avoir de certitude, et spécialement ici sur la planète natale de l'homme. Nulle part dans le secteur de la Galaxie contrôlée par les hommes, l'activité de l'espionnage rull n'était aussi bien établie que sur la Terre elle-même, en dépit du contre-espionnage le plus intensif et le plus soutenu. Les raisons de cette situation remontaient à une centaine d'années, quand la première Armada destructrice des Rulls était venue d'au-delà un nuage sombre de matière obscurcissante qui s'étendait en travers d'une zone de la galaxie.

Une centaine de systèmes planétaires leur furent abandonnés avant que les humanoïdes puissent mobiliser leurs flottes et contre-attaquer en force suffisante pour arrêter leur avance. Pendant quelques années, l'immense front de bataille resta relativement stable. La ténacité froide, impitoyable des Rulls se trouva contenue par la vaillance pure et désintéressée des hommes ; la science plus ancienne et mieux équilibrée de l'ennemi était compensée par la créativité incomparable de l'esprit humain stimulé par le péril.

Puis la marée des Rulls commença à avancer inexorablement, tandis que les uns après les autres tous les plans militaires des hommes échouaient, et qu'une partie de la plus secrète stratégie était contrée d'avance. Cela semblait ne signifier qu'une seule chose : des espions recueillaient des renseignements pour l'ennemi.

La faculté des Rulls de contrôler la lumière au moyen des cellules de leur organisme ne fut même pas soupçonnée jusqu'au jour où un « homme » fut abattu alors qu'il tentait de s'enfuir après avoir été surpris en train de fouiller les dossiers secrets du Conseil de la Recherche. Tandis que le simulacre humain se dissolvait en une forme semblable à un ver muni de nombreuses pattes réticulées, les humains eurent un premier aperçu du péril fantastique qui les menaçait.

En l'espace de quelques heures, des chars et des avions militaires ratissèrent chaque ville et chaque chemin d'un millier de planètes, faisant sortir les citoyens de toutes les maisons et utilisant le radar pour silhouetter leur véritable forme.

Sur la Terre seulement, une centaine de mille espions rulls furent découverts et exécutés dans cette première rafle. Mais depuis, les recherches n'avaient jamais cessé. Les Rulls avaient bientôt développé un dispositif supplémentaire qui leur permettait de tromper tous les radars sauf les plus complexes systèmes intégrés de détection.

Et ainsi, décennie après décennie, on devait, en résumé, constater que les Rulls gagnaient. Ils étaient une forme de vie résistante, à base de silice-fluor, presque insensible aux produits chimiques et aux bactéries qui affectent l'humanité. Le problème brûlant pour l'homme avait été de trouver dans son propre secteur de la galaxie un organisme qui lui permettrait de mettre au point une arme bactériologique.

La progéniture de la bête à lymphe était cet organisme. Même Ira Clugy avait été induit en erreur quant à l'usage réel de la lymphe. Il avait admis l'idée qu'elle avait quelque chose à faire avec les systèmes de régénération de l'air à bord des grands vaisseaux de combat. On espérait que les Rulls avaient accepté la même idée fausse.

Les pensées de Jamieson furent interrompues par

168

le bourdonnement de l'intercom. Il s'excusa auprès du groupe de psychotechniciens et fit apparaître le visage de sa secrétaire sur l'écran.

— M. Caleb Carson vous demande, dit la jeune femme.

— Passez-le-moi, dit Jamieson.

La secrétaire acquiesça de la tête et son image sur l'écran fut remplacée par celle du visage sérieux, intelligent d'un jeune homme aux cheveux foncés. Caleb Carson était le petit-fils de celui qui avait découvert la planète de Carson et un spécialiste accompli de l'étude de ce monde primitif ainsi que du conflit entre humains et ezwals.

— Je suis prêt, dit-il.

Jamieson ressentit une poussée d'impatience :

— Je viens immédiatement, dit-il — et il coupa la conversation.

— Je vais au Centre de Recherche, dit-il à sa secrétaire. Si un rapport arrive au sujet d'Ira Clugy, transmettez-le-moi là-bas.

— Bien, monsieur.

En quittant son bureau, Jamieson se félicita une fois de plus de l'idée géniale qui lui avait fait désigner le petit-fils du fondateur de la planète de Carson pour faire l'éducation du jeune ezwal. Si quelqu'un ressentait de l'intérêt pour un plan qui stabiliserait la situation sur cette planète, c'était bien le jeune et brillant Caleb Carson.

Jamieson prit un ascenseur jusqu'au hangar de la terrasse où son aérocar était garé. Deux gardes en armes à la porte du garage le saluèrent correctement et entreprirent de le fouiller minutieusement et de vérifier son identité. Jamieson se soumit patiemment à leurs investigations manuelles, c'était le moyen le plus sûr et le plus simple d'appréhender les agents rulls, et les bureaux gouvernementaux de ce bâtiment contenaient beaucoup de renseignements secrets dans leurs dossiers.

Son aérocar, avec plusieurs autres, était garé près de la porte du hangar. Lorsqu'il en approcha, ses yeux furent attirés par un réseau étrange de lignes sur la matière siliceuse dont était faite la plate-forme.

Jamieson cligna des yeux puis secoua la tête. Il ressentait une sensation bizarre, une sorte de chaleur, puis, une fois de plus, il ferma fortement les yeux mais l'image du réseau persistait comme si le dessin correspondait à une voie naturelle à l'intérieur de son cerveau.

Il se retrouva dans l'aérocar, le faisant décoller vers un bâtiment éloigné avant de se demander : « Mais, bon Dieu, qu'est-ce qui se passe ? »

Il était encore nerveux et étrangement fébrile quand il posa son petit appareil sur le toit d'un haut bâtiment. Distraitement, se creusant encore la tête, et toujours perplexe et troublé, il stoppa et attendit que le gardien du parking vînt lui apporter son ticket. Quand celui-ci approcha, il remarqua que c'était un nouveau, quelqu'un qu'il n'avait jamais vu auparavant. Puis regardant autour de lui, il constata quelque chose de complètement stupéfiant.

Ce bâtiment n'était *pas* celui du Centre de Recherche !

Non seulement cela, mais il n'avait pas la moindre

ressemblance avec le centre. Déconcerté, il se tourna vers le garde pour s'excuser. Il se figea sur place... La main de l'homme ne tenait pas un ticket mais une arme luisante. Jamieson sentit un jet froid de gaz sur son visage et une strangulation suffocante lui enserrer la gorge. Puis il sombra dans le noir.

## 15

La première sensation qui atteignit ensuite sa conscience fut une odeur épaisse, âcre, de végétation en décomposition, à la fois familière et étrange. Il ne bougea pas, gardant le corps immobile, les yeux clos, s'obligeant à respirer au rythme lent et profond d'un dormeur. Il était couché sur quelque chose qui semblait être un lit de camp, affaissé au milieu, mais raisonnablement confortable. Ses pensées devinrent analytiques. Etait-il victime des ... Rulls? Ou était-ce une affaire personnelle ? En tant que savant en chef de la Commission Militaire Interstellaire, il avait, à l'époque, contrecarré beaucoup d'individus cyniques et dangereux, sur la Terre et sur d'autres planètes. Ira Clugy ? se demanda-t-il. Celui-ci était certainement le dernier de ceux qu'il avait contrecarrés. Mais Clugy enlèverait-il un haut fonctionnaire dans le seul but de forcer une décision ? Cela semblait impossible. L'esprit de Jamieson se souvint soudain du bizarre réseau de lignes qui avait attiré son attention. Une nouvelle forme de prise de contrôle de l'esprit ? Au moment où lui vint cette idée, il se rendit compte que poursuivre ce genre de conjectures ne résoudrait rien.

Jamieson ouvrit les yeux. A travers un feuillage dense, il vit un ciel bleu-vert, lumineux. Il fut brusquement conscient qu'il transpirait abondamment, que la chaleur était presque insupportable, et qu'il était entouré de bruits de machines. Il se redressa sur son lit de camp, posa les pieds sur le sol et se leva. Il remarqua alors qu'il était vêtu d'une sorte de cotte de mailles très fine qui le moulait de la tête aux pieds. C'était le genre de vêtement de chasse utilisé sur les planètes primitives qui grouillaient de toutes sortes de formes de vie hostiles. Il vit que son lit de camp était à la lisière d'un espace que l'on était en train de dégager. Niveleuses, bulldozers et une vingtaine d'autres monstrueux engins de terrassement étaient au travail. On montait des baraquements en plastique sur sa droite. D'autres étaient achevés. S'il était sur Mira 23, les bureaux de Clugy devaient déjà fonctionner.

C'était Clugy — il en était maintenant persuadé. Il ne pouvait pas y avoir d'autre explication. Et, bon Dieu, Clugy ferait mieux d'être prêt à s'expliquer !

En se dirigeant vers la rangée de baraquements, Jamieson remarqua que la teinte verte du ciel résultait d'un écran énergétique. Il le découvrit au léger brouillage des contours du sommet des arbres qui étaient au-delà. Cette observation mit fin à toute incertitude qui aurait pu lui rester, car l'effet de verdissement était dû à l'absorption par l'écran des plus basses fréquences de la lumière visible venant du soleil démesuré qui resplendissait de blancheur au zénith de l'écran : Mira, l'étoile géante rouge, l'étoile merveilleuse !

Deux fois, tandis que Jamieson marchait, des pulvérisatrices le dépassèrent en grondant, répandant leur insecticide et il dut s'écarter prudemment sur la terre meuble. A ses premiers stades, l'insecticide était aussi nocif pour les êtres humains que pour n'importe quelles créatures. Sur le sol retourné, scintillaient de longs vers noirs, se tortillant faiblement, les fameuses punaises rouges de Mira qui étourdissaient leurs victimes par des chocs électriques, et d'autres *choses* qu'il ne reconnut pas. Il atteignit la zone de baraquements, continua d'avancer, et se trouva bientôt devant un panneau sur lequel on lisait

MERIDAN SALVAGE Cie
IRA CLUGY
INGENIEUR EN CHEF

Jamieson entra dans le baraquement. Il était en transpiration et fut vexé d'y voir un garçon d'une vingtaine d'années assis à un bureau, l'air très à l'aise.

— Où est Ira Clugy ? demanda Jamieson, se dispensant de préliminaires.

Le jeune homme le regarda sans aucune surprise particulière.

— Qui êtes-vous ? Je ne me souviens pas vous avoir déjà vu ici.

— Je m'appelle Trevor Jamieson. Cela vous dit quelque chose ?

L'autre ne sourcilla pas :

174

— Le nom, oui. C'est le haut fonctionnaire qui a la responsabilité de ce projet, à la Commission Militaire. Vous ne pouvez pas être Jamieson. Ce n'est pas un homme à venir sur le terrain.

Jamieson négligea cette objection :

— Vous devez être Peter Clugy.

— Comment le savez-vous ? (Le garçon le regarda fixement :) Que vous sachiez mon nom, ne prouve pas que vous êtes Trevor Jamieson. Comment êtes-vous venu ici, en tout cas ? Il n'est pas arrivé de vaisseau depuis cinq jours.

— Cinq jours ? répéta Jamieson.

Le jeune homme confirma d'un mouvement de la tête.

Cinq jours, réfléchit Jamieson. Et le voyage depuis la Terre en avait pris sans doute sept ou huit. Ira Clugy aurait-il pu le garder inconscient et le dissimuler durant tout ce temps sans que son neveu le sache ?

— Où est votre oncle ? demanda-t-il simplement.

Peter Clugy secoua la tête.

— Je ne crois pas que je doive vous le dire, sans savoir qui vous êtes et comment vous êtes arrivé ici. Mais je vais l'appeler.

Il prit l'appareil téléphonique et appuya sur l'un des boutons de son bureau. Un instant après, on entendit le son grêle d'une voix sur la ligne. Elle prit un ton d'exclamation quand Peter Clugy transmit le message. Puis Jamieson fut surpris d'entendre le garçon le décrire personnellement.

— D'une taille au-dessus de la moyenne, d'épais cheveux plus ou moins blond roux avec une pointe prononcée sur le front, des yeux très foncés, le front large, des traits saillants... (Peter Clugy s'arrêta tandis que la voix sur la ligne parlait brièvement :) Okay, mais vous feriez mieux d'amener deux ou trois hommes avec vous, on ne sait jamais.

Il raccrocha et se tourna vers Jamieson :

— Mon oncle dit que vous *pourriez* être Jamieson, d'après ma description *ou* un Rull se faisant passer pour lui.

Jamieson sourit et s'avança, la main tendue.

— Voilà, je peux du moins vous prouver que je ne suis pas un Rull. Serrons-nous la main.

La main de Peter Clugy était posée à plat sur le bureau. Il la bougea juste assez pour laisser voir le petit mais meurtrier fulgurant qui était dessous.

— Gardez vos distances, dit-il calmement. On aura tout le temps de vérifier quand mon oncle sera là.

Jamieson le considéra un instant puis haussa les épaules. Il lui tourna le dos et alla nonchalamment jusqu'à la porte.

— Revenez à votre place, dit le jeune Clugy sèchement. Mieux vaut que vous vous asseyiez là où je peux vous surveiller.

Jamieson n'en tint aucun compte et resta sur le seuil à regarder le panorama plutôt extraordinaire. En venant au baraquement, il avait été trop préoccupé par son problème personnel pour remarquer la vue étendue que l'on avait depuis l'emplacement du camp. Ce devait être le site qu'avait proposé Clugy au cours de leur dure discussion là-bas sur Terre. Cette éminence s'élevait à quelques trois cents mètres au-dessus du sol de la jungle mais pas trop abruptement. Maintenant que sa crête avait été débarras-sée de la plus grande partie de sa végétation, elle offrait une vue magnifique sur la vaste forêt luisante qui était en contrebas et dont la splendeur verte s'étendait jusqu'aux montagnes à peine visibles à l'horizon.

Il vit le miroitement luisant de rivières, les cou-leurs étincelantes d'arbres étranges, et tandis qu'il regardait, une vieille émotion, vivace, renaissait en lui, un sentiment d'exaltation à imaginer tout cet univers de planètes fabuleuses et d'étoiles prodigieu-ses, telles que la fameuse Mira — ce soleil qui était au-dessus de lui.

La vue de trois hommes armés qui traversaient l'espace dégagé et se dirigeaient vers lui, lui rappela brusquement les nécessités pressantes du moment. La silhouette qui était en tête devait être Ira Clugy. Lorsque celui-ci fut assez près pour être reconnu, son visage bronzé prit une expression que Jamieson aurait jugé être sincèrement déconcertée.

Ira Clugy ne dit rien jusqu'à ce que, sur un geste de lui, ses hommes aient palpé Jamieson et établi sa nature humaine sans laisser de doute.

— Encore une chose, monsieur Jamieson. Je n'in-sisterais pas là-dessus n'était-ce la manière dont vous êtes arrivé ici. (L'ingénieur prit un stylo sur le bu-reau et le tendit :) Veuillez signer sur ce bloc que je puisse comparer avec quelques papiers dans nos dos-siers qui portent votre signature.

Quand ce fut fait, Clugy se tourna vers Jamieson :

— Bien. J'aimerais maintenant vous poser une question : comment êtes-vous venu ici ?

Jamieson eut un sourire sardonique :

— Croyez-le ou non, je suis venu dans ce bureau pour *vous* poser la même question.

Il n'y avait, pensa-t-il soudain, rien à gagner à dissimuler quoi que ce soit. Il raconta à Clugy tout ce qu'il savait depuis le moment où il avait quitté son bureau à Solar City jusqu'à son arrivée sur cette planète. Il ne cacha même pas ses soupçons à l'égard de Clugy.

Celui-ci en fut ironiquement amusé :

— Vous ne me connaissez pas très bien, dit-il. Je vous aurais boxé avec plaisir quand j'étais dans votre bureau. Mais un enlèvement ce n'est pas mon genre.

Clugy poursuivit en relatant les événements qui avaient suivi le moment où il l'avait quitté, furieux. Il était allé directement au Club des Cosmonautes et avait donné l'ordre par radio à son équipe installée sur Mira 23 de tout remballer et de rentrer. Il était allé noyer sa colère au bar du Club quand était survenu un agent du gouvernement qui lui avait expliqué la raison de son entrevue difficile avec Jamieson. Apaisé, Clugy lança un contrordre à son équipe. Le lendemain matin, il signait le contrat et commençait à embarquer des hommes et du matériel de renfort à bord d'un de ses vaisseaux de sauvetage. Deux jours plus tard, il partait pour Mira 23.

— Vous pouvez demander par radio à la Terre de confirmer ce que je viens de vous dire, conclut Clugy.

— Il faut de toute façon, que je me mette en communication par radio avec la Terre, répondit Jamieson, et je demanderai bien entendu, confirmation de

178

votre histoire, quoique je vous croie vraiment. Mais il est beaucoup plus important de faire venir un gros croiseur ici aussi vite que nous le pourrons. Ce qui m'est arrivé n'a pas été un accident et nous n'en avons pas fini avec cette affaire.

La cabine de radio n'était pas loin et facilement reconnaissable à la disposition en cône des anneaux qui, au-dessus, formaient l'antenne subspatiale. L'opérateur leva les yeux de derrière le panneau de contrôle quand ils entrèrent. Son visage avait une expression soucieuse.

— Monsieur Clugy ! J'allais vous appeler. C'est encore le condensateur McLaurin. Il a de nouveau grillé.

Clugy regarda l'homme sévèrement :

— Je crois bien, Landers, que je vais vous faire mettre en état d'arrestation.

Cette remarque sembla frapper le jeune homme de stupeur. Jamieson était tout aussi surpris et le dit.

— Docteur Jamieson, dit Clugy, c'était le troisième et dernier condensateur. Il faudra attendre six jours avant qu'un autre vaisseau arrive, avec, naturellement, un stock de pièces détachées. En attendant, nous sommes sans liaison radio.

C'était en effet catastrophique et justifiait instantanément l'arrestation. En un éclair, Jamieson passa en revue la situation. Ils étaient quatre dans le poste : les deux Clugy, l'opérateur radio et lui-même. Dehors, le rugissement des machines annulait toute possibilité qu'un son d'origine humaine soit entendu.

Le jeune Peter Clugy interrompit le cours de ses pensées, en poussant un fulgurant près de lui sur la table :

— Prenez, monsieur, et tenez-le en joue pendant que je vérifie...

Jamieson saisit l'arme, soulagé d'en avoir de nouveau une. Il recula et fit signe au jeune Clugy d'avancer. A côté de lui, Ira Clugy dégaina son fulgurant. Ils veillèrent, attentifs, tandis que l'opérateur tendait la main.

Après la poignée de main, le neveu de Clugy parut rassuré en se tournant vers Jamieson.

— Il est humain, monsieur, dit-il.

L'atmosphère se détendit dans le poste.

— Où se trouve le plus proche émetteur disponible ? demanda Jamieson.

— Au camp de la mine d'uranium, à mille cinq cents kilomètres vers le Sud, répondit Clugy. Vous pouvez prendre l'un de nos aérocars et partir tout de suite. Je vais même vous y conduire moi-même.

Le jeune Clugy se dirigea immédiatement vers un groupe de petits appareils alignés de l'autre côté de l'espace dégagé.

— Je vous en prends un, leur lança-t-il.

Quelques minutes plus tard, ils volaient. La forêt épaisse, d'un vert qu'on eût dit ciré, s'éloignait rapidement vers le Nord, trois cents mètres au-dessous d'eux. Peter Clugy avait décidé de piloter l'aérocar ; pour le moment, il maniait habilement les commandes automatiques pour suivre l'itinéraire voulu.

Ira Clugy, assis, regardait silencieusement par le hublot, pas du tout désireux de parler. Jamieson ne l'en blâmait pas, il était temps que lui-même mette de l'ordre dans ses pensées à propos de bien des choses.

Le but des Rulls, se disait-il, est de retarder ou d'empêcher complètement l'approvisionnement en lymphe. Ce postulat devait être la clé de toute la situation. Mais pourquoi auraient-ils pris la peine de le capturer au moyen de ce réseau bizarre de lignes qui prenait le contrôle de l'esprit, et de l'amener ici, vraisemblablement sur l'un de leurs propres vaisseaux ? Il frémit à l'idée d'avoir été leur prisonnier durant tout ce long voyage dans l'espace.

« Et pourquoi m'ont-ils laissé la vie ? » Il n'y avait qu'une seule explication raisonnable. Cela n'aurait pas causé suffisamment de dommages au projet que de tuer simplement l'administrateur, qui pouvait être sans peine remplacé. Il fallait qu'il y eût un plan plus ténébreux, dans lequel Clugy était sans aucun doute impliqué, et qui devait être calculé pour arrêter toute l'opération pendant un certain temps.

Apparemment, ce plan exigeait que la présence de Jamieson fût établie ici. C'était assez simple. Tout ce qu'ils avaient eu à faire, c'était de le déposer dans le camp, probablement avant l'aube, et lui-même s'était occupé du reste, tout naturellement.

Jamieson se sentit soudain mal à l'aise. Ce qu'il avait fait d'autre avait été tout naturel aussi, *et tout à fait prévisible*. Quoi de plus naturel qu'il soit — et Ira Clugy aussi, en y pensant — dans ce petit aérocar en train de franchir mille cinq cents kilomètres de pays désolé jusqu'à la plus proche station de radio subspatiale, maintenant que l'émetteur du camp était hors de service. Oui, c'était tout à fait prévisible, du point de vue de l'agent qui avait adroitement saboté la radio subspatiale, mais qui n'était pas au courant du croiseur patrouillant au-dessus de l'atmosphère.

Jamieson se dressa sur ses pieds. Le camp de la mine devait être contacté immédiatement, avant qu'il soit trop tard !

Ce fut alors qu'en jetant un coup d'œil circulaire sur l'horizon, il vit un autre appareil qui approchait. Bien qu'il s'y fût plus ou moins attendu, cela fit passer un frisson inquiet sur ses nerfs. Cet engin était plus grand, plus rapide que leur aérocar, et probablement armé. Sous cet angle et à cette vitesse, il les rattraperait dans deux ou trois minutes !

Jamieson se tourna en hâte vers le panneau de la radio et il s'immobilisa. Peter Clugy était devant lui, le visage sans expression, mais avec dans la main, le même petit fulgurant qu'il lui avait déjà montré. Il était braqué sur la poitrine de Jamieson.

Suffoqué, Ira Clugy s'exclama :

— Peter, petit imbécile ! Tu as perdu la tête ?

Il se leva de son siège et avança tandis que l'arme menaçante se dirigeait vers lui :

— Voyons, donne-moi ça !

Jamieson allongea un bras devant lui pour le retenir :

— J'espère seulement que votre neveu n'est pas mort, dit-il en essayant de garder une voix calme. Ce n'est pas Peter Clugy, ni aucun autre être humain.

## 16

Dans l'esprit de Jamieson, plusieurs choses se mirent soudain en place. Le refus de Peter Clugy de lui serrer la main sous prétexte qu'il pensait que *Jamieson* pouvait être un Rull. Et aussi la toute première chose qu'il avait remarquée à propos du jeune Clugy — sa fraîcheur physique, son aisance dans ce climat surchauffé, humide — devenait maintenant tout à fait claire. Et puisque c'était Peter Clugy qui avait « établi » par sa poignée de main que l'opérateur radio était humain, *celui-ci* devait également être... un Rull.

Jamieson étudia attentivement le « jeune homme ». Il n'y avait aucun défaut qu'il pût déceler dans ce simulacre humain. Il devait en admettre la perfection. C'était, de toute évidence, une règle inflexible chez les Rulls qu'une fausse apparence ne soit jamais relâchée en présence d'êtres humains. Jamieson ne pouvait qu'approuver cela. Il avait toujours trouvé écœurante la vue de ces corps vermiformes à multiples appendices.

Ira Clugy avait surmonté son premier saisissement. Il lança un regard furieux au Rull :

— Qu'avez-vous fait de mon neveu ?

Il avança, menaçant, mais Jamieson le retint.

— Attention, mon ami. Il n'a pas besoin du fulgurant. Il pourrait nous foudroyer d'un éclair d'énergie à haute fréquence que les cellules de son corps
peuvent émettre.

Le Rull ne dit rien mais tendit ce qui paraissait
être une main humaine vers le tableau de commande
et tira sur un levier. Immédiatement, l'aérocar se mit
à piquer vers la forêt.

Un coup d'œil autour de lui apprit à Jamieson que
l'autre appareil s'était rapproché et descendait avec
eux. Une minute plus tard, les broussailles craquè-
rent sous la coque tandis qu'ils se posaient sur le
sol. Curieusement, l'autre engin n'atterrit pas mais
se mit à planer à un mètre au-dessus du sol à une
dizaine de mètres de distance, le jet de ses tuyères
inférieures lui fournissant automatiquement juste
assez de poussée pour équilibrer son léger poids
résiduel.

Etait-ce afin de ne pas laisser de trace de la
présence, là, de cet autre appareil ? Tandis qu'il
regardait, les deux occupants de l'engin, tous deux
d'apparence humaine, sautèrent de son panneau
d'accès et s'avancèrent. Leur indifférence apparente
quant au sol sur lequel ils marchaient fit sursauter
Jamieson. Il y avait de quoi, puisqu'ils étaient au
cœur de la Forêt Verte grouillante des petits de la
bête à lymphe !

Peut-être les Rulls ne savaient-ils pas vraiment
quel était le but du travail de Clugy ? Peut-être
n'était-ce simplement là qu'une opération banale

184

d'espionnage pour saboter un projet humain. Dans leur ignorance, ils pouvaient très bien avoir confondu la bête à lymphe adulte avec sa progéniture. Les parents étaient inoffensifs. Les jeunes attaquaient tout ce qui bougeait. Si cela cessait de bouger avant qu'ils l'atteignent, ils s'en désintéressaient instantanément. Sans faire aucune distinction, ils se jetaient sur les feuilles entraînées par le vent, une branche d'arbre qui remuait, même l'eau qui coulait. Des millions de petits êtres serpentins mouraient chaque mois en se livrant à des attaques insensées sur des objets inanimés qui avaient bougé pour une raison ou une autre. Mais inévitablement, quelques-uns survivaient aux deux premiers mois de leur existence et prenaient leur forme définitive.

Dans la création de la bête à lymphe, la nature avait réussi l'un de ses exercices d'équilibre les plus fantastiques. La forme définitive de la bête à lymphe était une sorte de coquillage dur en forme de ruche *incapable de bouger*. Il était difficile de pénétrer loin dans la Forêt Verte sans tomber sur l'une de ces structures. Elles étaient partout — sur le sol et dans les arbres, sur les pentes et dans les vallées ; partout où le petit monstre s'était trouvé au moment de la métamorphose, là s'installait l'adulte. Le stade final était bref mais prolifique. La ruche vivait entièrement sur la nourriture mise en réserve au cours de son stade de larve vermiforme. Elle était bisexuelle et passait sa courte existence dans un transport continu de procréation. Les jeunes n'étaient cependant pas expulsés par elle. Ils se développaient à l'intérieur et se mettaient rapidement à dévorer les organes vitaux de leur parent. Cela arrêtait le processus de procréation mais, à ce moment-là, les petits étaient nombreux. Ils se mangeaient également les uns les autres. Toutefois, à mesure que la coquille mollissait et tombait en morceaux sous l'action de leur sécrétions, un certain nombre gagnaient une sécurité relative à l'extérieur.

Les pensées de Jamieson furent interrompues lorsque le simulacre rull de Peter Clugy appuya sur un bouton ouvrant la porte de l'aérocar et leur fit signe avec son fulgurant :

— Sortez, tous les deux !

Avec hésitation, précédant celui qui s'était emparé d'eux, ils descendirent. Au-dehors les deux autres Rulls attendaient maintenant. La chaleur était suffocante ; sur la Terre dans un pareil climat presque sans pluie, la végétation aurait été roussie et desséchée, mais ici, la clairière herbue et la forêt environnante avaient un aspect presque artificiel avec leurs verdures luisantes.

Les apparences humaines des trois Rulls devenaient indécises l'une après l'autre.

— Ils discutent, expliqua Jamieson à Clugy à voix basse. Il leur est, semble-t-il, difficile de communiquer par ondes lumineuses, en maintenant une apparence parfaite.

Le simulacre de Peter Clugy se tourna brusquement vers Ira et fit un geste :

— Ça va, vous pouvez vous en aller maintenant.

Ira Clugy resta décontenancé :

— M'en aller ?

— Oui, remontez dans votre aérocar et partez. Allez

à votre camp ou n'importe où. Mais ne revenez pas ici aujourd'hui !

Jamieson se sentit aussi dérouté que Ira Clugy le paraissait lui-même. Clugy sembla se ressaisir :

— Rien à faire, dit-il carrément. Si M. Jamieson reste, je reste.

Le faux Peter Clugy hésita.

— Mais pourquoi ? Nous savons que vous avez une antipathie personnelle pour cet homme.

— Peut-être l'ai-je eue à un moment mais... (Ira Clugy s'arrêta. Son visage se tordit d'une fureur renouvelée tandis que toute la signification de la remarque du Rull pénétrait en lui :) Vous savez donc cela aussi ! Cela veut dire que mon neveu était déjà mort et que vous aviez pris sa place... même là-bas sur la Terre !

Jamieson retint l'ingénieur en lui prenant l'épaule d'une main. Sans ce geste, il se serait sûrement élancé sur le Rull.

— Votre neveu n'est pas mort, il est... ici.

Allant au compartiment arrière de l'appareil auprès duquel ils étaient, le Rull fit glisser le panneau d'ouverture. A l'intérieur, se trouvait une forme humaine identique à celle qui venait d'ouvrir le panneau.

— Il devrait encore rester inconscient plusieurs heures, dit-il. Il a été d'une résistance étonnante à la paralysie. Mais il s'en remettra. Ce n'est que ce matin seulement, dans votre camp, que j'ai pris sa place. Cela n'avait pas été nécessaire auparavant pour découvrir ce que nous avions besoin de savoir.

Jamieson pouvait le croire, aisément. Ira Clugy

avait, sans aucun doute, fait suffisamment connaître ses sentiments au Club des Cosmonautes à la suite de sa mémorable altercation dans le bureau de Jamieson. De plus, tout le monde avait été soigneusement vérifié comme étant un être humain avant d'embarquer à destination de cette planète.

Le Rull sembla conférer avec ses collègues. Ils n'avaient évidemment pas prévu cette opposition de Clugy.

A cet instant, alors que son esprit s'efforçait de rassembler les pièces du puzzle pour comprendre l'action des Rulls, un mouvement dans l'herbe attira l'attention de Jamieson. C'était à une certaine distance et il ne pouvait voir qu'une série d'ombres. Mais il ressentit le frisson intérieur d'une peur terrible.

La sombre forêt de Mira, pensa-t-il mal assuré, grouillante des jeunes de la bête à lymphe...

La brève conférence entre les Rulls se termina et le simulacre de Peter Clugy s'adressa à Ira :

— Il n'est pas nécessaire que vous pilotiez vous-même l'aérocar, je vais vous ramener à une petite distance du camp et je vous laisserai là avec l'appareil. Et maintenant, embarquez !

La mâchoire d'Ira Clugy se serra :

— Et que devient M. Jamieson ?

— Nous le laisserons ici, répondit le Rull. Il fera nuit dans une heure. Avant qu'il vous soit possible de revenir et de le retrouver, il sera mort.

Jamieson réfléchissait. L'administrateur mort, l'ingénieur en chef libéré. Pourquoi ? Soudain, il comprit. Bien sûr ! Les gens se souviendraient des propos furieux de Clugy qui parlait de débarquer l'administrateur du projet dans l'enfer de Mira. Immédiatement l'ingénieur des travaux serait soupçonné de meurtre, et les livraisons de lymphe pourraient être sérieusement retardées.

C'était une combinaison hardie et cependant assez simple. Et elle confirmait que les Rulls ne connaissaient pas l'importance du projet auquel ils s'attaquaient.

Quelque part, un centre d'espionnage rull avait été informé de cette activité humaine sur Mira 23 et il avait détaché un groupe d'agents pour s'en occuper. Ceux-ci, manquant d'une information complète, agissaient selon un plan typiquement rull et avec la bravoure habituelle des Rulls.

Jamieson jeta un regard du coin de l'œil vers le mouvement dans l'herbe, mouvement qui se rapprochait et ne pouvait être causé que par des jeunes bêtes à lymphe. Leur ligne irrégulière n'était plus maintenant qu'à une dizaine ou une douzaine de mètres, et à un endroit, il aperçut fugitivement une forme gris tacheté qui se tortillait. Dans quelques minutes, ils seraient autour d'eux.

Jamieson n'attendit pas un instant de plus. Il lui fallait considérer son analyse du plan rull comme correcte, et il lui fallait utiliser sa grande connaissance de l'ennemi rull. En deux enjambées, il fut près de Clugy.

— Embarquez dans cet aérocar, dit-il d'une voix forte. Il n'y a aucune raison pour que nous mourrions tous les deux. (Et dans un chuchotement, il

189

ajouta :) Nous sommes encerclés par des jeunes bêtes à lymphe. Je m'en tirerai en restant immobile. Allez !

D'une poussée, il envoya Clugy chancelant vers l'aérocar. Clugy retrouva son équilibre, hésita, puis se précipitant dans l'aérocar, il décolla sans attendre les Rulls.

Jamieson en prit simplement note. Il courait vers la lisière la plus proche de la jungle. « Ils ne me tueront pas, se disait-il. Cela gâcherait leur plan. »

S'il pouvait retenir leur attention quelques secondes de plus...

Avant qu'il pût avoir une autre pensée, il y eut un craquement dans l'air autour de lui, et tous les nerfs de son corps semblèrent se nouer à la fois. Complètement paralysé, il tomba comme une masse, son épaule gauche s'écrasant contre le sol.

Il ne perdit pas conscience mais un moment passa avant que son esprit s'éclaircisse suffisamment pour se rendre compte que ce qu'il avait souhaité voir arriver était arrivé. L'un des Rulls l'avait atteint d'une décharge d'énergie paralysante. Il se demanda s'il s'était cassé un os ou un autre mais il n'avait aucun moyen de le savoir. Son épaule et son bras gauches étaient complètement engourdis comme tout le reste de son corps. Une pensée terrifiante lui vint à l'esprit : et si l'une des jeunes bêtes à lymphe l'avait attaqué au moment où il tombait sur le sol, et qu'elle soit maintenant en train de lui dévorer les entrailles ! La seule indication qu'il en aurait ne serait-elle qu'une perte de conscience alors qu'il se viderait de son sang ?

Un éblouissant éclair silencieux interrompit cette sinistre spéculation. Puis il y eut toute une série d'éclairs en succession rapide. Leur origine était hors du champ de vision limité de Jamieson, mais il pouvait deviner ce qui arrivait.

Des minutes s'écoulèrent. Les éclairs se réduisirent à une lueur de temps en temps. L'odeur de l'ozone parvint à ses narines. Il en avait déjà les yeux qui piquaient mais il ne pouvait pas les fermer.

Un moment plus tard, il souhaita ardemment pouvoir le faire. Tout en bas de son champ de vision, alors qu'il était couché sur le côté, une petite tête indiciblement hideuse bougea pour s'arrêter à quelques centimètres de son menton. C'était une des jeunes bêtes à lymphe, et bien que Jamieson ne pût rien sentir, il se dit d'après la position de la tête que cette créature était en train de ramper sur son corps !

L'épouvantable tête se déplaça, sortant de son champ de vision, mais laissant dans l'esprit de Jamieson l'impression indélébile de ses nombreux petits yeux, gros comme des têtes d'épingle brillantes, et de sa bouche, ventouse jaune bordée de rangées concentriques de dents pointues comme des épines.

Les minutes continuèrent de s'écouler. Peut-être les petits monstres étaient-ils partis ? Soudain, le sol sembla se retirer de sous sa tête et il se rendit compte qu'on le soulevait par-derrière. Il s'éleva si rapidement que sa première pensée fut que plus d'une seule personne le relevait, mais un instant plus tard, il se retrouva en travers de l'épaule d'Ira Clugy.

L'ingénieur ne perdait pas une seconde. Il avait

posé son aérocar le plus près possible et, maintenant il se dépêchait de pousser Jamieson dedans.

Avant que le panneau se referme, Jamieson aperçut les trois Rulls gisant dans l'herbe à une quinzaine de mètres. Les apparences humaines qu'ils avaient revêtues lorsqu'ils vivaient avaient disparu, et leur forme normale de gros vers à multiples appendices était réapparue. Ça et là, leurs corps sombres montraient un reflet luisant, prouvant que quelques-unes de leurs cellules contrôlant la lumière étaient encore vivantes. Mais les Rulls étaient morts. Les jeunes bêtes à lymphe avaient eu tout leur temps pour s'enfouir complètement dans leurs victimes.

## 17

— Quel nom ? demanda Jamieson, amusé.

Il était en route, de la fabuleuse Mira 23 vers la Terre, et en liaison radio instantanée avec celle-ci.

— Il voulait votre nom, répondit Caleb Carson. Puis quand le Franc Jeu déclara que cela embrouillerait les choses, il s'est décidé pour Ephraïm.

Jamieson se cala le dos dans le fauteuil spécial utilisé pour isoler les personnes qui communiquaient directement au moyen du tube McLaurin. Il sourit en y réfléchissant. Donc, le jeune ezwal avait accepté un nom.

C'était un événement. « Qu'y a-t-il dans un nom ? » avait écrit un poète ancien, « Il n'est pas de rose qui n'ait de nom... », etc. Mais le poète en disant cela avait fait l'une de ses rares erreurs. Car l'homme, en conquérant l'espace, découvrit des races dont les individus ne portaient pas de noms pour les identifier. De telles races ne pouvaient pas être « civilisées ».

Comme tous les humains hautement développés qui avaient un point de vue galactique sur la vie et sur l'univers, Jamieson savait que, depuis cent ans, le mot « civilisation » avait une définition tendancieuse : une race était civilisée dans la mesure où elle était capable de participer à la défense contre le Rull.

D'un point de vue pratique, aucune autre définition ne pouvait être acceptée.

— Ephraïm, répéta Jamieson. Et comme nom de famille ?

— Jamieson. Le Franc Jeu le lui a accordé.

— Bon, me voilà avec un nouveau membre de ma famille. L'avez-vous dit à ma femme ?

— Oui, je lui ai téléphoné. Mais je crains bien qu'elle soit trop inquiète de votre disparition pour apprécier cet honneur.

Comme il avait déjà parlé avec Veda et calmé son anxiété, Jamieson put répondre d'un cœur léger. Et ils continuèrent de bavarder à travers des années-lumière de distance. Une décision sortit de leur conversation : préparer un petit dispositif télépathique injectable dans les muscles et qui ne pourrait transmettre qu'une seule *pensée :* « Mon nom est... » Chaque nom serait différent.

Des millions de ces petits dispositifs seraient expédiés au plus tôt sur la planète de Carson. Et là, transportés par des vaisseaux munis d'émetteurs de brouillage mental, ils seraient lancés comme des projectiles pour percer le cuir et pénétrer dans le muscle de chaque ezwal repéré.

Ces dispositifs seraient faits d'une matière capable d'être absorbée par la circulation sanguine au bout d'un certain temps. Mais pas avant que chaque ezwal

194

ayant reçu cette injection sache que « mon nom est... »

Jamieson ne doutait pas que s'il paraissait devant le Congrès Galactique avec Ephraïm et un dispositif télépathique destiné à identifier tous les ezwals de la planète de Carson, le Congrès ne donne l'ordre au conseil militaire de coopérer avec lui.

Il coupa finalement la communication, satisfait ; puis il appela l'un des centres de recherche du gouvernement. Là, il parla avec un neuropsychologue des lignes agissant sur le système nerveux qui l'avaient apparemment hypnotisé. Il indiqua la disposition des lignes du mieux qu'il put, et donna ensuite une description étonnamment précise — à ce qu'il lui sembla — de la structure des lignes elles-mêmes.

En raccrochant, il se dit qu'il avait au moins mis les choses en train.

Quelques jours plus tard, il était de retour dans son bureau.

— On vous demande au vidéophone, dit le central.

Jamieson appuya sur le bouton de son appareil.

— Oui, dit-il avant que l'image se fût formée.

Le visage de femme qui apparut sur l'écran-vidéo avait l'air inquiet :

— Le Franc Jeu vient de m'appeler. Dex est sorti à la recherche du « bruit ».

— Ah ! dit Jamieson.

Il étudia son image. Elle avait un ravissant visage, la peau claire, les traits réguliers, le tout auréolé d'une chevelure noire très joliment coiffée. A ce moment, elle n'avait pas son expression normale. Ses yeux étaient presque exorbités et ses cheveux un peu décoiffés. Le mariage et la maternité avaient profondément marqué sa belle épouse.

— Veda, dit-il fermement, ne t'affole pas comme cela.

— Mais il est là-bas. Et l'on dit que toute cette zone est infestée d'espions rulls. (Elle frémit en prononçant le nom de l'ennemi).

— Le Franc Jeu l'a laissé partir, n'est-ce pas ? Il doit estimer qu'il est prêt.

— Mais il sera dehors toute la nuit !

Jamieson hocha la tête lentement :

— Ecoute, chérie, il fallait que cela arrive. Cela fait partie du processus de sa croissance, et nous nous y attendions depuis qu'il a eu neuf ans en mai dernier. (Il s'interrompit :) Si tu sortais et que tu ailles faire un tour dans les magasins ? Comme cela tu penseras à autre chose pendant le reste de l'après-midi. Achète ce que tu voudras. (Il ne lui fixa pas de limite.) Pour toi. Et ne t'inquiète pas.

Il mit fin hâtivement à la conversation et se leva de son fauteuil. Pendant un moment, il resta devant la fenêtre, regardant vaguement les Chantiers. De son poste d'observation, il ne pouvait voir ni la « Cale de lancement » ni le vaisseau ; ils se trouvaient de l'autre côté du bâtiment. Mais la féérie des rues et des édifices qu'il apercevait le fascina comme toujours. Les Chantiers étaient une banlieue de Solar City, et l'énorme métropole, dans son décor tropical artificiel, était une vision sans égal dans toute la partie de la galaxie contrôlée par les hommes. Ses constructions et ses parcs s'étendaient jusqu'à l'horizon.

Il ramena son regard de ces lointains brumeux, vers la ville même des Chantiers. Lentement, il se détourna de la fenêtre. Quelque part là, en bas, son fils de neuf ans explorait le monde du « bruit ». Réfléchir à cela ou aux Rulls ne ferait aucun bien ni à Veda ni à lui-même.

Lorsque le moment arriva où le ciel s'obscurcit, Dexter Jamieson savait que le « bruit » n'avait pas de fin. Après se l'être demandé toute sa vie — à ce qu'il semblait —, il était bon de le savoir. On lui avait dit que le « bruit » se terminait quelque part « là-bas », vaguement. Mais cet après-midi, il s'était prouvé à lui-même que, si loin que l'on pût aller le « bruit » demeurait. Le fait que ses parents lui aient menti à ce sujet ne troubla pas Dex. Selon le Franc Jeu, les parents disaient parfois de petits mensonges pour mettre à l'épreuve l'ingéniosité ou la confiance en soi de leur enfant. C'était évidemment l'un de ces mensonges bénins dont il avait maintenant démontré la fausseté.

Durant toutes ces années, le « bruit » avait été là dans sa chambre, avec le Franc Jeu, et dans la salle de séjour, qu'il fût silencieux ou essayât de parler, et dans la salle à manger, imprimant une sorte de rythme aux bruits que Maman, Papa et lui-même faisaient en mangeant — les jours où il avait la permission de manger avec eux. La nuit, le « bruit » se glissait dans son lit, avec lui, et même quand il dormait de son plus profond sommeil, il pouvait le sentir résonner dans sa tête. Oui, c'était une chose familière et il était naturel qu'il ait essayé de découvrir si elle s'arrêtait au bout d'une rue d'abord, puis d'une autre. Combien de rues au juste avait-il prises pour le suivre ? Etait-il allé vers l'Est, l'Ouest ou le Nord ? Il n'en était plus très sûr. Mais partout où il était allé, le « bruit » l'avait suivi. Il avait dîné, depuis une heure déjà, dans un petit restaurant. Maintenant, il était temps de découvrir *où* le bruit commençait.

Dex s'arrêta pour se repérer. L'important était de déterminer au juste où il se trouvait par rapport aux Chantiers. Il était en train d'y réfléchir en calculant le nombre de rues entre la 5e et la 19e, Est et Ouest, Nord et Sud, quand, par hasard, il leva les yeux. Làbas, à une trentaine de mètres, il aperçut un homme qu'il avait déjà vu trois blocs de maisons auparavant et dix minutes plus tôt.

Quelque chose dans les mouvements de l'homme éveilla en lui un souvenir bizarre, déplaisant, et pour la première fois, il remarqua combien le ciel était devenu sombre. Il se mit à traverser la rue, d'un air insouciant, et fut heureux de constater qu'il n'avait pas peur. Son espoir était de pouvoir esquiver l'homme et de revenir vers la 6e rue, plus passante. Il espérait aussi qu'il se trompait en prenant cet homme pour un Rull.

Son courage faiblit quand un deuxième homme rejoignit le premier et que tous deux traversèrent la rue pour l'intercepter. Dex lutta contre l'envie de s'enfuir en courant. Il la repoussa parce que, si c'étaient des Rulls, ils pouvaient courir beaucoup

198

plus vite qu'un homme. S'ils semblaient avoir un corps humain, c'était une illusion qu'ils créaient par leur contrôle des ondes lumineuses. Et c'était cela qui lui avait donné des soupçons sur le premier des deux. En tournant au coin de la rue, la manière dont les jambes de l'homme se déplaçaient avait été *fausse*. Dex ne pouvait se rappeler combien de fois le Franc Jeu avait parlé d'une telle possibilité, mais maintenant qu'il l'avait vu, il se rendait compte qu'il était impossible de ne pas la remarquer. En plein jour, les Rulls, disait-on, étaient plus attentifs à soigner leur illusion.

— Petit !

Dex ralentit et se tourna vers les deux hommes comme s'il les voyait pour la première fois.

— Tu es dehors bien tard, mon garçon.

— C'est ma nuit d'exploration, monsieur, dit Dex.

L' « homme » qui avait parlé glissa une main dans sa poche de poitrine. Le geste fut curieux, incomplet, comme s'il créait l'illusion d'un mouvement dont il n'avait pas complètement pensé toute la complexité. Ou peut-être était-il négligent dans l'obscurité grandissante. Sa main sortit, tenant un insigne brillant.

— Nous sommes des agents des Chantiers, dit-il. Nous allons t'emmener à la Cale de lancement.

Il remit l'insigne dans sa poche, ou sembla le faire, et montra les lumières au loin.

Dex savait qu'il valait mieux ne pas résister.

Jamieson ouvrit la porte de l'appartement aux deux policiers peu après le dîner. Bien qu'ils fussent en civil, il sut immédiatement qui ils étaient.

— Docteur Jamieson ? demanda l'un d'eux.

— Oui.

— Trevor Jamieson ?

Il confirma cette fois de la tête, et en dépit du fait qu'il venait de manger, il ressentit en lui-même une grande impression de vide.

— Vous êtes le père de Dexter Jamieson, âgé de neuf ans ?

Jamieson s'appuya au chambranle de la porte.

— Oui, murmura-t-il.

— Selon la loi, nous devons vous informer qu'en ce moment votre fils est sous le contrôle de deux Rulls et que sa vie sera en grand danger pendant quelques heures.

Jamieson ne répondit rien.

Calmement, le policier expliqua comment Dex avait été pris sous leur contrôle, dans la rue.

— Nous avons constaté depuis quelque temps, ajouta-t-il, que les Rulls se concentrent dans Solar City en plus grand nombre que d'habitude. Naturellement, nous ne les avons pas repérés. Comme vous le savez, nous estimons leur nombre d'après le nombre de ceux que nous identifions.

Jamieson le savait mais ne dit rien. Le policier poursuivit :

— Comme vous le savez probablement aussi, cela nous intéresse plus de découvrir le but du réseau de Rulls que d'en capturer quelques-uns. Comme toutes les combinaisons rulls que nous avons connues dans le passé, celle-ci se révélera probablement très tortueuse. Il semble clair que nous ne soyons témoins que du premier temps d'un plan compliqué.

Mais y a-t-il d'autres renseignements que vous désireriez avoir ?

Jamieson hésita. Il avait trop conscience de la présence de Veda dans la cuisine, occupée à mettre les assiettes du dîner dans la machine à laver la vaisselle. Il fallait absolument qu'il se débarrasse des policiers avant qu'elle découvre la mission dont ils étaient chargés. Et pourtant il avait une question à poser.

— Si je comprends bien, on ne fera aucune tentative immédiate pour secourir Dex ?

Le policier le regarda bien en face.

— Jusqu'à ce que nous ayons les renseignements que nous désirons, nous laisserons mûrir la situation. J'ai reçu instruction de vous prier de ne pas nourrir trop d'espoirs. Comme vous le savez, un Rull peut concentrer l'énergie d'un fulgurant dans ses cellules. En pareil cas, la mort peut frapper très facilement. (Il s'interrompit un instant puis conclut :) C'est tout, monsieur. Vous pouvez appeler de temps en temps le quartier général de la sécurité, si vous désirez d'autres informations. La police ne se mettra pas de nouveau en rapport avec vous de sa propre initiative.

— Merci, dit Jamieson automatiquement.

Il ferma la porte et retourna avec une sorte de lenteur mécanique dans la salle de séjour.

De la cuisine, Veda demanda :

— Qui était-ce, chéri ?

Jamieson prit une profonde inspiration.

— Quelqu'un qui cherchait un nommé Jamieson.

C'était bien le nom mais il y avait erreur sur la personne.

Sa voix resta ferme en disant cela.

— Ah ! fit simplement Veda.

Elle dut oublier l'incident sur-le-champ car elle n'en reparla plus. Jamieson alla se coucher vers 10 heures. Il resta allongé sur son lit, avec une vague douleur au creux de l'estomac. A 1 heure du matin, il n'était pas encore endormi.

## 18

Dex savait qu'il ne fallait pas résister. Il ne devait faire aucune tentative pour contrarier quoi que ce fût de leurs intentions. Pendant des années, le Franc Jeu avait bien insisté sur ce point. Aucun jeune, avait-il déclaré catégoriquement, ne devait se considérer qualifié pour juger du danger présenté par tel ou tel Rull en particulier. Ni de l'importance du plan d'un réseau d'espionnage rull. Il devait supposer que quelque chose se passait. Et attendre des instructions chuchotées.

Dex se remémorait tout cela en marchant entre les deux Rulls, ses petits jambes trottant de leur mieux tandis qu'ils l'entraînaient plus vite qu'à son allure normale. Il était réconforté par le fait qu'ils ne lui avaient pas encore révélé leur identité. Ils jouaient toujours leur rôle.

La rue était maintenant beaucoup plus éclairée. Au bout, il pouvait voir le vaisseau se silhouetter sur le ciel noir-bleu. Tous les bâtiments qui entouraient la Cale de lancement réémettaient la lumière solaire qu'ils avaient absorbée durant le jour. Le gratte-ciel de cent étages de l'Administration brillait comme un joyau à l'ombre d'un énorme vaisseau, et tous les autres bâtiments luisaient avec une intensité qui variait selon leur taille. Avec Dex sur leurs talons, les deux Rulls atteignirent le Carrefour 2. La Cale elle-même était au Carrefour 1.

Ils traversèrent la rue et arrivèrent à la barrière. Tous deux s'arrêtèrent devant la bande de métal cannelé large de deux mètres cinquante, à l'effet constant de succion, et fixèrent leur regard sur les orifices de prise d'air.

Un siècle plus tôt, quand les Rulls et les humains étaient entrés pour la première fois en contact, les usines d'armement et les terrains militaires étaient entourés de murs de béton ou de clôtures de barbelés électrifiés. Puis on découvrit que les Rulls pouvaient dévier le courant électrique et que leur peau dure étaient insensible à la morsure des fils de fer barbelés. Le béton n'était pas plus efficace. Les murs avaient tendance à s'écrouler en présence de certaines énergies émises par les Rulls. Et parmi les ouvriers qui venaient pour les réparer se trouvait généralement un Rull qui, par le moyen de l'assassinat et du transfert d'apparence, s'était joint à eux. Les hommes des patrouilles armées étaient beaucoup trop souvent tués jusqu'au dernier et remplacés par des Rulls déguisés. Le type de barrière à succion d'air ne datait que de quelques années. Elle s'étendait tout autour des Chantiers. Les hommes qui tentaient de la franchir mouraient en moins de trois minutes. C'était l'un des plus grands secrets de l'humanité.

Dex profita de l'hésitation de ses deux escorteurs.

— Merci de m'avoir conduit jusqu'ici, dit-il. Maintenant je saurai me débrouiller.

L'un des espions se mit à rire. Cela ressemblait assez bien à un rire humain, si l'on n'en considérait que le son, mais une certaine intonation essentielle, personnelle, y manquait. Aux oreilles de Dex, ce rire fut horrible.

— Tu sais, petit, dit le Rull, tu as l'air d'un bon gosse. Simplement pour te montrer que nous sommes gentils, qu'est-ce que tu dirais si on s'amusait un peu... juste une minute ?

— S'amuser ? fit Dex.

— Tu vois cette barrière ?

Dex fit signe que oui.

— Bon, comme on te l'a déjà dit, nous sommes de la police de sécurité — tu sais, anti-Rull. Bien entendu, nous avons toujours cette question présente à l'esprit. Tu comprends cela, n'est-ce pas ?

Dex dit qu'il le comprenait. Tout en se demandant ce qui allait suivre.

— Eh bien, l'autre jour, mon collègue et moi parlions de notre travail, et nous avons imaginé un moyen qui permettrait à un Rull de franchir la barrière. Cela semblait si bête que nous avons pensé qu'il valait mieux que nous en fassions l'essai avant d'en faire part à nos supérieurs — tu vois ce que je veux dire. Si cela ne marchait pas, on aurait l'air fin... C'est cet essai que nous voulons te demander de nous aider à faire.

« Aucun jeune... ne doit... tenter de contrarier... les

plans... d'un réseau d'espionnage rull. » La recommandation si souvent répétée par le Franc Jeu résonnait dans la tête de Dex. Il lui semblait terriblement clair qu'il y avait là un danger particulier et pourtant, ce n'était pas à lui d'en juger ni de s'y opposer. Des années d'enseignement rendaient maintenant cette conduite automatique. Il n'était pas assez grand pour savoir.

— Tout ce que tu as à faire, dit le Rull qui parlait, c'est de marcher entre ces deux lignes, de traverser la barrière et de revenir.

Les lignes indiquées faisaient partie du dessin des cannelures des prises d'air. Sans un mot d'objection, Dex traversa la barrière. Juste un instant, il hésita, à moitié prêt à tenter de fuir à toutes jambes vers la sécurité d'un bâtiment situé à dix mètres de là. Il changea d'idée. Les Rulls pouvaient le foudroyer avant qu'il ait fait trois mètres ; obéissant, il revint sur ses pas, comme on le lui avait demandé.

Une vingtaine d'hommes arrivaient dans la rue. Quand ils approchèrent, Dex et les deux Rulls s'écartèrent pour les laisser passer. Dex les considéra avec espoir. La police ? se demanda-t-il. Désespérément, il aurait voulu être sûr que l'on soupçonnait tout ce qui se passait.

Les ouvriers défilèrent, traversant bruyamment la barrière et disparurent derrière le plus proche bâtiment.

— Par ici, petit, dit le Rull. Nous devons faire attention à ne pas être vus.

Dex était d'un avis différent, mais il suivit. Ils

allèrent dans un espace sombre entre deux bâtiments.

— Donne ta main, petit.

Il la tendit, avec une crainte angoissée. « Je vais mourir », pensa-t-il. Et il lui fallut refouler une envie de fondre en larmes. Son éducation reprit le dessus et il resta impassible quand il sentit la douleur cuisante d'une piqûre à un doigt.

— On prend simplement un échantillon de ton sang, petit. Tu vois, à ce que nous croyons, ce système de succion cache de puissants microjets qui lancent des bactéries auxquelles les Rulls sont vulnérables. Naturellement, ces microjets lancent leurs giclées de bactéries à près de mille cinq cents kilomètres à l'heure, si vite qu'elles pénètrent votre peau sans que vous le sentiez ni qu'elles laissent de marque. Et la raison pour laquelle ces orifices aspirent tellement d'air, c'est pour éviter que les bactéries s'échappent dans l'atmosphère. Probablement aussi pour que la même culture de bactéries soit utilisée indéfiniment. Tu vois où cela nous mène ?

Dex ne le voyait pas, mais il était choqué jusqu'au plus profond de lui-même. Car cette analyse avait l'air juste. Il *se pouvait* que des bactéries soient utilisées contre les Rulls. On disait que quelques personnes seulement connaissaient la nature de l'arme défensive projetée par cette barrière à l'aspect innocent. Etait-il possible que les Rulls aient finalement réussi à la découvrir ?

Il pouvait voir que le second Rull était en train de faire quelque chose dans l'ombre entre les deux bâtiments. Il remarqua que des petits éclats de lumière en venaient. Dex crut deviner et se dit : « Il examine mon sang avec un microscope pour voir combien il contient de bactéries anti-Rull, mortes. »

Le Rull, qui avait toujours parlé jusque-là, reprit la parole :

— Tu sais comment cela se passe, petit : tu peux traverser la barrière et les bactéries qu'elle te lance sont immédiatement tuées par ta circulation sanguine. Voici notre idée : il ne peut y avoir qu'un seul type de bactéries qui soit projeté à un endroit donné. Pourquoi ? Parce que lorsqu'elles sont aspirées et renvoyées vers les chambres filtrantes pour être retirées de l'air et réutilisées, ce serait trop compliqué s'il y en avait plusieurs types. Les types de bactéries extrêmement virulentes qui vivent dans un composé fluoré sont presque aussi dangereux les uns pour les autres que pour l'organisme qu'ils attaquent. Ce n'est que lorsqu'un type donné de ces bactéries est présent en quantité très prédominante qu'il est dangereux pour les Rulls. En d'autres mots, il faut un seul type à la fois pour pouvoir tuer un Rull. Evidemment, si un Rull a été complètement immunisé contre ce type particulier de bactéries, il peut alors franchir la barrière à cet endroit-là, aussi facilement que toi, petit, et il peut ensuite faire tout ce qu'il veut à l'intérieur des Chantiers. Tu vois l'importance de l'idée sur laquelle nous travaillons ? (Il s'interrompit un instant :) Ah, je vois que mon ami a fini d'examiner ton sang. Attends un instant.

Il alla rejoindre l'autre Rull. Leur conversation, quel qu'en fût l'objet, dura moins d'une minute.

Le Rull revint :

— Cela va, petit, tu peux filer. Merci beaucoup de nous avoir aidés. Nous ne l'oublierons pas.

Dex ne put en croire ses oreilles sur le moment :

— Vous voulez dire que c'est tout ce que vous voulez de moi ?

— C'est tout.

En sortant de l'espace obscur entre les deux bâtiments Dex s'attendait à être stoppé d'une manière ou d'une autre. Mais bien que les Rulls l'aient suivi dans la rue, ils n'essayèrent nullement de l'accompagner lorsqu'il la traversa en se dirigeant vers la barrière.

Le Rull le héla :

— Voilà deux autres garçons qui arrivent. Tu pourrais te joindre à eux et vous pourriez chercher, tous les trois ensemble, d'où vient le « bruit ».

Dex se retourna pour regarder, et à ce moment, deux garçons se ruèrent vers lui en criant

— Le dernier qui passe la barrière est un pignouf !

Ils étaient lancés et le dépassèrent en un éclair. En courant derrière eux, Dex les vit hésiter, se tourner un peu, puis franchir la barrière d'un trait par-dessus les prises d'air qu'il venait d'essayer pour les deux chercheurs rulls. Ils l'attendirent de l'autre côté.

— Je m'appelle Jackie, dit l'un.

— Et moi, Gil, dit le second. (Il ajouta :) On devrait rester ensemble.

— Moi, je m'appelle Dex.

Tandis qu'ils marchaient tous trois, des bruits différents couvraient le « bruit » qu'ils cherchaient. Des bruits discordants. Des machines vrombissantes. Un mélange compliqué de martèlements résonnants. Un murmure vibrant venant de la dissociation moléculaire de masses de matière. Un train sur pneumatiques arriva vers eux, bourdonnant, sur le plancher métallique qui recouvrait le sol des Chantiers à perte de vue. Il s'arrêta, lorsque ses yeux et ses oreilles électroniques perçurent leur présence. Ils s'écartèrent de son chemin et il repartit à toute allure. Une rangée de grues soulevèrent une plaque de métal de cent tonnes et la placèrent sur une plate-forme antigravifique. Elle s'envola avec la légèreté d'une plume dans le ciel flamboyant.

Dex n'était jamais venu auparavant sur la Cale de lancement la nuit, et cela l'aurait formidablement excité, s'il ne s'était pas senti si misérable. L'ennui, c'était qu'il ne pouvait pas avoir de certitude. Les deux « garçons » qui l'accompagnaient étaient-ils des Rulls ? Jusque-là, ils n'avaient rien fait qui l'ait prouvé vraiment. Le fait qu'ils aient traversé la barrière à l'endroit dont il avait fait l'essai pour les deux « hommes » qui étaient des Rulls, ce fait pouvait n'être qu'une coïncidence. Tant qu'il ne serait pas sûr, il n'oserait rien dire de ce qui s'était passé à qui ce soit. Et il faudrait qu'il continue à les accompagner, et même s'ils lui demandaient de faire quelque chose, il faudrait les écouter. C'était son devoir. C'était ce qu'il avait appris. Lui venait à l'esprit l'image de dizaines et de dizaines de ces « garçons » franchissant la barrière à ce même endroit. Et peut-être étaient-ils déjà dans la Cale, libres de faire tout ce qu'ils voulaient.

L'univers autour de la Cale tremblait d'un formidable concert de bruits. Mais partout où Dex regardait, de toutes les portes qu'il scrutait, de tous les bâtiments qu'il traversait les yeux écarquillés et fascinés — de nulle part ne venait un bruit qui ne s'effaçait pas rapidement dès qu'il s'en éloignait. Pas une fois ils ne rencontrèrent quoi que ce fût qui ressemblât même de loin à une prise d'air du genre de celles de la barrière. S'il existait un danger quelconque pour des Rulls rôdeurs, cela ne se voyait pas. Les portes étaient grandes ouvertes. Il avait vaguement espéré que l'atmosphère de quelque salle fermée serait mortelle pour l'ennemi mais pas pour lui. Il n'y avait pas de salle fermée.

Et le pire de tout était qu'on ne voyait nul signe d'un être humain qui aurait pu le protéger contre les Rulls ou même soupçonner leur présence. S'il pouvait seulement être certain que ces deux garçons étaient des Rulls. Ou n'en étaient pas. Qui pouvait savoir s'ils ne portaient pas quelque arme terrible capable de causer des dommages effroyables au vaisseau ?

Ils arrivèrent à un bâtiment d'un kilomètre carré environ. Et Dex reprit soudain espoir. Ses compagnons n'élevèrent aucune objection quand il franchit une énorme porte pour s'engager sur un viaduc qui surplombait le vide. De là-haut, Dex vit un monde faiblement lumineux de formidables structures cubiques. Le sommet du plus haut cube était au moins à cinq cents mètres au-dessous du viaduc. Il couronnait des étages et des étages de plastique d'une transparence si limpide que seule une lueur ici et là révélait la présence de nombreuses couches d'une matière dure — le bouclier qui protégeait le monde de la surface du rayonnement des énormes piles atomiques de cette centrale colossale.

Alors qu'il arrivait presque à la moitié du viaduc, Dex vit, comme il l'avait espéré quelques instants auparavant, qu'il y avait quelqu'un dans la petite cabine de plastique transparent, accrochée aux poutrelles métalliques. Une femme qui lisait. Elle leva les yeux quand les trois garçons arrivèrent, Dex en tête.

— Vous êtes à la recherche du « bruit » ? demanda-t-elle d'un ton amical. (Et elle ajouta :) Au cas où vous ne le sauriez pas, je suis une Sensitive.

Ses compagnons restèrent silencieux, mais Dex déclara qu'il le savait. Le Franc Jeu lui avait parlé des Sensitifs. Ceux-ci pouvaient prévoir les modifications dans le flux d'énergie d'une pile atomique. Les Sensitifs vivaient très vieux — jusque vers 180 ans — non pas à cause des emplois qu'ils occupaient mais parce qu'ils pouvaient réagir au processus de réjuvénation du calcium.

Ces réminiscences ne venaient qu'à l'arrière-plan de sa déception grandissante. Apparemment, elle n'avait aucun moyen de déceler la présence d'un Rull. Elle n'en donna en tout cas aucun signe. Il valait mieux qu'il continât de faire comme s'il s'intéressait toujours à la recherche du « bruit », ce qui était vrai en un certain sens.

— Les dynamos qui sont en bas devraient engendrer une de ces vibrations à faire tout trépider, n'est-ce pas ?

— Oui, c'est exact.

Dex devint soudain pensif. Impressionné mais pas convaincu.

— Pourtant je ne vois pas comment cela pourrait donner naissance au fameux « bruit »...

— Vous avez l'air tous trois de gentils garçons, dit-elle. Approchez, je vais vous donner, tout bas à l'oreille, une indication qui vous mettra sur la voie. Toi, d'abord.

Elle désignait Dex.

Cela paraissait bizarre mais il n'hésita pas. Elle se pencha vers lui.

— Ne montre pas ta surprise, chuchota-t-elle. Tu trouveras un très petit pistolet sous le rebord de la passerelle en dessous du vaisseau. Descends par l'escalier roulant numéro 7 et tourne à droite. C'est juste de ce côté-ci d'un pilier métallique où est peint un grand H. Fais un signe de tête si tu as compris.

Dex opina. Elle continua rapidement :

— Mets le pistolet dans ta poche. Ne t'en sers pas avant d'en avoir reçu l'ordre. Bonne chance.

Elle se redressa.

— Voilà, dit-elle, cela devrait te donner une idée. (Elle se tourna vers Jackie :) A toi, maintenant.

Celui-ci secoua la tête :

— Je n'ai besoin d'aucune indication, dit-il. Et puis je ne veux pas qu'on me parle à l'oreille.

— Ni moi non plus, dit Gil.

— Vous ne devriez pas être si timides, dit la femme, en souriant. Mais cela ne fait rien. Je vais quand même vous donner une indication. Sais-tu ce que signifie le mot *miasme* ?

Elle s'adressait directement à Jackie.

— Heu... une... émanation.

— C'est cela mon indication. Et maintenant, vous feriez mieux de continuer votre chemin. Le soleil doit se lever quelques minutes avant 6 heures, et il est plus de 2 heures.

Elle reprit son livre et, quand Dex se retourna un moment plus tard, elle ne bougeait pas plus que si elle avait fait corps avec son siège. Elle semblait à peine vivante, tant elle était immobile. Mais à cause d'elle, il savait que la situation était aussi dangereuse qu'il l'avait soupçonné. Le grand vaisseau lui-même devait être en péril. Et ce fut vers celui-ci qu'il se dirigea.

# 19

Trevor Jamieson reprit soudain conscience avec l'impression que quelque chose l'avait réveillé et que, par conséquent, il avait dû dormir. Il eut un grognement intérieur et se retourna. Si seulement il *pouvait* dormir toute la nuit. Mais il sursauta en s'apercevant que sa femme était assise au bord du lit. Il regarda sa montre lumineuse. Il était 2 h 22.

« Mon Dieu, se dit-il, il faut que je l'oblige à se recoucher. »

— Je ne peux pas dormir, dit Veda.

Sa voix avait un accent plaintif et il en fut peiné. Car elle s'inquiétait comme cela, même sans motif défini. Il fit semblant de dormir profondément.

— Chéri...

Jamieson remua un peu mais ce fut tout.

— Mon amour...

Il ouvrit un œil.

— Chérie, je t'en prie.

— Je me demande combien il y a d'autres garçons dehors cette nuit, murmura-t-elle.

Jamieson se retourna encore.

— Veda, qu'est-ce que tu veux ?... M'empêcher de dormir ?

— Je suis désolée. Je ne voulais pas te réveiller.

Sa voix n'avait rien de désolé et après un instant, elle sembla avoir oublié ce qu'elle venait de dire.

— Mon chéri...

Il ne répondit pas.

— Crois-tu que nous pourrions savoir ? demanda-t-elle.

Il avait eu l'intention de décourager toute poursuite de la conversation mais son cerveau se mit à examiner ce qu'elle avait bien pu vouloir dire par là. Il fut surpris de ne trouver aucun sens aux paroles qu'elle avait prononcées, et il s'éveilla.

— Savoir quoi ? questionna-t-il.

— Combien il y en a.

— Combien de quoi ?

— De garçons... dehors, cette nuit ?

Jamieson, qui était accablé par des craintes bien plus terribles, soupira :

— Veda, j'ai du travail à faire demain.

— Du travail ! s'écria Veda et sa voix avait un accent mordant. Tu ne penses à rien d'autre qu'à ton travail. Tu n'as donc pas le moindre sentiment ?

Jamieson garda le silence mais ce n'était pas le moyen pour qu'elle se recouche.

Elle continua, sa voix montant de plusieurs tons.

— Ce qu'il y a de pire chez vous, les hommes, c'est que vous devenez insensibles.

— Si c'est une manière de me demander si je suis inquiet, non, je ne le suis pas. (Cela sortit mal. Il faut que je continue dans ce sens, se dit-il. Il s'assit et alluma :) Chérie, reprit-il, si cela peut te donner une satisfaction quelconque, tu as réussi. Je suis réveillé.

— Ce n'est pas trop tôt, dit Veda. Je crois que nous devrions téléphoner. Si tu ne le fais pas, je le ferai.

Jamieson sortit du lit.

— D'accord, mais ne viens pas me crier aux oreilles pendant que je téléphone. Je ne veux absolument pas qu'on puisse penser que je suis un mari que sa femme mène par le bout du nez. Tu resteras ici.

Il se sentit soulagé de ce qu'elle n'élève aucune protestation. Il sortit de la chambre et ferma la porte derrière lui. Au vidéophone, il donna son nom. Un temps passa, puis un homme au visage grave, en uniforme d'amiral de l'espace, apparut. Jamieson était en relations officielles avec lui. Son visage emplit l'écran lorsqu'il se pencha vers le vidéophone dans son bureau de l'Etat-Major.

— Trevor, dit-il, la situation est la suivante : votre fils est toujours en compagnie de deux Rulls — incidemment, ce ne sont plus les mêmes maintenant. Ils ont utilisé une méthode très ingénieuse pour franchir la barrière, et en ce moment, nous supposons qu'il doit y avoir une centaine de Rulls déguisés en jeunes garçons qui sont quelque part dans l'enceinte des Chantiers. Personne n'a essayé d'y entrer dans la dernière demi-heure. Nous estimons donc que tous les Rulls de Solar City qui avaient été prémunis contre le système particulier de défense que nous utilisons dans ce secteur sont maintenant dans les Chantiers. Bien qu'ils n'aient pas encore convergé vers un point particulier, nous pensons que le moment décisif approche.

— Et en ce qui concerne mon fils ? demanda Jamieson d'une voix calme.

— Ils ont, sans doute, d'autres plans à son sujet. Nous essayons de lui fournir une arme, mais elle n'aura, au mieux, qu'une valeur limitée.

Jamieson se rendit compte, misérablement, qu'on prenait grand soin de ne rien dire qui lui donnerait un véritable espoir.

— Vous n'ignorez pas combien il est important pour nous, dit l'amiral, de connaître leur objectif. A quoi attribuent-ils une valeur ? Qu'est-ce qui vaut à leurs yeux de prendre des risques si énormes ? C'est une entreprise qui exige beaucoup de courage de leur part, et il est de notre devoir de les laisser la pousser à fond. Nous croyons à peu près savoir ce qu'ils cherchent mais nous devons en être absolument sûrs. A l'instant final, nous nous efforcerons autant qu'il nous sera possible de sauver la vie de votre fils, mais nous ne pouvons rien garantir.

Jamieson vit clairement la manière dont ces hommes considéraient la situation. Pour eux, la mort de Dex serait un incident regrettable. Les journaux annonceraient que « les pertes ont été légères ». Ils pourraient même faire de lui un héros, pour un jour.

— Je crois, dit l'amiral, que je suis contraint de vous demander d'arrêter là notre conversation. En ce moment, votre fils descend sous le vaisseau et je veux porter toute mon attention sur lui. Au revoir.

Jamieson coupa la communication et se redressa. Il resta là un moment à se redonner du courage, puis il retourna dans la chambre :

— Tout semble aller pour le mieux, dit-il sur un ton détendu.

Pas de réponse. Il vit que Veda avait la tête sur son oreiller à lui. Elle s'était, de toute évidence, recouchée pour attendre son retour et avait immédiatement sombré dans le sommeil.

A l'égard d'une femme d'une si vive sensibilité, la manière dont il avait agi était assurément la meilleure. Elle dormait d'un sommeil agité, ses joues étaient mouillées de larmes. Il décida d'utiliser une seringue à gaz sous pression pour lui injecter un hypnotique spécial dans le sang. Quand il l'eut fait, après un temps, elle se détendit avec un long soupir. Sa respiration devint lente et régulière.

Jamieson téléphona à Caleb Carson, chez lui, et expliqua la situation.

— Allez chercher Ephraïm, dit-il d'une voix pressante. Dites-lui que sa famille a besoin de lui et amenez-le au Quartier Général de la Sécurité près du vaisseau. Dissimulez-le bien. Que personne ne le voie.

Il coupa la communication, s'habilla à la hâte et s'en alla vers le bâtiment de la Sécurité. Il y aurait des problèmes, il le savait. Il y aurait de la résistance de la part de l'Etat-Major quant à l'idée d'utiliser l'ezwal. Mais la présence de celui-ci était un avantage personnel qu'il avait bien gagné, et à travers lui, Dex.

— Qu'est-ce que cette bonne femme t'a dit à l'oreille ? demanda Jackie.

Ils descendaient par l'escalier roulant dans le tunnel au-dessous de la Cale.

219

Dex qui était attentivement aux aguets du « bruit » — on ne percevait aucun son particulier — se tourna vers son compagnon :

— Oh, la même chose qu'elle a vous a dite.

Jackie parut réfléchir. Ils atteignirent la passerelle et Dex s'y engagea immédiatement. L'air indifférent, il cherchait un pilier métallique portant un grand H. Il le vit soudain à une trentaine de mètres en avant.

— Pourquoi aurait-elle pris la peine de te le dire à l'oreille, dit Gil derrière lui, si elle allait de toute façon nous le répéter ?

Leur méfiance fit trembler Dex intérieurement, mais sa formation reprit le dessus :

— Je pense qu'elle voulait simplement rire un peu aux dépens des gosses que nous sommes...

— Rire ! Cette fois, c'était Jackie qui avait parlé.

— Qu'est-ce qu'on fait ici, sous le vaisseau ? demanda Gil.

— Je suis fatigué, déclara Dex.

Il s'assit au bord de la passerelle à côté du pilier métallique épais d'un mètre et demi qui s'élevait très haut au-dessus d'eux. Il laissa ses pieds pendre dans le tunnel. Les deux Rulls le dépassèrent et s'arrêtèrent de l'autre côté du pilier. Etourdi de surexcitation Dex pensa : « Ils vont communiquer entre eux — et avec d'autres ! »

Il se cala bien et tâta sous le rebord de la passerelle. Rapidement, il passa les doigts sous le métal. Il toucha quelque chose. Le minuscule fulgurant lui tomba facilement dans la main et il le glissa dans sa poche d'un seul geste très naturel. Puis il se sentit sans force — c'était en quelque sorte la réaction — et resta assis. Il prit conscience de la vibration du métal jusque dans les os de ses cuisses. Ses chaussures spéciales avaient absorbé la plus grande partie de cette trépidation et il avait été tellement préoccupé de l'arme qu'il ne l'avait pas immédiatement remarquée. Maintenant il la sentait. Si faible qu'elle fût, tout son corps en frémissait et en vibrait. Il se sentit entraîné dans le bruit. Tous ses muscles et ses organes trépidaient, bourdonnaient. Momentanément, il oublia les Rulls et pendant un instant, il lui sembla immensément étrange d'être assis là sur ce métal brut, sans protection et en résonance avec le « bruit » lui-même. Il avait pressenti que la vibration serait terrible sous le vaisseau des vaisseaux. La ville des Chantiers était bâtie sur le métal. Et toute la matière isolante dont les rues et les routes étaient recouvertes ne pouvait pas étouffer les forces et les énergies d'une suprême violence qui étaient accumulées dans une très petite zone. Là où se trouvaient des piles nucléaires si actives qu'elles explosaient continuellement avec une déflagration maximale, à la limite du cataclysme. Là où se trouvaient des machines qui pouvaient emboutir des plaques d'électro-acier de cent tonnes.

Pendant huit ans et demi encore, les Chantiers n'existeraient que pour ce vaisseau colossal. Et puis, lorsque finalement il s'envolerait, lui, Dex serait à son bord. Chaque famille dans les chantiers avait été choisie pour deux raisons : soit parce que le père ou la mère avait une spécialité qui pouvait être utilisée dans la construction du vaisseau, soit parce qu'ils avaient un enfant qui grandirait en même temps que le vaisseau. Son père, haut fonctionnaire du gouvernement, avait été désigné par ordre.

Ce n'était qu'en grandissant avec lui, et de nulle autre manière, que des êtres humains pourraient jamais réussir à comprendre et à conduire le vaisseau de l'espace qui s'élevait ici comme une petite montagne. Sur ses quelque trois kilomètres de long se trouvaient concentrés des siècles de génie de la construction mécanique, une telle somme de connaissances spécialisées, de détails techniques, que les personnalités qui venaient le visiter, contemplaient, abasourdis, les milliers et les milliers de mètres carrés de machines, de cadrans et instruments de chaque étage, et les éblouissantes rampes lumineuses déjà installées le long des murs des étages inférieurs.

Lui, Dex, serait à bord du vaisseau. Il se releva, frémissant à cette idée — juste au moment où les deux Rulls surgirent de derrière le pilier.

— Allons-y ! dit Jackie. Nous avons traîné assez longtemps par ici.

Dex tomba du haut de son exaltation.

— Où allons-nous ?

— Nous t'avons suivi suffisamment, dit Gil. Si nous allions maintenant où nous avons envie d'aller, pour changer ?

Dex ne songea même pas à soulever une objection.

— D'accord, dit-il.

L'enseigne au néon sur le bâtiment indiquait : « ETUDES ET RECHERCHES », et un grand nombre de garçons circulaient aux alentours. Ils allaient au hasard, seuls ou par groupes. Dex pouvait en voir d'autres au loin, qui avaient l'air de n'aller nulle part en particulier. « Certains étaient-ils aussi des Rulls ? L'étaient-ils tous ? Mais c'était stupide, il ne devait pas laisser son imagination s'emballer ainsi... » Etudes et Recherches. C'était ce qui les intéressait. Là, dans ce bâtiment, des êtres humains avaient créé les bactéries anti-Rulls de la barrière. Il n'avait aucune idée de ce que les Rulls voulaient au juste savoir sur ce procédé. Peut-être un seul fragment d'information à ce sujet leur permettrait-il d'en détruire la substance de base ou un organisme, et ainsi de réduire à néant toute cette défense ? Le Franc Jeu avait laissé pressentir l'existence de ce genre de possibilités.

Toutes les portes du service d'études et de recherches étaient fermées contrairement à celles des autres bâtiments qu'ils avaient vus.

— Ouvre, Dex, dit Jackie.

Obéissant, Dex allait saisir la poignée de la porte. Il s'arrêta quand deux hommes s'approchèrent dans l'avenue.

L'un d'eux le héla.

— Tiens, te voilà, petit ! Décidément, nous nous rencontrons souvent, n'est-ce pas ?

Dex lâcha la porte et se tourna vers eux. Ils ressemblaient aux deux « hommes » qui l'avaient amené à la barrière et s'étaient servis de lui pour faire l'essai des bactéries. Mais cela pouvait n'être qu'une apparence extérieure. Les seuls Rulls, parmi tous ceux de Solar City, qui se trouvaient à l'intérieur des Chantiers, ne pouvaient être que des Rulls ayant été immunisés contre les bactéries particulières qu'il avait identifiées pour eux à un unique endroit de la barrière.

Ce serait une coïncidence que les deux faux policiers aient fait partie de ce groupe. Par conséquent, ce n'était probablement pas les mêmes. C'était d'ailleurs sans importance.

— Contents de t'avoir rencontré de nouveau, dit celui qui parlait pour les deux. Nous voulons faire une autre expérience. Voilà : tu vas entrer dans ce bâtiment. Le service d'études et de recherches est probablement protégé d'une manière très spéciale. Si nous pouvons faire la preuve de la justesse de notre idée ici même, nous aurons alors beaucoup aidé à rendre plus difficile aux Rulls l'accès des Chantiers. Cela vaut la peine d'être fait, non ?

Dex acquiesça de la tête. Il se sentait tellement démonté qu'il n'était pas sûr de pouvoir parler distinctement, en dépit de toute son éducation.

— Entre, dit le Rull, reste à l'intérieur quelques instants, puis prends une profonde respiration et sors. C'est tout.

Dex ouvrit la porte, pénétra dans l'intérieur brillamment éclairé. La porte se referma automatiquement derrière lui. Il se trouvait dans une grande salle. « Je pourrais m'enfuir, se dit-il. Ils n'osent pas entrer ici. » L'absence de qui que ce fût dans la salle refroidit cette impulsion. Cela semblait anormal qu'il ne s'y trouve personne. La plupart des services des Chantiers fonctionnaient vingt-quatre heures sur vingt-quatre.

Derrière lui, la porte se rouvrit. Dex se retourna.

Les seuls Rulls en vue étaient Jackie et Gil, se tenant à l'écart de la porte, et d'autres garçons encore plus loin. Celui qui avait ouvert la porte ne prenait pas de risques de recevoir une dose de quoi que ce fût de dangereux ou d'autre.

— Tu peux sortir maintenant, dit la voix de l'homme. (Il parlait de derrière la porte :) Mais n'oublie pas, prends d'abord une profonde respiration et retiens-la.

Dex prit cette inspiration. La porte se referma automatiquement quand il sortit. Les deux faux policiers des Chantiers l'attendaient. L'un d'eux tenait une petite bouteille munie d'un tube de caoutchouc :

— Souffle là-dedans, dit-il.

Quand ce fut fait, le Rull la remit à son compagnon qui s'en alla rapidement, tourna le coin du bâtiment et disparut.

— Tu n'as rien remarqué d'anormal ? demanda le Rull.

Dex hésita. L'air à l'intérieur du bâtiment, maintenant qu'il y pensait, lui avait semblé plus épais, un peu plus difficile à respirer que l'air normal. Il secoua lentement la tête.

— Je ne crois pas, dit-il.

— Bah, fit le Rull d'un ton indulgent, tu ne l'aurais probablement pas remarqué. (Puis il ajouta vivement :) Nous ferions aussi bien de voir ton sang, aussi. Tends ton doigt.

Dex réagit légèrement à la piqûre mais se laissa prendre un peu de sang. Gil avança.

— Je peux me rendre utile ? demanda-t-il avec empressement.

— Certainement. Va porter cela à mon ami.

Gil s'en fut exactement comme l'aurait fait un autre garçon, en courant à toutes jambes. Une minute passa, puis une autre...

— Ah ! fit l'homme. Les voilà.

Dex regarda d'un air morne les deux Rulls qui revenaient. Le Rull resté près de lui alla rapidement à leur rencontre. Si les deux espions se dirent quelque chose, Dex ne put les entendre. En fait, il était persuadé qu'un bref conciliabule devait avoir lieu entre eux au niveau des ondes lumineuses. La communication, quelle qu'en eût été la nature, s'arrêta.

L'homme qui s'était toujours chargé de parler revint vers Dex :

— Petit, dit-il, tu nous as été vraiment précieux. On dirait que nous allons réellement pouvoir apporter une contribution à la guerre contre les Rulls. Sais-tu que l'air à l'intérieur du bâtiment contient un gaz artificiel, un composé fluoré ? C'est très intéressant et sans aucun danger en soi. Et même si un Rull, dont le métabolisme est à base de fluor, y entrait, il ne courrait aucun danger... sauf s'il tentait de se servir de l'énergie de son organisme au niveau d'une décharge fulgurante ou à celui de la communication. Cette énergie agirait alors comme un agent ionisant et provoquerait une fusion moléculaire entre le fluor de l'air et le fluor de l'organisme du Rull. La fusion, instable, ne durerait pas longtemps, mais l'organisme du Rull ne durerait pas longtemps non plus.

Dex ne comprenait pas très bien. Les réactions chimiques du fluor et de ses composés avaient fait partie — d'une manière très générale — de ce qu'on lui avait appris, mais ici, c'était un peu différent.

— Très malin, dit l'espion avec une apparente satisfaction. Le Rull déclenche lui-même la réaction qui le détruit. Mais voyons, les garçons, j'ai idée que vous avez envie d'entrer et de jeter un coup d'œil à l'intérieur. D'accord, allez-y. Pas toi, fit-il en s'adressant à Dex, pas encore. Je voudrais te parler un instant. Viens par ici.

Il entraîna Dex à l'écart tandis que les deux « garçons » se précipitaient par la porte. Dex les imagina en train de fouiller le bâtiment à la recherche de secrets. Il se dit avec lassitude : quelqu'un sûrement va faire quelque chose et vite.

— Confidentiellement, petit, dit le Rull, c'est un travail très important que tu as fait pour nous aujourd'hui. Simplement pour t'en donner une idée, nous avons surveillé le bâtiment des Etudes et des Recherches à peu près toute la nuit. Le personnel du service rentre habituellement chez lui vers minuit. Depuis, deux ouvriers y sont entrés, ont installé des appareils, et sont repartis. Ils ont monté un relais radio au-dessus de la porte avec un haut-parleur à l'intérieur et à l'extérieur. Si j'étais un Rull, je détruirais cela, par simple précaution. Pour l'instant, à part vous, les gosses, tout le bâtiment est désert. Tu peux constater à quel point les gens se fient à la barrière et à ses bactéries pour empêcher les Rulls d'entrer.

Il marqua une pause et reprit :

— Bien entendu, les Rulls pourraient se procurer à l'avance, par leurs espions, la plus grande partie de ces renseignements, et s'ils réussissaient à franchir la barrière, ils pourraient mettre des gardes tout autour de ce bâtiment et ainsi empêcher même les plus puissantes forces blindées de venir le défendre. Ils pourraient le faire sauter à distance et le détruire, mais il est difficile d'imaginer qu'ils le fassent très rapidement. Ils attendront d'avoir essayé d'autres méthodes.

« Tu vois où cela nous mène. Les Rulls auraient la possibilité de découvrir quelques-uns des secrets enfermés dans ce bâtiment. Et une fois dehors, ils pourraient communiquer les renseignements à d'autres Rulls qui ne seraient pas dans la zone dangereuse, puis chacun d'eux devrait se débrouiller pour fuir. C'est un plan hardi, mais les Rulls ont déjà fait des choses semblables. Alors tu vois, tout cela aurait pu arriver facilement. Mais maintenant, nous l'avons empêché.

« Dex. » Ce n'était qu'un chuchotement qui venait d'en haut, près de lui. « Ne donne aucun signe que tu m'entends... »

Dex se raidit puis vivement se détendit. Il avait été prouvé depuis longtemps que les appareils électroniques rulls d'audition et de phonation, situés comme ils l'étaient à l'intérieur des muscles de leur épaule qui amortissaient les sons, ne pouvaient capter les murmures.

« Il faut que tu entres, continuait le chuchotement. Une fois à l'intérieur, reste près de la porte. C'est tout. Tu recevras alors d'autres instructions. »

Dex localisa la source du chuchotement. Il venait d'au-dessus de la porte. Il se rappela, tremblant, que le Rull avait parlé d'un relais radio installé là — le chuchotement devait venir par ce moyen.

Mais comment allait-il pouvoir entrer alors que, de toute évidence, le Rull le retenait ? Celui-ci disait quelque chose à propos d'une récompense, mais Dex l'entendait à peine. Il jeta un regard éperdu autour de lui. Il ne voyait qu'une longue rangée de bâtiments, certains brillamment illuminés, d'autres à demi obscurs. L'éclatante lumière qui tombait du vaisseau projetait une longue ombre sur l'endroit où il se trouvait. Et, au-dessus, dans le ciel, la nuit semblait plus noire que jamais.

Il n'y avait encore aucun signe d'une aube lumineuse qui, pourtant, se lèverait dans quelques heures.

— Oh, mon Dieu, dit Dex sans beaucoup d'espoir, je ferais mieux d'entrer. Le soleil va bientôt se lever, et j'ai encore beaucoup d'endroits à explorer...

— Si j'étais toi, je ne perdrais pas trop de temps là-dedans, dit le Rull, mais jettes-y un coup d'œil quand même. Il y a quelque chose que je veux que tu fasses.

Avec un frémissement, Dex ouvrit la porte. Le Rull la bloqua avant qu'elle se referme.

— Laisse-moi entrer un instant, dit-il.

Il franchit le seuil, allongea le bras au-dessus de la porte et tira quelques fils qui dégringolèrent. Il ressortit :

— Je viens de penser que je devais créer une situation de guerre pour notre petite expérience. J'ai simplement déconnecté de son système de haut-parleurs ce relais radio qu'on vient d'installer. Entre un instant et dis-moi ce que font les autres garçons.

La porte se referma derrière Dex, automatiquement.

Dans le bâtiment de la Sécurité, l'amiral de service eut un geste de regret à l'adresse de Jamieson.

— Je suis navré, Trevor. Nous avons fait le maximum. Mais ils viennent de détruire notre seul espoir de contact avec votre fils.

— Quelles instructions aviez-vous l'intention de lui donner ? demanda Jamieson.

— Désolé, fit l'amiral, secret absolu.

De sa cage dans la remorque, devant le bâtiment, l'ezwal communiqua télépathiquement à Jamieson. « J'ai lu dans son cerveau. Voudriez-vous que je le transmette à Dex ? »

« Oui », dit-il mentalement.

A Dex, le message parvint clair et direct — si net qu'il le prit pour des paroles chuchotées. «Dex, disait le message, sauf si un Rull porte ouvertement une arme, il doit se fier à l'énergie de ses cellules. Et un Rull, par sa nature même, doit se passer de vêtements. Ce n'est que son organisme qui peut produire l'image de vêtements humains et de formes humaines... Je vois que deux garçons seulement sont par là. »

Deux garçons, en effet, *étaient* là, tous deux penchés sur un bureau à l'autre bout de la salle. Un instant, Dex se demanda comment celui qui s'adressait à lui pouvait les voir. Mais il n'eut pas le temps d'y réfléchir car le message continua : « Sors ton pistolet et tue-les. »

Dex mit sa main dans sa poche, avala difficile-

230

ment sa salive et sortit l'arme. Sa main tremblait un peu, mais depuis cinq ans, il avait été entraîné en vue d'un moment comme celui-là, et en son for intérieur il se sentait terriblement calme. Ce n'était pas une arme avec laquelle il fallait viser avec précision.

Il lâcha un éclair de flamme blanc-bleu en se contentant de remuer le canon du fulgurant à peu près dans la direction de l'endroit où se trouvaient les Rulls. Ils tentèrent de fuir mais s'effondrèrent.

« Bravo ! » dit l'ezwal.

Dex remarqua à peine qu'aucun son n'accompagnait cette parole. A l'autre bout de la salle, ce qui avait été deux garçons aux bonnes joues rouges était en train de changer. Après la mort, les images ne pouvaient subsister. Et bien qu'il eût vu des photographies de ce qui apparaissait, c'était tout autre chose de voir surgir cette chair noirâtre, ces étranges membres réticulés.

« Ecoute... (la communication téléphatique lui fit surmonter ce choc) toutes les portes sont fermées. Personne ne peut entrer. Ni sortir. Parcours le bâtiment. Tire sur tous ceux que tu rencontreras. *Tous !* N'écoute rien, ni les prières ni les protestations du genre : on n'est que des gosses. On a suivi de très près tous les garçons authentiques, et il n'y a que des Rulls dans le bâtiment. Foudroie-les tous sans pitié. »

Quelques minutes plus tard l'ezwal annonça à Jamieson : « Ton fils a détruit tous les Rulls qui étaient dans le bâtiment. Je lui ai dit de rester à l'intérieur, car on tente en ce moment de tuer ceux qui

231

sont dehors. Il y restera jusqu'à ce que je lui dise de sortir. »

En recevant ce message, Jamieson poussa un long soupir de soulagement. « Merci, ami, dit-il silencieusement. Tu as accompli une remarquable démonstration de télépathie. »

Peu après l'amiral voulut parler à Jamieson :

— Ç'a été un formidable succès, dit-il. Les Rulls qui étaient dehors se sont défendus avec leur bravoure habituelle, mais nous avons changé les bactéries à l'endroit où ils avaient franchi la barrière et ils étaient pris au piège.

Il hésita puis ajouta d'un ton perplexe :

— Ce que je ne comprends pas, c'est comment votre fils a su exactement à quel moment se servir de son fulgurant pour abattre les Rulls, sans que nous ne le lui disions ?

— J'aimerais que vous vous souveniez de cette question, dit Jamieson, lorsque vous recevrez mon rapport sur ce qui s'est passé.

— Pourquoi feriez-vous un rapport sur cet incident ? demanda l'amiral, déconcerté.

— Vous verrez.

Il faisait un noir d'encre quand Dex prit un hélicar au Carrefour 2 et s'envola jusqu'à un bloc de maisons de la colline du haut de laquelle les « Explorateurs » tels que lui devaient regarder le soleil se lever. Il monta les marches qui conduisaient au sommet, et y trouva plusieurs autres garçons qui étaient déjà là, assis ou debout.

S'il ne pouvait être certain qu'ils étaient humains, il en avait une forte conviction. Il ne semblait y avoir aucune raison pour qu'un Rull participe à ce rite particulier.

Dex se laissa choir sous un buisson près de la silhouette sombre d'un des garçons. Tous deux restèrent d'abord silencieux, puis Dex demanda :

— Comment t'appelles-tu ?

— Mart.

La voix était aiguë mais assourdie.

— Tu as trouvé le « bruit » ?

— Ouais.

— Moi aussi.

Il hésita, pensant à ce qu'il avait fait. Un instant, il eut une conscience très vive de la merveilleuse éducation qui avait permis à un garçon de neuf ans d'agir comme il avait agi. Puis cela s'effaça de sa pensée immédiate.

— Ç'a été amusant, non ? dit-il encore.

— Oui, il me semble.

Il y eut un silence. De l'endroit où Dex était assis, il pouvait voir le rougeoiement intermittent des fours de forge tandis que le ciel s'illuminait de reflets flamboyants. Plus loin, l'auréole, étincelante comme un joyau, qui entourait en partie le vaisseau. Au-dessus le ciel n'était plus noir, et Dex remarqua que l'obscurité autour de lui était moins dense, grisâtre. Il pouvait voir la silhouette de Mart, accroupi sous le buisson.

A mesure que l'aube s'éclaircissait, il observa le vaisseau. Lentement, le squelette métallique de ses superstructures commença à refléter les rayons du soleil qui n'était pas encore visible du lieu où Dex se trouvait. La lumière descendit peu à peu, étincela sur l'immensité sombre et polie de ses parois inférieures terminées, révélant sa forme colossale qui se détachait sur le ciel.

Le vaisseau surgissait hors de l'obscurité, masse incroyable, plus énorme que tout ce qui l'entourait. A cette distance, le gratte-ciel de cent étages de l'Administration semblait faire partie de la cale de construction, simple pilier blanc contre le monstre noir qu'était le vaisseau. Dex resta à le contempler avec un orgueil exalté, longtemps après que le soleil se fut levé. Dans l'éclat du jour tout neuf, le vaisseau semblait se ramasser sur lui-même comme pour s'élancer dans l'espace. Pas encore, se dit Dex frémissant, pas encore. Mais le jour viendrait. Dans ce temps encore lointain, le plus gros vaisseau jamais imaginé et construit par l'homme se dresserait vers les espaces interstellaires et s'élancerait dans l'immensité ténébreuse. Et alors vraiment, les Rulls devraient battre en retraite.

Finalement, Dex, répondant à l'appel familier de son estomac qui criait famine, descendit de la colline, prit son petit déjeuner dans un restaurant « instantané », puis, satisfait, embarqua dans un hélicar et rentra à la maison.

De la grande chambre, Jamieson entendit la porte de l'appartement s'ouvrir. Il rattrapa sa femme qui avait déjà les doigts posés sur le bouton de la porte.

— Il doit être fatigué, dit-il doucement, laisse-le se reposer.

A contrecœur, elle se laissa ramener dans son lit.

234

Dex traversa la salle de séjour sur la pointe des pieds et entra dans sa chambre. La porte se referma automatiquement sur lui. Un coup d'œil sur le tableau de commande lui montra que le Franc Jeu — en fait, un ensemble robotique complexe — était averti de sa présence.

— Ton rapport, s'il te plaît, dit-il enfin.

— J'ai trouvé ce qu'est le bruit, déclara Dex, fièrement.

— Et qu'est-ce que c'est ?

Lorsque Dex lui eut répondu, le Franc Jeu articula :

— Tu fais honneur à mon enseignement. Je suis fier de toi. Maintenant va dormir.

En se glissant sous les draps, Dex perçut la faible trépidation de sa chambre. Couché dans son lit, il en sentit le léger tremblement et entendit le frémissement du plastique amortisseur des fenêtres. Au-dessous de lui, le plancher craquait imperceptiblement dans son unisson lointain et perpétuel avec la vibration qui régnait partout.

Il sourit avec contentement mais aussi avec une grande lassitude. Il ne se poserait plus jamais de questions au sujet du « bruit ». C'était un miasme qui venait des Chantiers, une vibration ténue qui émanait des masses de bâtiments, de constructions métalliques et de machines qui s'étendaient comme des tentacules autour de la Cale.

Le bruit serait avec lui toute sa vie ; car lorsque le vaisseau serait achevé, un autre bruit similaire, envahissant, émanerait de toutes ses plaques de métal.

Il s'endormit, ressentant au plus profond de lui-même la pulsation du bruit qui faisait partie de sa vie.

## 20

Jamieson s'éveilla à son heure habituelle, et il était en train de se glisser doucement hors du lit quand il se souvint. Il se tourna, regarda sa femme et hocha la tête, heureux. Elle semblait dormir tranquillement.

Vera et Dex dormiraient encore pendant des heures. Il se leva et gagna la salle de bains sur la pointe des pieds. Il prit son petit déjeuner seul et réfléchit à la manière dont les événements de la nuit passée pourraient affecter les jours à venir. Car ils les affecteraient, il en était convaincu.

L'ezwal avait prouvé sa valeur. Qu'il l'ait fait en sauvant son fils, résultait simplement de sa propre détermination à utiliser tous les moyens possibles pour aider son garçon durant ses longues heures de danger.

Arrivé à son bureau, Jamieson prépara un rapport sur l'opération de la nuit. Il estimait, en conclusion finale, que ce qui s'était passé était aussi important que l'achèvement du vaisseau lui-même. « L'utilité de la télépathie, écrivit-il, comme moyen de communication avec les races extra-terrestres qui nous apportent actuellement si peu d'aide contre notre commun ennemi, le Rull, est bien entendu une affaire d'expérimentation prudente. Mais le simple fait qu'un tel moyen de communication existe est un événement d'une importance énorme dans l'histoire de la galaxie.

Il fit reproduire son rapport en plusieurs exemplaires et en envoya un par porteur spécial à chacun de ceux dont il avait lieu de penser que l'opinion aurait de l'influence.

La première réaction lui parvint dans l'après-midi d'une haute personnalité des Forces armées.

« Des précautions ont-elles été prises afin d'assurer que l'ezwal n'aurait accès au cerveau d'aucune personne au courant de la Recherche Intérimaire ? (*Intérimaire* était un mot de code signifiant « Ultra-secrète »). Serait-il possible que l'ezwal en question soit éliminé à titre de simple précaution ? »

Jamieson lut ce message avec l'impression qu'il avait affaire à une forme d'insanité, ce qui d'ailleurs était le cas. Il avait déjà pu remarquer les outrances auxquelles était parfois porté le secret militaire.

Il vit que la réponse de cet important personnage avait été envoyée à tous ceux à qui il avait soumis son propre rapport.

Galvanisé, il prépara une réplique qui établissait, sur la base de données pouvant être vérifiées, que l'ezwal n'avait approché personne qui connût les détails scientifiques de la Recherche Intérimaire. Il soulignait que si sa propre information à ce sujet avait toujours été réduite à un minimum de généralités, l'action des agents rulls, en franchissant les barrières, et dans leurs autres actes, indiquait une connaissance approfondie des méthodes de guerre bactériologique utilisées contre eux, et que « plutôt que de condamner l'ezwal pour la petite quantité de données qu'il avait pu apprendre de nous, nous serions mieux avisés de découvrir ce qu'il avait pu apprendre des agents rulls ».

C'était la seule entorse à la vérité dans sa réplique. Il savait, par son expérience avec l'ezwal géant sur Eristan II, que les ezwals ne pouvaient pas lire dans la pensée d'un Rull. Mais ce n'était pas le moment de présenter des informations négatives.

Il ajouta : « Il est également important de remarquer qu'il faudrait des mois, peut-être des années, pour réaliser de nouveau un concours de circonstances grâce auquel un jeune ezwal bien disposé à notre égard tomberait entre nos mains. Il est également important de remarquer que nos relations futures avec la race des ezwals dépendront de la manière scrupuleuse selon laquelle nous nous conduirons maintenant. Si les ezwals apprenaient jamais que nous avons exécuté un bébé ezwal en sachant ce que nous savons à présent, toute possibilité de relations serait instantanément condamnée. »

Jamieson expédia des copies de sa réplique à tout le monde. Et comme l'ezwal lui était toujours confié, il prit la précaution de l'envoyer à un autre endroit, afin — spécifiait-il dans son rapport — d'être absolument certain qu'il ne puisse avoir aucun contact avec quiconque ayant des renseignements importants.

238

Le rapport fut classé et répertorié dans son service, pour les archives.

Maintenant certain que l'ezwal ne serait pas abattu à la suite de quelque décision hâtive prise à son insu, il attendit d'autres réactions.

Il y en eut plusieurs avant la fin de l'après-midi. Sauf une exception, c'étaient toutes de simples accusés de réception. L'exception venait de la personnalité qui lui avait déjà répondu : « Grand Dieu, mon ami, le monstre que vous nous avez montré, n'était-il donc qu'un bébé ? » y lisait-on.

Ce fut la dernière tentative de détruire le jeune ezwal pour des raisons légales ou militaires.

Une semaine passa.

Jamieson reçut un mémo du service Ordinateur peu avant midi. « Suite à votre demande du 10 courant, disposons de quelques données quant aux noms de races avec lesquelles il a été impossible d'établir une communication. »

Il appela Caleb Carson, convint avec lui d'un déjeuner afin de passer tous deux une partie de l'après-midi au service Ordinateur.

Carson, en chair et en os, était un grand garçon maigre à la mâchoire longue, qui ressemblait fortement à son grand-père, le fameux explorateur. Il semblait émaner de lui une excitation contenue, comme s'il connaissait des secrets et avait eu des expériences qu'il ne pouvait partager avec personne.

Assis dans la « Salle du Vaisseau » du restaurant réservé aux hauts fonctionnaires, Jamieson expliqua au jeune Carson :

— Mon intention est de partir, moi-même, avec

l'ezwal pour une planète étrangère. Je veux tenter, au moins une fois, de l'utiliser comme moyen de communication. Ensuite, j'aimerais vous le confier.

Caleb Carson opina de la tête, à la fois rougissant et enthousiaste.

— Je vous en remercie, monsieur. Vous m'offrez l'occasion d'ouvrir des planètes entières à la coopération avec notre civilisation galactique. Je n'ai jamais opéré à ce niveau de responsabilité jusqu'à maintenant.

Jamieson hocha la tête à son tour, mais ne dit rien. Il se souvenait de ses propres sentiments, des années auparavant, lorsque, lui aussi, avait été promu à un niveau qui lui donnait une pleine responsabilité d'action à l'égard de planètes entières. Cela le troublait un peu de s'apercevoir qu'il avait atteint le stade où il pouvait signer l'autorisation qui donnerait à d'autres le même pouvoir.

... Le pouvoir de réquisitionner des vaisseaux de l'espace... de signer des accords qui lieraient la Terre pour un temps... le pouvoir...

Il se rappela sa propre impression des hommes qui lui avaient accordé le droit d'opérer à ce niveau de responsabilité. Il avait estimé qu'ils étaient d'un certain âge. En était-il de même pour lui aussi ? se demanda-t-il. Il n'y avait jamais songé que fugitivement jusque-là.

Ils se mirent à discuter de détails, comme de la liberté plus ou moins grande qu'il convenait de laisser à l'ezwal autant pour son propre bien que pour celui de tout le monde. Ils terminèrent leur repas, regardèrent une dernière fois le vaisseau qu'on voyait s'élever très haut, au-delà des murs transparents, puis ils sortirent.

— Croyez-vous qu'ils envisagent réellement d'aller sur la planète natale des Rulls avec ce vaisseau ? demanda Carson.

Il dut voir à l'expression de Jamieson qu'il avait dit ce qu'il ne fallait pas. Il laissa échapper un soupir.

— Très bien, arrêtons-nous au poste de garde et vérifions si je ne suis pas un Rull.

Jamieson acquiesça gravement :

— Et pendant que nous y sommes, mieux vaut vis-à-vis de vous qu'on en fasse autant pour moi.

Ils subirent l'examen de la manière la plus sérieuse, furent bientôt reconnus hors de tout soupçon, quoique — se dit Jamieson — pour le présent seulement.

Dans un monde hanté d'espions rulls qui pouvaient prendre l'apparence d'êtres humains, cette vérification ne pouvait toujours être que temporaire. Une question à tort, un acte suspect, et l'examen devait être refait.

Dans un certain sens, un homme n'avait simplement qu'à toucher un individu soupçonné d'être un Rull pour établir s'il était ou non humain. Mais comme peu de gens étaient capables de se tirer d'affaire en face d'un Rull, la méthode recommandée était de signaler sur-le-champ ce genre de soupçons aux autorités. Le fait que Carson ait immédiatement offert de se présenter à l'examen montrait presque en soi qu'il était humain ; la vérification néanmoins devait être faite.

Tandis qu'ils se dirigeaient vers le service Ordinateur, Carson dit vivement :

— Pour le moment, en tout cas, je peux parler librement. Sur quoi donc se fonde l'Ordinateur pour choisir parmi les races « étrangères » ?

— D'abord, sur leur pure et simple « étrangeté », répondit sans hésiter Jamieson, avec en plus des caractéristiques qui pourraient être utiles dans la guerre contre le Rull. J'aimerais mettre à l'épreuve l'aptitude télépathique de l'ezwal dans des circonstances extrêmes. Nous n'avons enregistré qu'un seul échec jusqu'ici.

Il évoqua l'incapacité d'entrer en contact avec les Rulls, puis poursuivit :

— Comme il y a quelque possibilité que les Rulls soient réellement originaires d'une autre galaxie, je me risque à penser que toutes les formes de vie dans notre galaxie sont plus ou moins apparentées.

En fait, personne ne pouvait réfuter une telle hypothèse. L'homme avait découvert des myriades de faits sur la vie et savait comment celle-ci fonctionnait. Ce qu'était la vie, et pourquoi, restait encore une inconnue qui devenait plus troublante à mesure que l'immensité de l'espace se révélait aux hommes des vaisseaux qui pénétraient toujours plus loin et visaient plus loin encore, dans les profondeurs insondables et apparemment infinies du continuum. Dans un tel univers, les hommes ne pouvaient, au mieux, qu'avancer des conjectures reposant sur les connaissances déjà acquises. Il semblait à Jamieson qu'il avait remarqué des choses sur la vie qui justifiaient sa propre hypothèse.

— Avez-vous pensé à une race particulière ? demanda Carson.

— Non, j'ai introduit mes desiderata dans l'ordinateur. Je le laisserai décider.

Ils restèrent silencieux tout le reste du chemin. Un technicien les conduisit dans une petite salle et bientôt un télétype se mit à cliqueter bruyamment. Jamieson lut la première phrase, émit un léger sifflement :

— J'aurais dû y penser moi-même, dit-il. Les Ploians, bien entendu. Qui d'autre dans toute cette galaxie ?

— Les Ploians ! s'exclama Carson, en levant les sourcils. N'est-ce pas là un simple mythe ? Sommes-nous certains qu'il existe une race de Ploians ?

Jamieson était de bonne humeur.

— Nous, nous ne le sommes pas. Mais c'est le moment où jamais pour nous de le savoir.

Il était très excité. Il n'avait pas pensé aux Ploians. Ce serait certainement une sévère mise à l'épreuve pour l'ezwal, et pour sa propre hypothèse quant à l'existence d'une affinité entre les races d'une même galaxie.

La vedette spécialement construite glissa hors du croiseur dans l'espace et plongea vers la planète de Ploia dans une longue descente oblique. Par télécommande, Jamieson laissa ses réacteurs en marche, ne freinant que peu à peu le petit engin.

Il surveilla les indicateurs de température et de vitesse quand la machine entra dans les couches supérieures, ténues, de l'atmosphère, et continua de freiner sa vitesse. Seules, les parois extérieures de la vedette s'échauffèrent.

Elle continua de descendre à une allure normale, grâce à ses automatismes électriques et électroniques. Elle arriva à une soixantaine de kilomètres au-dessus de la planète, descendant maintenant à un peu plus de mille cinq cents mètres/minute. Jamieson la freina encore plus, jusqu'à ce qu'elle n'avance plus qu'à moins de cinquante kilomètre à l'heure. Il était en train de redresser sa ligne de vol vers l'horizontale lorsque l'indication de pression du sas réagit anormalement.

Le sas s'ouvrit. Et se referma.

Jamieson attendit, inquiet de ce qui allait se passer.

Brusquement, les aiguilles des indicateurs marquèrent un afflux d'énergie. Instantanément, le vol de la vedette devint irrégulier, ingouvernable. La vitesse de sa descente s'accrut énormément. L'engin roulait et tanguait comme s'il était désemparé.

Jamieson essaya ses télécommandes l'une après l'autre. La vedette poursuivit son vol instable, sans qu'il pût rien y faire. Pas un seul des automatismes électroniques ne répondit aux tentatives auxquelles il se livra dans les instants qui suivirent.

Tendu mais réaliste, Jamieson se cala sur son siège et attendit. Il avait prévu que cela arriverait. Maintenant que c'était arrivé, il n'y avait rien d'autre à faire que de laisser ce qui pouvait s'être emparé de la vedette réaliser certaines conditions voulues.

Celles-ci se réalisèrent automatiquement lorsque

244

l'engin se trouva à une altitude de six mille cinq cents mètres au-dessus de la surface verdoyante.

A bord, une machine qui n'était pas de nature électrique, réagit à une indication de l'altimètre. Il en résulta qu'une roue à contrepoids tourna, et toute l'énergie électrique fut coupée dans la vedette. D'autres dispositifs purement mécaniques furent actionnés par le vent relatif de la chute libre. Le sas se verrouilla mécaniquement. Les tuyères se rallumèrent et la vedette, propulsée par une machinerie non électrique, remonta vers l'espace.

Comme un projectile, dans son vol furieux, elle fonça dans le vide. Jamieson la suivit sur les écrans de ses radars. A de telles distances, il était impossible de déterminer si « ce » qui s'était produit à bord avait réussi à résoudre le problème mécanique de déverrouiller le sas sans énergie électrique. Il en doutait. Par conséquent, il avait capturé un Ploian.

Une seule expédition terrestre avait atterri sur Ploia environ un siècle auparavant. Immédiatement, elle se trouva en plein cauchemar. Le plancher métallique, le mobilier, les plus objets métalliques devinrent soudain conducteurs de l'électricité tout autant que s'ils avaient fait partie de l'équipement électrique du vaisseau. Scientifiquement, c'était un phénomène fantastiquement intéressant.

Pour les quatre-vingt-un hommes qui furent électrocutés pendant ces périlleux instants, ces manifestations cessèrent aussitôt d'avoir de l'intérêt.

Les cent quarante autres membres de l'équipage, qui se trouvèrent ne pas être en contact avec du métal à ce moment-là, étaient très expérimentés et extrêmement entraînés. Seuls, vingt-deux d'entre eux ne se rendirent pas tout de suite compte qu'il s'agissait de phénomènes électriques. Ces hommes furent ensuite enterrés avec le premier groupe malchanceux, dans une terre aussi verte et aussi vierge que la plus primitive des planètes jamais découverte par l'homme.

Les survivants s'efforcèrent avant tout de reprendre le contrôle de leur vaisseau. Ils coupèrent totalement le courant. Ayant conclu qu'un certain genre de vie s'était introduit à bord, ils entreprirent une opération de nettoyage systématique, à l'aide de pulvérisations chimiques. Lorsque le vaisseau tout entier en fut saturé, ils remirent le courant. Un instant plus tard, ce fut aussi affolant qu'auparavant. Ils essayèrent toutes les pulvérisations chimiques tour à tour, sans résultat. Hardiment, ils débarquèrent, relièrent un tuyau à une source d'eau et déclenchèrent le système d'extincteurs du vaisseau. Chaque centimètre cube du volume intérieur fut soumis à un arrosage sous pression.

Cela, non plus, n'eut aucun effet. En fait, « ce » qui s'était introduit à bord était si sensible qu'il avait enregistré la manière dont ils mettaient en route et arrêtaient les dynamos. Durant l'une des périodes de repos, alors que la moitié des hommes dormaient d'un sommeil inquiet, toutes les machines électriques démarrèrent à la fois. Ils durent couper les connections, avec des outils mécaniques, avant de pouvoir rétablir la situation.

Pendant ce temps, des miroirs furent utilisés pour communiquer avec un second croiseur qui « flottait » sur une orbite hors de l'atmosphère. Celui-ci transmit aux hommes du croiseur immobilisé — à demi fous de terreur —, une analyse de la situation qui confirmait leurs propres observations.

« Ces êtres étranges, leur dit-on, ne semblent pas directement hostiles aux humains. Toutes les morts semblent avoir résulté accidentellement de leur interférence avec les systèmes électriques du vaisseau. On peut donc en conclure qu'il est possible d'étudier cette forme de vie, en provoquant différentes combinaisons de phénomènes électriques et en observant les réactions. Des dispositifs destinés à cet usage vont être réalisés et vous seront parachutés. »

L'expédition devint scientifique. Pendant six mois, les manifestations de cette étrange forme de vie furent étudiées. Le résultat final ne fut pas satisfaisant, car, à aucun moment, un contact ne put être établi, et il ne fut pas possible de déterminer définitivement qu'une forme de vie existait réellement sur cette planète.

A la fin de ces six mois, le second croiseur parachuta plusieurs fusées de modèle ancien qui utilisaient des mécanismes non électriques de mise à feu. Et les survivants de la première expédition sur Ploia furent ainsi récupérés.

Jamieson pensait à tout cela, tandis qu'il utilisait des faisceaux tracteurs pour amener la vedette dans un sas de son croiseur. Quelques instants plus tard, le grand vaisseau s'élança dans l'espace interstellaire.

On ne pouvait rien faire de décisif dans l'immédiat. L'ezwal signala la présence d'un autre « esprit » mais ne put identifier d'autre pensée que l'anxiété et le chagrin.

Cette indication qu'il y avait *quelque chose* soulagea considérablement Jamieson. En raison de l'expérience de la première expédition, il n'avait pu échapper à la crainte de se faire des illusions. Et, en décelant une présence, l'ezwal jouait déjà un rôle utile.

A cent années-lumière de Ploia, il déconnecta toutes les liaisons électriques du système de propulsion interstellaire. Puis, lui et l'ezwal se retirèrent dans une partie du vaisseau, spécialement construite pour ce voyage. Elle était reliée à la partie principale par des mécanismes soit motorisés soit manuels. Il s'y trouvait un second tableau de commande. De là, utilisant un dispositif mécanique spécialement installé, Jamieson ouvrit le sas dans lequel était la vedette, permettant au Ploian de pénétrer dans la partie principale du vaisseau, si cet être étrange le voulait.

L'ezwal annonça à sa rapide manière mentale :

« Je vois des images qui proviennent du poste principal de commande. Elles semblent venir de près du plafond. J'ai l'impression qu'il étudie la situation. »

Cela sembla raisonnablement décisif. Il était possible de lire dans l'esprit du Ploian. Jamieson pouvait s'imaginer dans une situation similaire à bord d'un vaisseau étranger. Il sentit combien il serait méfiant.

« Il entre maintenant dans le tableau de commande », communiqua l'ezwal.

248

— *Dans le tableau ?* demanda Jamieson en sursautant.

Il y eut une secousse et le vaisseau s'élança en déviant fortement de sa route. Cette manœuvre désordonnée ne troubla pas Jamieson. Mais sa connaissance nouvelle du Ploian, obtenue grâce à l'ezwal, lui fournit une image effarante du tableau de commande court-circuité. Il se représenta une créature sans forme visible se glissant et rampant parmi une masse de fils et de composants, son « corps » servant de conducteur au courant électrique dans les nombreux relais.

Alors que cette image lui venait à l'esprit, la marche du vaisseau se stabilisa. Le grand croiseur fonça en ligne droite à travers ce coin perdu de la galaxie.

La pensée de l'ezwal arriva : « Il a choisi une direction et son plan est de continuer dans cette direction exactement aussi longtemps que nous l'avons fait nous-mêmes auparavant. Il n'a aucune notion de systèmes de propulsion plus rapides. »

Jamieson hocha la tête, impressionné mais compatissant. Pauvre Ploian ! Pris au piège d'une distance à laquelle sa race n'avait jamais rêvé ni peut-être même pensé.

— Explique-lui combien la distance est grande, dit-il. Et aussi la différence entre la propulsion interstellaire et celle dont il se sert.

— Je lui ai expliqué, répondit l'ezwal. Tout ce que j'ai obtenu en retour n'a été que de la rage.

— Continue de lui expliquer, dit Jamieson calmement.

Un peu après, il ajouta :

— Explique-lui que nous avons un appareil qui fonctionne électriquement, au moyen duquel nous pouvons, lui et moi, nous parler — une fois qu'il en aura appris le mécanisme.

De nouveau, un peu plus tard, Jamieson reprit :

— Demande-lui ce qu'il utilise comme nourriture.

Et cela amena la première réponse.

— Il dit, annonça l'ezwal, qu'il est en train de mourir et que nous en sommes responsables.

C'était de la télépathie complète. Bientôt, ils surent que les Ploians vivaient du magnétisme de leur planète qu'ils convertissaient en une sorte d'énergie vitale.

Tout le système électrique étant coupé, aucun flux magnétique n'était produit par les bobinages et les induits des nombreux moteurs électriques, dynamos, relais et magnétrons. Ephraïm reçut l'impression que de telles concentrations de flux magnétique étaient extrêmement vivifiants pour les Ploians.

Jamieson se dit alors que cette simple réaction expliquerait en grande partie, sinon totalement, les pertes et les dommages que les Ploians avaient infligés aux précédents explorateurs. Il vit soudain que toutes les destructions de matériel et les effets mortels sur l'équipage humain avaient été dans une large mesure la conséquence d'une sorte de « soûlerie » dont les Ploians s'étaient délectés.

En partant de cette idée, ce ne fut pas compliqué d'utiliser une petite turbine à gaz pour entraîner une génératrice qui, à son tour, fournissait le courant au moteur électrique d'un compresseur.

— Dis-lui de ne pas absorber le flux magnétique

trop vite, sinon il mettra le système en panne, dit Jamieson à l'ezwal.

Ils donnèrent ainsi son « repas » au Ploian, puis Jamieson reprit :

— Maintenant, dis-lui qu'il n'aura plus de nourriture jusqu'à ce qu'il consente à utiliser cet appareil de communication.

En quelques heures, le Ploian arriva à moduler le courant électrique de telle façon que le son de paroles intelligibles bien que plutôt gutturales sorte du haut-parleur de la machine. Il acquit une maîtrise acceptable de l'anglais en une journée.

— On se demande, dit Jamieson en s'adressant plus à lui-même qu'au jeune ezwal, quel quotient intellectuel peut avoir cet être-là pour apprendre une langue aussi rapidement que cela ?

Ephraïm ne pouvait exprimer d'opinion directe là-dessus puisqu'il n'avait pas besoin de langage. Mais il indiqua : « Il semble pouvoir disposer de tout son champ énergétique comme mémoire pour emmagasiner des données, et ce champ s'étend presque aussi loin qu'il le veut. »

Jamieson réfléchit à cela, mais il fut incapable de se faire une image mentale claire d'un tel « système nerveux ».

— Pendant que nous retournons vers la Terre, je vais monter un modèle réduit de cet appareil de communication, que je pourrai me mettre dans l'oreille. J'aimerais arriver à éduquer ce Ploian jusqu'au point où je pourrai lui parler aussi facilement qu'à toi.

Il fabriqua l'appareil et il allait commencer de

s'en servir, quand deux messages arrivèrent pour lui, en provenance de la Terre. Ils changèrent ses plans pour l'avenir immédiat.

Le premier message était de Caleb Carson : « Revirement politique sur la planète de Carson rend possible un programme d'éducation des ezwals sans attendre la réunion du Congrès Galactique. Cette information provient d'une Mme Whitman. Elle a dit que vous comprendriez. »

Le commentaire de Jamieson sur ce message fut mi-figue, mi-raisin : « Il fut un temps où Mme Whitman et moi n'avions guère de sympathie l'un pour l'autre. Je suppose que cela a maintenant changé. Je pense donc que je suis d'accord. »

Le second message était tout aussi décisif : « Dirigez-vous immédiatement vers planète nouvellement découverte dans Région 18. Coordonnées seront codées par 1-8-3-18-26-54-6. Vous avez ordre de procéder personnellement à une étude sur place et de rendre compte aussitôt que possible. Signé : COMSUPES. »

Jamieson n'avait nul besoin qu'on lui explique pourquoi le Commandant Suprême des Opérations dans l'Espace s'était occupé lui-même de cette affaire. « Région 18 » était le nom de code de la « ligne de front » la plus avancée des forces anti-Rulls. Avec la planète de Carson et deux autres planètes, ce nouveau monde formerait un quatuor de bastions militaires d'où il serait possible de défendre la Terre et la partie de la galaxie dominée par les hommes.

Les chiffres indiquaient simplement le code de brouillage selon lequel la situation de la planète lui serait transmise par radio.

Changeant tous ses projets, Jamieson accusa immédiatement réception des deux messages : « Rejoignez-moi à... », demanda-t-il à Caleb Carson par radio, en lui indiquant le nom d'une planète que tous deux pouvaient atteindre à peu près en même temps. « Je vous passerai Ephraïm et ce croiseur, et vous repartirez pour la planète de Carson où vous agirez comme prévu. »

Au COMSUPES, il répondit : « Envoyez-moi croiseur à... » (Il indiqua la planète où il devait rencontrer Caleb Carson.) « Et prévoyez embarquement à bord de ma vedette personnelle. »

C'était la seule bonne solution au problème posé par le Ploian : l'emmener avec lui.

Avec ardeur, Jamieson s'employa à bien faire comprendre à cet être l'importance de ne pas tenter d'actes inconsidérés. « Si tu tiens à revoir ta planète natale, tu devras toujours faire ce que je te dis », lui dit-il.

Le Ploian le promit loyalement et calmement.

## 21

Trevor Jamieson aperçut l'autre vedette spatiale du coin de l'œil. Il était assis dans un creux, à une dizaine de mètres du bord de la falaise, et à cinq ou six mètres de la porte de sa propre vedette. Il s'était penché sur son carnet de comptes rendus où il était en train de noter, à titre de commentaire, que Laerte III se trouvait si près de la ligne de démarcation invisible entre l'espace contrôlé par l'homme et l'espace contrôlé par le Rull que sa découverte par les hommes avant les Rulls était en soi-même un important succès dans la guerre entre les deux races.

Il venait d'écrire : « Le fait que des vaisseaux basés sur cette planète pourraient attaquer plusieurs des zones les plus peuplées de la galaxie, qu'elles appartiennent *aux Rulls ou aux hommes*, lui confère une priorité absolue pour recevoir tout l'armement disponible. Les premiers dispositifs de défense devraient être établis sur le Mont Monolithe, sur lequel je me trouve actuellement, dans un délai de trois semaines... »

C'est à ce moment qu'il vit l'autre vedette, assez haut et un peu sur sa gauche, qui venait vers le plateau. Il leva le regard vers elle et resta figé, tiraillé entre deux impulsions opposées. La première, qui le poussait à courir à sa vedette, céda devant l'idée que son mouvement serait instantanément vu par les réflexes électroniques de l'engin étranger. Pendant un instant, il eut alors le vague espoir que s'il ne bougeait pas du tout, ni lui ni la vedette ne seraient repérés.

Alors qu'il restait assis là, transpirant d'indécision, son regard tendu nota les insignes rulls et la forme élancée de l'autre vedette. Sa vaste connaissance de tout ce qui était rull lui permit de la classer immédiatement comme un appareil de reconnaissance.

Un *appareil de reconnaissance*. Les Rulls avaient découvert l'étoile Laerte.

Il était redoutablement possible qu'il y eut, derrière ce petit engin, des escadres de vaisseaux de guerre, alors que lui était seul. Sa propre vedette avait été lancée de l'*Orion* à près d'un parsec de distance, alors que le grand croiseur filait à des vitesses antigravifiques. Cela afin d'être sûr que les pisteurs d'énergie rulls n'enregistrent pas son passage à travers cette région de l'espace. L'*Orion* devait ensuite se diriger vers la base la plus proche, pour y embarquer un chargement de matériel de défense planétaire, puis revenir. Jamieson l'attendait dans dix jours.

Dix jours. Jamieson grogna intérieurement, ramassa ses jambes sous lui et serra solidement sa main sur le carnet de comptes rendus. Mais la possibilité que sa vedette, partiellement dissimulée sous un bouquet d'arbres, ne soit pas repérée si *lui* restait tranquille, le fit rester là, à découvert. Il leva la tête, lança un regard furieux vers l'engin étranger et son cerveau souhaita de toutes ses forces qu'il s'écarte de son chemin. Une fois de plus, tandis qu'il guettait, les implications d'une éventuelle catastrophe le frappèrent profondément.

L'appareil rull était maintenant à une centaine de mètres et ne semblait pas vouloir changer de route. Dans quelques secondes, il survolerait le bouquet d'arbres qui cachait à demi sa vedette.

D'un mouvement soudain, Jamieson s'élança. Il plongea à corps perdu vers la porte ouverte de sa machine. Au moment où la porte claqua derrière lui, la vedette fut secouée comme si elle avait été frappée par un géant, une partie du plafond fléchit, le plancher se souleva sous lui, l'air devint chaud et suffocant. Haletant, Jamieson se glissa dans le siège de pilotage et enfonça le bouton rouge. Les fulgurants à tir rapide se mirent automatiquement en position et lâchèrent leurs bordées dans un bourdonnement ponctué de « ping » retentissants. Les refroidisseurs ronflèrent avec force, un jet d'air froid souffla sur Jamieson. Le contraste fut si rapide qu'une seconde passa avant qu'il s'aperçût que les moteurs nucléaires n'avaient pas démarré. Et que la vedette qui aurait déjà dû prendre l'air restait encore inerte dans une position exposée.

Inquiet, il regarda les écrans de vision. Il lui fallut un moment pour y retrouver l'engin rull. Il était tout au bas de l'un des écrans, tombant lentement derrière un petit bois à quatre ou cinq cents mètres de distance. Il disparut, puis du haut-parleur placé devant Jamieson, le bruit de sa chute jaillit, net et indubitable.

Le soulagement de Jamieson fut accompagné d'une forte réaction. Il s'enfonça dans le rembourrage du siège de pilotage, encore tout étourdi d'avoir échappé de si peu à la mort. Sa faiblesse cessa brusquement quand une pensée lui vint à l'esprit. Il y avait quelque chose de trop tranquille dans la manière dont l'engin ennemi tombait. *La chute n'avait pas tué les Rulls qui étaient à bord.* Il était seul dans une vedette endommagée sur une montagne inaccessible en face d'un ou plusieurs des êtres les plus inhumains qui aient jamais existé. Pendant dix jours, il devrait lutter dans l'espoir que l'homme pourrait encore s'emparer de la planète la plus précieuse, découverte depuis un demi-siècle.

Jamieson ouvrit la porte et sortit sur le plateau. Il était encore tremblant. Mais la nuit tombait vite et il n'y avait pas de temps à perdre. Il alla rapidement jusqu'en haut d'un monticule à une trentaine de mètres de distance, franchissant le dernier mètre sur les mains et les genoux. Avec prudence, il risqua un coup d'œil par-dessus le sommet. La plus grande partie du plateau lui était visible. C'était, en gros, un ovale de quelque sept cent cinquante mètres de largeur dans sa zone la plus étroite, une étendue sauvage de broussailles rabougries et de saillies rocheuses, dominée çà et là, par des bouquets d'arbres. On ne voyait rien : pas un mouvement, pas un signe de la vedette rull. Sur le tout régnait une atmosphère de désolation et le silence absolu d'un désert.

Le crépuscule était plus sombre maintenant que le soleil s'était enfoncé au-dessus du bord de la falaise au sud-ouest. Et le péril venait de ce que, pour les Rulls, avec leur vision plus développée et leur équipement sensoriel plus complet, l'obscurité n'avait aucune importance. Toute la nuit, il devrait rester sur la défensive contre des êtres dont le système nerveux était supérieur au sien dans toutes ses fonctions, sauf peut-être quant à l'intelligence. A ce niveau, et seulement là, les humains pouvaient prétendre à l'égalité. Cette simple comparaison lui montra combien la situation était désespérée. Il avait besoin de marquer un point. S'il pouvait atteindre l'épave de l'engin des Rulls et lui causer quelques sérieux dommages avant qu'il fasse nuit noire, avant qu'ils se soient remis du choc de la chute, c'était la seule action qui pût faire pour lui la différence entre la vie et la mort.

C'était un risque qu'il lui fallait prendre. En hâte, Jamieson descendit du monticule à reculons, puis se redressant, il marcha en suivant un creux de terrain. Le sol était raboteux, avec des pierrailles, des saillies de rochers, des racines tordues et un fouillis de broussailles serrées. Par deux fois il tomba — la première fois en s'entaillant la main droite. Cela le freina mentalement et physiquement. Jamais auparavant il n'avait essayé de marcher vite sur ce plateau désolé. Il s'aperçut qu'en dix minutes il n'avait pas fait plus de deux cents ou trois cents mètres. Il s'arrêta. C'était une chose de prendre des risques si l'on avait une chance d'en tirer un avantage essentiel. C'en était une autre que d'exposer sa vie à la légère dans un coup de hasard. L'échec ne serait pas pour lui seul, mais pour tous les hommes.

Tandis qu'il restait là, figé, il s'aperçut que le froid était devenu intense. Un vent glacial, venu de l'Est, s'était levé. A minuit, la température tomberait au-dessous de zéro. Il revint sur ses pas. Il lui fallait installer plusieurs moyens de défense avant la nuit et il valait mieux qu'il se hâte. Une heure plus tard, tandis que l'obscurité sans lune pesait lourdement sur la montagne, Jamieson était assis, l'esprit tendu, devant ses écrans de vision. La nuit allait être longue pour un homme qui n'osait pas dormir. La moitié en était presque écoulée lorsque Jamieson vit un mouvement à la limite la plus éloignée de son écran panoramique toutes ondes. Le doigt sur la commande des fulgurants, il attendit que l'objet se présente d'une manière plus nette. Cela ne se produisit à aucun moment. L'aube glacée le retrouva fatigué mais toujours vigilant, aux aguets d'un ennemi qui agissait avec autant de circonspection que lui-même. Il commençait à se demander s'il avait réellement vu quelque chose.

Jamieson prit une autre pilule contre le sommeil et procéda à un examen plus précis des moteurs nucléaires. Il ne lui fallut pas longtemps pour avoir confirmation de son premier diagnostic. La principale pile à gravitation avait été complètement déchargée. Jusqu'à ce qu'elle pût être rechargée à bord de l'*Orion*, les moteurs étaient inutilisables. Cet examen concluant raidit sa volonté. Il était irrévoca-

259

blement engagé dans un périlleux combat sur ce plateau. L'idée qu'il avait tournée et retournée dans sa tête pendant toute la nuit, prit une signification nouvelle. C'était la première fois, à sa connaissance, qu'un Rull et un être humain se trouvaient face à face sur un espace limité sans que l'un ou l'autre fût un prisonnier. Les grandes batailles dans l'espace se livraient vaisseau contre vaisseau, flotte contre flotte. Les survivants réussissaient à fuir ou étaient capturés par des forces écrasantes.

A moins qu'il fût vaincu avant de pouvoir s'organiser, c'était là une occasion inappréciable de tenter quelques expériences sur les Rulls — et cela sans délai. Chaque instant du jour devrait être utilisé jusqu'à l'extrême limite.

Jamieson boucla ses ceintures « défensives » spéciales autour de lui et sortit. L'aube s'éclaircissait de minute en minute et les perspectives qui se révélaient à lui tandis que la luminosité s'intensifiait, attiraient son regard, alors même qu'il concentrait toutes ses forces pour le combat à venir. Vraiment, se disait-il avec un étonnement à la fois aigu et passionné cela se passe sur la plus étrange montagne qu'on ait jamais connue.

Le Mont Monolithe se dressait dans une vaste plaine et s'élevait à pic à une hauteur d'environ deux mille cinq cents mètres. C'était la plus majestueuse colonne de l'univers connu, et on pouvait la placer sans erreur parmi les cent merveilles naturelles de la galaxie.

Jamieson avait foulé le sol de planètes à 100 000 années-lumière de la Terre et aussi le plancher de vaisseaux qui passaient, tels des éclairs, de la nuit éternelle à la lumière flamboyante de soleils rouges ou de soleils bleus, de soleils jaunes ou blancs, orange ou violets, de soleils si merveilleux que rien de ce qu'on avait pu imaginer auparavant ne pouvait rivaliser avec la réalité.

Pourtant, il était là sur une montage de la lointaine Laerte III, homme seul, obligé par les circonstances à mesurer son astuce avec un ou plusieurs Rulls suprêmement intelligents.

Jamieson se secoua rudement. Il était temps de lancer son offensive — et de voir ce que l'adversaire pouvait aligner contre lui. C'était la première phase, et il était essentiel de faire en sorte qu'elle ne fût pas aussi la dernière.

Lorsque le soleil de Laerte se leva, pâle, au-dessus de l'horizon que formait le bord nord-est de la falaise, l'attaque était déjà déclenchée. Les défenses automatiques, qu'il avait installées la veille au soir, progressaient lentement de point en point, en avant du fulgurant mobile. Il s'assura prudemment que l'un des trois écrans défensifs veillât également sur ses arrières. Il compléta cette protection fondamentale en rampant d'une saillie rocheuse à l'autre. Il commandait ses machines à distance au moyen d'un petit boîtier qu'il tenait à la main. Celui-ci était relié aux écrans de vision qui sortaient de son casque juste au-dessus de ses yeux. Le regard tendu, il surveillait les aiguilles oscillantes qui dénonceraient un mouvement ou annonceraient que les écrans défensifs étaient soumis à un assaut d'énergie.

Rien ne se produisit. Lorsqu'il arriva en vue de

l'engin rull, Jamieson s'arrêta, réfléchissant sérieusement au problème que posait cette absence de résistance. Cela ne lui plaisait guère. Il était possible que tous les Rulls de l'équipage aient été tués, mais il en doutait.

Soucieux, il examina l'épave au moyen de l'œil télescopique de l'un de ses écrans défensifs. Elle gisait dans un creux, le nez enfoui dans une paroi de gravier. Les plaques du dessous de la coque étaient déformées au point de ne plus ressembler en rien à ce qu'elles avaient été. L'unique bordée de ses fulgurants, la veille, tout automatique qu'elle ait été, avait porté un coup terrible à l'engin rull.

L'impression d'ensemble était celle d'une totale absence de vie. Si c'était une ruse, elle était très réussie. Heureusement, il y avait des moyens de vérification qu'il pouvait employer — non pas absolus mais probants et révélateurs.

Le sommet sans écho de la plus extraordinaire montagne jamais découverte résonna au bruit du tir du fulgurant mobile. Le bruit s'enfla en un rugissement alors que la pile de l'arme s'échauffait au fur et à mesure et développait son maximum de kilocuries d'activité. Sous ce barrage, la coque de la vedette ennemie vibra un peu et changea légèrement de couleur mais ce fut tout. Au bout de dix minutes, Jamieson cessa le tir et s'assit, déconcerté et indécis.

Les écrans défensifs de l'engin rull fonctionnaient à plein. Etaient-ils entrés automatiquement en action après sa première bordée de la veille au soir ? Ou avaient-ils été activés délibérément pour bloquer une attaque comme celle-ci ? Il ne pouvait le savoir.

C'était là le gros ennui : il n'avait aucune certitude.

Les Rulls pouvaient être étendus morts à l'intérieur. Les Rulls ou le Rull ? C'était bizarre comme il commençait à penser à un Rull plutôt qu'à plusieurs, mais le degré de prudence déployée par l'adversaire — si cet adversaire existait — rivalisait avec la sienne, et paraissait indiquer la circonspection d'un individu isolé agissant face à des risques inconnus. Il pouvait être blessé et incapable de faire quoi que ce soit contre lui. Il pouvait avoir passé la nuit à marquer le plateau de réseaux de lignes hypnotiques — Jamieson se dit qu'il devait prendre garde de ne jamais regarder le sol directement — ou il pouvait simplement attendre l'arrivée du grand vaisseau qui l'avait lâché au large de la planète.

Jamieson se refusa à envisager cette dernière possibilité. Là, c'était la mort sans nul espoir possible. Fronçant les sourcils, il étudia les dégâts visibles qu'il avait causés à la vedette. Les métaux résistants avaient tenu, autant qu'il pût voir, mais tout le dessous de la coque était enfoncé de trente centimètres à plus d'un mètre vingt. Une certaine quantité de radiations devait avoir pénétré à l'intérieur, mais qu'avaient-elles pu endommager ? Il avait examiné des douzaines de vedettes de reconnaissance rull capturées, et si celle-ci leur ressemblait, à l'avant devait se trouver le poste de commande, avec un compartiment étanche pour les fulgurants ; et à l'arrière, le compartiment des moteurs, deux soutes, l'une pour le combustible et le matériel, l'autre pour les réserves de nourriture et...

*De nourriture !* Jamieson bondit et, les yeux écarquillés, remarqua à quel point ce compartiment des réserves de nourriture avait subi de plus grands dommages que tout le reste de la vedette.

Certainement... certainement les radiations devaient avoir atteint ces réserves de nourriture, les avoir empoisonnées, les avoir rendues inutilisables et mis instantanément le Rull, au système digestif rapide, en danger de mort.

Jamieson poussa un soupir d'intense espoir et il se prépara à revenir à sa vedette. En se tournant, tout à fait incidemment, accidentellement, il jeta un regard sur le rocher derrière lequel il s'était abrité d'un éventuel tir direct. Il jeta un regard et vit le réseau de lignes. Des lignes enchevêtrées, fondées sur une étude approfondie et impitoyable des neurones humains. Il les reconnut pour ce qu'elles étaient et eut un sursaut d'horreur. Où... *où* donc suis-je expédié ? se demanda-t-il.

On avait au moins découvert cela après son retour de Mira 23, grâce au rapport où il exposait comment il avait apparemment été hypnotisé sur-le-champ ; le réseau de lignes provoquait un déplacement dans l'espace et vous envoyait... ailleurs. Ici, sur cette montagne fantastique, ce ne pouvait être que sur une falaise. Mais laquelle ?

Avec une énergie désespérée, il lutta pour maîtriser ses sens un moment encore. Il s'efforça de voir de nouveau les lignes. Il vit, brièvement, en un éclair, cinq verticales vacillantes et au-dessus d'elles, trois lignes dont les extrémités clignotantes pointaient vers l'est. Une impulsion irrésistible grandissait en lui, mais il luttait encore pour garder le contrôle de sa pensée, luttait pour se souvenir s'il y avait de larges corniches près du sommet de la falaise à l'est. Il y en avait. Il s'en souvint dans un dernier sursaut d'espoir. « Là, pensa-t-il de toutes ses forces, là, sur celle-là, sur celle-là. Que je tombe sur celle-là ! » Il s'efforça de garder l'image de cette corniche, et de répéter et répéter encore l'ordre qui peut-être lui sauverait la vie. Sa dernière pensée fiévreuse fut qu'il tenait maintenant la réponse à tous ses doutes. Le Rull *était* vivant. Les ténèbres s'abattirent sur lui comme le rideau d'une noirceur absolue.

## 22

De sa lointaine galaxie, il était venu, le chef des chefs, le froid, l'impitoyable *yéli*, Meesh, le Iin de Ria, le haut Aaish d'Yéel. Et d'autres titres, et d'autres dignités, et le pouvoir. Ah, quel pouvoir et quelle puissance il avait, le pouvoir de vie et de mort, et la puissance des vaisseaux leards.

Il était venu, dans sa grande colère, afin de découvrir ce qui n'allait pas. Bien des années auparavant, l'ordre avait été donné : étendez l'empire dans la seconde galaxie. Pourquoi ceux-qui-ne-pouvaient-pas-être-plus-parfaits étaient-ils si lents à exécuter cet ordre ? Quelle était la nature de ces créatures bipèdes dont les innombrables vaisseaux, les imprenables bases planétaires et les nombreux alliés avaient réduit ceux-qui-possédaient-le-suprême-système-nerveux-de-toute-la-Nature, à une impasse ?

« Qu'on m'amène un être humain ! »

L'ordre retentit jusqu'aux confins de l'espace riatique. Il suscita la capture d'un terne survivant d'un croiseur terrien, un navigateur de rang inférieur avec un quotient intellectuel de 96 et un indice de peur de 207. Cette créature fit de vagues efforts pour se tuer, se contorsionna sur les tables des laboratoires et finalement s'évada dans la mort, alors que les savants avaient à peine commencé les expériences qu'*Il* avait ordonnées de faire sous ses propres yeux.

— *Ce n'est sûrement pas l'ennemi.*

— Sire, nous en capturons si peu qui soient vivants... De même que nous avons conditionné les nôtres, ils semblent être conditionnés pour se tuer s'ils sont capturés.

— C'est l'environnement qui ne convient pas. Il nous faut réaliser une situation telle que le capturé ne sache pas qu'il est prisonnier. Cela fait-il partie des possibilités ?

— Le problème sera étudié.

Il était venu, comme celui-là même qui conduirait l'expérience jusqu'au soleil où un homme avait été observé sept périodes auparavant. L'homme était dans un petit vaisseau qui, selon le rapport, « avait soudain été précipité hors du subespace et s'était mis à tomber vers ce soleil. Le fait qu'il n'utilisait aucune énergie avait éveillé les soupçons de notre croiseur qui l'avait observé et qui, si cela avait été le cas, n'aurait prêté aucune attention à une si petite machine. C'est ainsi que, grâce à cette attention immédiate, nous avons une nouvelle possibilité de base et, bien entendu, une situation idéale pour l'expérience prévue.

« Selon vos instructions, poursuivait le rapport,

nous n'avons effectué aucun atterrissage jusqu'à présent ; et autant que nous le sachions, notre présence n'est pas soupçonnée. On peut présumer qu'un atterrissage humain avait déjà eu lieu sur la troisième planète, car l'homme s'est rapidement installé sur ce curieux sommet de montagne. Cette position sera parfaite pour nos desseins. »

Une escadre de bataille patrouillait l'espace autour de ce soleil, mais le *yéli* descendit sur la planète dans un petit vaisseau, et parce qu'il méprisait son ennemi, arriva par-dessus les montagnes, lâcha sa bordée et mit hors de combat la vedette qui était au sol ; il fut alors frappé à son tour par une riposte étonnamment puissante qui abattit sa machine. Il faillit être tué lors de l'écrasement de l'engin. Il se traîna hors de son poste de pilotage, commotionné mais encore vivant. D'un regard grave, il évalua l'étendue du désastre qui lui était survenu. Il avait donné des ordres, spécifiant qu'il appellerait l'escadre quand il voudrait qu'elle revienne. Mais il ne pouvait plus appeler. L'émetteur radio était fracassé, impossible à réparer. Il ressentit une vive inquiétude quand il découvrit que ses vivres étaient empoisonnées.

Rapidement, il fit face à l'urgence de la situation. L'expérience se ferait jusqu'au bout, avec toutefois une restriction : lorsque le besoin de nourriture deviendrait impératif, il tuerait l'homme et, lui, le *yéli*, pourrait ainsi survivre jusqu'à ce que les commandants des croiseurs s'inquiètent et viennent voir ce qui avait pu arriver.

Il passa une partie du temps nocturne à explorer

le bord de la falaise. Puis il rôda autour du périmètre énergétique des défenses de l'homme, examinant la vedette et réfléchissant aux réactions possibles que l'autre pourrait mettre en œuvre contre lui. Finalement, avec une inlassable patience, il étudia les voies d'approche vers son propre appareil. Aux endroits clés, il dessina le réseau des lignes-qui-pouvaient-s'emparer-de-l'esprit-des-hommes. Il fut satisfait, peu après le lever du soleil, de voir l'ennemi « pris » et « expédié ». Cette satisfaction n'avait qu'un inconvénient. Il ne pouvait pas profiter de la situation comme il l'aurait voulu. La difficulté venait de ce que le fulgurant mobile de l'homme était resté pointé sur le sas principal de son engin. Il n'émettait aucune énergie mais le Rull ne doutait pas qu'il tirerait automatiquement si la porte s'ouvrait.

Un fait rendit la situation plus sérieuse : lorsqu'il essaya le sas de secours, il s'aperçut que celui-ci était coincé. Alors qu'après la chute il ne l'était pas. Avec la prévoyance de sa race, il l'avait immédiatement essayé et le sas s'était ouvert. Maintenant, il ne s'ouvrait plus. Son appareil, en conclut-il, devait s'être affaissé pendant qu'il était sorti durant les heures nocturnes. La raison pour laquelle cela s'était produit importait peu, en fait. Ce qui comptait, c'était qu'il se trouvait enfermé juste au moment où il aurait voulu être dehors. Ce n'était pas comme s'il avait été déterminé à exterminer l'homme immédiatement. Si sa capture entraînait la prise de possession de sa réserve de vivres, il était alors inutile de le supprimer. Il importait, cependant, de prendre une décision pendant que l'homme était réduit à l'impuissance. Et l'éventualité que l'*elled* en l'« expédiant », puisse le tuer, fit grimacer le *yéli*. Il n'aimait pas que des accidents dérangent ses plans.

Depuis le début, cette affaire avait pris une sinistre tournure. Il s'était trouvé pris par des forces qui échappaient à son contrôle, par des éléments de l'espace et du temps dont il avait toujours tenu compte comme étant théoriquement possibles, mais qu'il n'avait jamais considérés comme pouvant le concerner.

C'était vrai dans les profondeurs de l'espace où les vaisseaux leards combattaient pour étendre les frontières de ceux-qui-étaient-parfaits. Là-bas, vivaient des créatures étrangères qui avaient été engendrées par la Nature avant que l'ultime système nerveux fût parachevé. Tous ces êtres devaient être exterminés parce qu'ils étaient maintenant inutiles et qu'en continuant d'exister, ils pourraient accidentellement découvrir des moyens de bouleverser l'équilibre de l'existence yéellienne. La civilisation de Ria interdisait tout accident.

Le Rull détourna son esprit de ces pensées déprimantes. Il décida de ne pas tenter d'ouvrir le sas de secours. Au lieu de cela, il pointa son fulgurant contre une fente dans le plancher de métal. Les neutraliseurs soufflèrent leurs gaz à travers vers la zone où il travaillait, et les aspirateurs engloutirent les particules radioactives tourbillonnantes et les entraînèrent dans un réceptacle spécial. Mais l'absence d'une porte ouverte comme soupape de sûreté rendait le travail dangereux. A de nombreuses reprises, il dut s'arrêter en attendant que l'air soit purifié,

270

afin de pouvoir sortir de nouveau du compartiment neutralisant où il se réfugiait chaque fois que la chaleur faisait vibrer ses nerfs — ce qui était une indication plus sûre que celle de tout instrument qu'il aurait dû surveiller.

Le soleil avait dépassé le méridien lorsque la plaque de métal se souleva et lui donna accès au gravier et à la roche qu'il recouvrait. Le problème de creuser un passage jusqu'à la surface était facile, si ce n'est qu'il demandait du temps et des efforts physiques. Poussiéreux, furieux et affamé, le Rull sortit de son trou presque au milieu du bouquet d'arbres près duquel son engin s'était écrasé.

Son projet d'expérience avait perdu son attrait. Il possédait des qualités naturelles d'obstination mais il se dit que cette situation pourrait être recréée pour lui à un niveau plus civilisé. Inutile donc de prendre des risques ou de rester dans une position désagréable. Il tuerait l'homme et le convertirait chimiquement pour s'en nourrir jusqu'à ce que les croiseurs viennent le tirer de là. Le regard avide, il fouilla la falaise déchiquetée de l'Est, en scruta les corniches rocheuses, rampant rapidement jusqu'à ce qu'il eût pratiquement fait le tour du plateau. Il ne découvrit rien dont il pût être sûr. A un ou deux endroits, le sol semblait porter les traces du passage d'un corps mais l'examen le plus poussé ne réussit pas à établir que quelqu'un ait réellement été là. Soucieux, le Rull se glissa vers la vedette de l'homme. A distance respectueuse, il l'examina. Les écrans défensifs étaient en position mais il ne pouvait pas être certain qu'ils avaient été activés avant l'attaque du matin ou depuis, ou l'avaient été automatiquement à son approche. Il ne pouvait pas le savoir. C'était grave. Partout autour de lui, le plateau était d'une aridité, d'une désolation pire que tout ce qu'il avait jamais rencontré. L'homme pouvait être mort, son corps écrasé gisant au pied de la montagne. Il pouvait être dans la vedette, grièvement blessé ; il avait, malheureusement, *eu* le temps de regagner l'abri de son vaisseau. Ou il pouvait attendre à l'intérieur, alerte, agressif, conscient de l'incertitude de son ennemi, et déterminé à en profiter à fond.

Le Rull installa un dispositif de surveillance qui l'avertirait si la porte de la vedette s'ouvrait. Puis il retourna au trou qui menait dans son appareil, le franchit en rampant péniblement et s'installa pour attendre les événements. La faim prenait en lui une force de plus en plus grande, devenant d'heure en heure plus insistante. Il était temps de ne plus bouger. Il aurait besoin de toute son énergie lorsque le moment serait venu. Les jours passèrent.

Jamieson revint à lui sous l'effet de la douleur. Il lui sembla d'abord être enveloppé dans un brouillard de souffrance qui le baignait de sueur de la tête aux orteils. Puis peu à peu, il le localisa dans le bas de sa jambe gauche. Les élancements battaient une sorte de rythme dans ses nerfs. Les longues minutes s'additionnèrent, devinrent une heure et, finalement, il se dit : « Bah, j'ai une entorse ! » Il n'y avait pas que cela, bien entendu. L'impulsion qui l'avait expédié ici pesait sur son énergie vitale. Combien de temps resta-t-il couché là, à demi conscient, il ne le sut pas très bien ; lorsque enfin il ouvrit les yeux, le soleil luisait toujours mais il était presque droit au-dessus de lui.

Il le suivit avec l'indifférence d'un rêveur tandis qu'il descendait lentement derrière le rebord du précipice. Ce ne fut que lorsque l'ombre de la falaise passa sur son visage que, dans un sursaut, il reprit pleinement conscience avec le soudain souvenir du péril mortel qui le menaçait. Il lui fallut un moment pour chasser de son cerveau le reste des effets du réseau de lignes hypnotiques. Et tandis que celui-ci s'effaçait, il mesura, jusqu'à un certain point, les difficultés de sa position. Il vit qu'il avait dégringolé par-dessus le bord de la falaise, sur une pente rapide.

L'angle de la pente était d'au moins 55° et ce qui l'avait sauvé, c'était d'être resté accroché dans l'enchevêtrement des broussailles à peu de distance de l'à-pic qui se trouvait au-delà. Son pied devait s'être tordu dans ces racines, d'où son entorse.

Quand il se rendit définitivement compte de la nature de son mal, Jamieson reprit courage. Il était sauf. En dépit d'une grave défaite accidentelle, son intense concentration sur cette corniche, sa volonté désespérée d'en faire l'endroit où il devait tomber, avaient triomphé. Il se mit à grimper. C'était assez facile sur la pente, si accentuée qu'elle fût, le terrain étant rocailleux et broussailleux. Ce fut lorsqu'il arriva au rebord de la falaise, haut de trois mètres, que sa cheville révéla quelle gêne elle pouvait constituer. A quatre reprises, il dut se résoudre à se laisser glisser en arrière, puis au cinquième essai, ses doigts tâtonnants agrippèrent une racine solide. Triomphant, il se hissa sur le plateau, en sécurité.

Maintenant que le bruit de sa pénible grimpée avait cessé, seule sa lourde respiration rompait le silence de cette solitude. Ses yeux anxieux sondèrent le terrain raboteux. Le plateau s'étendait devant lui, sans aucun signe de mouvement nulle part. D'un côté, il pouvait voir sa vedette. Et Jamieson se mit à ramper vers elle, en prenant soin de rester autant que possible sur du rocher. Il ne savait pas ce qui était arrivé au Rull et, dans la mesure où son entorse l'obligerait à rester plusieurs jours dans sa machine, il valait mieux laisser son ennemi dans le doute pendant ce temps-là.

Il commençait à faire nuit et il était dans sa vedette quand une voix geignit à son oreille. « Quand rentrerons-nous chez nous ? Quand aurai-je de nouveau à manger ? »

C'était le Ploian avec son éternelle demande de retour sur sa planète. Jamieson repoussa un sentiment momentané de culpabilité. Il avait tout oublié de son compagnon pendant ces si longues heures.

Tout en le « nourrissant », il se demanda, et pas pour la première fois, comment il pourrait expliquer la guerre entre Rulls et humains à cet esprit complètement ignorant ? Et plus important encore, comment pourrait-il lui expliquer sa fâcheuse situation actuelle ?

— Ne t'inquiète pas, dit-il à voix haute. Tu restes avec moi et je veillerai à ce que tu rentres chez toi.

Ces paroles — plus la nourriture — semblèrent satisfaire le Ploian.

274

Pendant un moment, Jamieson envisagea alors la possibilité d'utiliser cet être contre le Rull. Mais, en fait, sa principale faculté ne lui était d'aucune utilité. Il n'y avait nulle raison de permettre à un Rull affamé de découvrir que son adversaire humain avait un moyen de court-circuiter tout l'appareillage électrique de son vaisseau.

## 23

Etendu sur sa couchette, Jamieson réfléchissait.
Il pouvait entendre les battements de son cœur. Il y
eut quelques craquements quand il se glissa péniblement hors du lit. La radio, lorsqu'il l'essaya, resta
muette — pas de bruit de fond, pas le moindre
passage fugitif d'une onde. A cette distance colossale,
même l'ultraradio était impossible. Il prit l'écoute
sur toutes les longueurs d'ondes les plus actives des
Rulls. Mais le silence régnait là aussi. Il est vrai qu'ils
n'auraient pas émis s'ils avaient été dans les parages.
Il était là, coupé de tout, dans cette petite vedette,
sur une planète inhabitée, et avec des moteurs inutilisables. Il essaya de ne pas y penser. Voilà, se dit-
il, l'occasion, comme on en a qu'une fois dans la vie,
de faire une expérience. Il se sentit attiré par cette
idée comme un papillon par la flamme. Les Rulls
étaient difficiles à capturer vivants. Et il avait là une
situation idéale : *nous sommes tous deux prisonniers*.
C'était de cette manière qu'il essayait de se la représenter. Prisonniers d'un environnement et par consé-

quent, d'une façon bizarre, prisonniers l'un de l'autre. Chacun n'était libre que du besoin conditionné de se tuer lui-même.

Les possibilités de cette lutte entre un homme et un Rull sur une montagne solitaire passionnaient Jamieson. Le plus souvent allongé sur sa couchette, il y réfléchissait, tournant et retournant le problème dans son esprit. Il y eut des moments, au long de ces jours pénibles, où il se traîna jusqu'au siège de pilotage et scruta pendant une heure d'affilée les écrans de vision. Il voyait le plateau et les horizons lointains au-delà, il voyait le ciel de Laerte III, d'une pâle couleur d'orchidée, silencieux et désert. Il voyait la prison. Je suis coincé là-dedans, se disait-il soucieux. Trevor Jamieson dont la voix calme résonnait avec une autorité considérable dans les conseils scientifiques de l'empire galactique de la Terre — ce Jamieson était là, seul, étendu sur sa couchette, attendant qu'une cheville guérisse pour faire une expérience sur un Rull. Cela semblait incroyable. Mais il finit par y croire à mesure que le temps passait.

Le troisième jour, il put se mouvoir suffisamment pour manier quelques objets lourds. Il se mit immédiatement au travail sur l'écran lumineux. Le cinquième jour, c'était terminé. Puis l'histoire dut être enregistrée. Ce fut facile. Il avait réfléchi si minutieusement à chaque séquence, tandis qu'il était étendu, que le tout passa directement de son esprit sur le fil enregistreur de vision.

Il installa l'écran lumineux à environ deux mètres de sa vedette, derrière une rangée d'arbres. Il lança une boîte de conserve alimentaire à trois ou quatre mètres d'un côté de l'écran.

Le reste de la journée se traîna. C'était la sixième depuis l'arrivée du Rull, la cinquième depuis qu'il s'était fait une entorse. La nuit tomba.

Une ombre rampante ondula sous la clarté des étoiles de Laerte III : le Rull approchait de l'écran que l'homme avait installé. Comme cet écran était lumineux dans l'obscurité du plateau, une tache de lumière dans un noir univers de sol raboteux et d'arbustes nains. Lorsqu'il en fut à une trentaine de mètres, il perçut la présence de nourriture — et se rendit compte qu'il y avait là un piège. Pour le Rull, six jours de jeûne forcé avaient entraîné une formidable perte d'énergie, des voiles noirs sur une douzaine de niveaux de couleurs, un affaiblissement de la force vitale qui allait de pair avec les ténèbres, non pas avec le soleil. Ce monde intérieur d'un système nerveux en quelque sorte désuni était comme une batterie déchargée, avec une vingtaine d'« instruments » organiques qui se déconnectaient un à un à mesure que le niveau d'énergie baissait. Le *yéli* sentait vaguement, mais avec une anxiété furieuse, que les extrémités les plus sensibles de ce système nerveux pourraient ne jamais redevenir ce qu'elles étaient auparavant. Il était essentiel de faire vite.

Encore quelques degrés dans cette dégradation et le vieux, très vieux conditionnement du suicide obligatoire s'appliquerait même au très haut Aaish des Yéells.

Le corps réticulé s'immobilisa. Les centres visuels dont il était partout doté captèrent une bande étroite de la lumière qui émanait de l'écran. Du commencement à la fin, le Rull suivit le déroulement des images, puis il les regarda de nouveau, aspirant à leur répétition avec toute l'ardeur d'un primitif.

Le récit débutait dans les profondeurs de l'espace, alors que la vedette de l'homme était lâchée du sas de lancement d'un vaisseau de guerre. Il montrait ce croiseur qui se rendait à une base militaire, y embarquait des approvisionnements, et qui en repartait, accompagné d'une vaste flotte de renfort, en vue du voyage de retour. Les images passaient à la vedette descendant sur Laerte III, montraient tout ce qui était survenu depuis, suggéraient que la situation était périlleuse pour tous deux, et indiquaient la seule solution sûre possible. La séquence finale de chaque projection de ce récit faisait voir le Rull approchant de la boîte de conserve, à gauche de l'écran, et l'ouvrant. Son mode d'ouverture était montré avec précision, de même que le Rull s'empressant de manger la nourriture qu'elle contenait. Chaque fois que cette séquence s'annonçait, une tension s'emparait du Rull, un désir de la rendre réelle. Cependant ce ne fut pas avant la fin de la septième vision qu'il se coula vers la boîte. C'était un piège, il le savait, peut-être même la mort : cela n'avait pas d'importance. Pour vivre, il devait prendre ce parti. Ce n'était que par ce moyen, en affrontant le danger que représentait sans doute le contenu de la boîte, qu'il pouvait espérer rester vivant pendant la durée nécessaire.

Combien de temps faudrait-il pour que les commandants des croiseurs, là-haut dans la nuit de l'espace... combien de temps se passerait-il avant qu'ils décident de passer outre à ses ordres ? Il n'en savait rien. Mais ils viendraient. Même s'ils attendaient jusqu'à l'arrivée des vaisseaux ennemis. A ce moment, ils pourraient venir sans avoir à redouter sa colère. D'ici là, il aurait besoin de toute la nourriture qu'il pourrait trouver. Avec précaution, il allongea un suçoir et actionna l'ouverture automatique de la boîte.

Il était un peu plus de 4 heures du matin lorsque Jamieson fut éveillé par le bruit assourdi d'une sonnerie d'alarme. Il faisait un noir d'encre dehors — le jour le Laertè III était long de vingt-six heures sidérales et l'aurore ne viendrait pas avant quatre heures encore. Il ne se leva pas immédiatement. La sonnerie avait été déclenchée par l'ouverture de la boîte de conserve. Elle continua de retentir pendant un bon quart d'heure, ce qui était à peu près parfait. La sonnerie était accordée sur le thème émis électroniquement par la boîte une fois ouverte et aussi longtemps qu'il y restait de la nourriture. Le temps passé correspondait à la capacité de l'une des bouches du Rull d'absorber un kilo et demi de nourriture préparée. Pendant quinze minutes, un membre de la race des Rulls avait, par conséquent, été soumis à une émission d'ondes mentales correspondant à ses propres pensées. C'était une émission à laquelle le

281

système nerveux d'autres Rulls avait réagi dans ces expériences au laboratoire. Malheureusement, ceux-ci s'étaient tués en reprenant conscience, et aucun résultat définitif n'avait donc été prouvé. Cependant, il avait été montré par l'ecphorimètre que c'était le subconscient et non l'esprit conscient qui était affecté. C'était le commencement d'une indoctrination et d'un contrôle hypnotique.

Jameson resta couché, souriant en lui-même. Puis il se retourna pour retrouver le sommeil, mais constata combien il était surexcité. C'était le plus grand moment de la guerre entre Rulls et humains. Il n'allait sûrement pas le laisser passer sans le célébrer. Il sortit de sa couchette et se versa un verre d'alcool.

La tentative du Rull de l'attaquer par la voie de son subconscient avait souligné l'importance que pouvaient avoir ses propres actions dans ce sens. Chaque race avait découvert certains des points faibles de l'autre. Les Rulls usaient de cette connaissance pour exterminer. Les hommes tentaient de s'en servir pour entrer en communication et espéraient parvenir à une entente. Tous deux étaient brutaux, sanguinaires et impitoyables dans leurs méthodes. Au point qu'on avait parfois de la difficulté à les distinguer les uns des autres. Mais leurs buts étaient aussi opposés que le noir et le banc, la nuit et le jour. Il n'y avait qu'un seul ennui dans la situation actuelle. Maintenant que le Rull avait mangé, il pourrait former quelques plans personnels.

Jamieson se remit au lit et resta les yeux ouverts dans l'obscurité. Il ne sous-estimait pas les ressources du Rull, mais puisqu'il avait décidé de faire une expérience, aucun risque ne pouvait être considéré comme trop grand. Il se retourna finalement et dormit du sommeil d'un homme persuadé que les événements travaillaient en sa faveur.

Au matin, Jamieson enfila sa combinaison chauffante et sortit dans le petit jour frisquet. De nouveau il savoura le silence et cette atmosphère d'immensité solitaire. Un vent glacé soufflait de l'Est et lui piquait le visage. Il ne s'en soucia nullement. Il avait des choses à faire en ce matin d'entre tous les matins. Il les ferait avec sa prudence habituelle.

Accompagné de ses écrans défensifs et du fulgurant mobile, il se dirigea vers l'écran mental. Celui-ci se dressait en terrain découvert où il devait être visible d'une douzaine de cachettes possibles et, autant que Jamieson pût voir, il était intact. Il en essaya le mécanisme automatique et, pour faire bonne mesure, fit défiler toute la série des images.

Il avait déjà lancé une autre boîte de conserve dans l'herbe près de l'écran et allait s'en retourner quand il réfléchit. C'est bizarre, toutes les parties métalliques semblaient avoir été polies.

Il étudia le phénomène à l'aide d'un miroir neutralisant et vit que le métal avait été recouvert d'une substance qui ressemblait à un vernis transparent. Un épouvantable malaise le saisit quand il la reconnut : elle devait inculquer un ordre mental. En proie à l'angoisse, il décida : « Si cet ordre est de ne pas tirer, je n'en tiendrai pas compte. Je tirerai même si le fulgurant se retourne contre moi. »

Il racla un peu du « vernis » dans un petit récep-

tacle et commença à battre en retraite vers la vedette. Il réfléchissait fébrilement. Où trouve-t-il tout
cela ? Cela ne fait pas partie du matériel d'un appareil de reconnaissance.

Un premier soupçon lui vint que ce qui arrivait
n'était pas un simple accident. Et il considérait les
vastes implications de cette idée lorsque au loin, sur
le côté, il vit le Rull. Pour la première fois depuis
tant de jours qu'il était sur le plateau, il vit le Rull.

« Quel ordre m'a-t-il inculqué ? » se demanda-t-il.

La mémoire de ses intentions revint au Rull peu
après qu'il eut mangé. Ce ne fut d'abord qu'un vague
souvenir mais il devint plus fort. Et ce ne fut pas
la seule sensation de son énergie renaissante. Ses
centres visuels captaient davantage de lumière. Le
plateau, sous la clarté des étoiles, devenait plus
lumineux, quoique pas autant, et de loin, qu'il aurait
pu l'être pour lui, mais la tendance était à l'amélio-
ration, non plus à la détérioration. Il se sentit indiciblement heureux que ce ne fût pas pire.

Il rampait à ce moment le long du précipice. Il
s'arrêta pour jeter un coup d'œil vers le bas. Même
avec sa perception partielle de la lumière, la vue était
vertigineuse. Aussi bien vers le bas que vers le lointain. D'un vaisseau de l'espace, l'effet de la hauteur
était minimisé. Mais de regarder du haut de ce mur
de rocaille vers les profondeurs était une sensation
différente. Elle montrait à quel point il avait été gravement éprouvé, à quel point il avait été pris au piège
accidentellement. Et cela lui rappela ce qu'il avait
été occupé à faire avant d'être saisi par la faim. Il
se détourna instantanément de la falaise et se hâta

vers l'endroit où l'épave de son appareil avait accumulé la poussière depuis des jours — une épave écrasée, déformée, à demi enfoncée dans le sol dur de Laerte III. Il glissa sur les plaques de métal tordu de l'intérieur jusqu'à celle où il avait senti la veille une trace d'ondes antigravifiques — une minuscule, infime, mais pourtant puissante, formidable vibration, sur laquelle on pouvait agir.

Le Rull se mit au travail avec ardeur et ténacité. La plaque métallique était encore solidement attachée à la carcasse du vaisseau. Et la première chose, une chose extrêmement difficile, était de la détacher complètement. Les heures passèrent.

Avec un bruit d'arrachement, la plaque céda à un léger réarrangement de sa structure nucléonique. La modification était infinitésimale, en partie parce que l'énergie nerveuse déployée par le Rull n'était pas à son niveau normal et partiellement parce que cette modification était calculée pour être très petite. Car il fallait tenir compte d'une éventuelle libération d'énergie capable de faire sauter une montagne.

Non pas, découvrit-il finalement, qu'il y en eût le moindre danger avec cette plaque métallique. Il le constata au moment où il se glissa sur elle. L'émission d'énergie qu'il perçut était si faible que, durant un instant, il douta qu'elle le soulèverait du sol. Mais elle le fit. L'essai ne dépassa pas deux mètres et lui donna la mesure de la force limitée dont il disposait. Suffisante pour une attaque seulement.

Il n'y avait aucun doute dans son esprit. L'expérience était terminée. Son seul objectif devait être de tuer l'homme et la question était la suivante : comment s'assurer que, pendant qu'il serait en train de le faire, l'homme ne le tuerait pas, lui ? Le vernis !

Il l'applica avec soin, le sécha avec un appareil spécial, puis prenant de nouveau la plaque, il la porta sur son dos jusqu'à l'endroit qu'il avait choisi pour la cacher. Lorsqu'il l'eut enterrée avec lui sous les feuilles mortes d'un bosquet d'arbustes broussailleux, il reprit son calme. Il se rendit compte que l'empreinte de sa culture de civilisé avait disparu. Cela le choqua mais sans qu'il en ait de regret. En lui donnant de la nourriture, la créature bipède avait, de toute évidence, agi sur lui. Dangereusement. La seule solution au problème tout entier de l'expérience sur ce plateau, était de le tuer sans délai. Il se tapit, tendu, féroce, immunisé contre le pouvoir de toute émission mentale, et attendit que l'homme vienne.

Ce qui se passa alors fut l'aventure la plus terrible que Jamieson ait jamais eue dans sa carrière. Normalement, il s'en serait tiré avec adresse. Mais il s'attendait, avec angoisse, à être frappé d'une paralysie. Une paralysie qui proviendrait du vernis. Et ce fut donc l'acte normal, inattendu, qui le dérouta. Le Rull s'envola d'un bouquet d'arbustes, monté sur une plaque antigravifique. L'effet de surprise fut si grand que l'attaque faillit réussir. Les plaques avaient été vidées de toute énergie de ce genre, selon les examens qu'il avait effectués le premier matin. Et cependant il y en avait une, là devant lui, de nouveau active et légère, de cette légèreté antigravifique spéciale que les savants rulls avaient portée au summum de la perfection.

Son déplacement vers lui dans l'espace était naturellement dû au mouvement de rotation de la planète sur son axe. La rapidité de l'attaque, partie comme elle l'avait fait de zéro, n'approcha pas des mille trois cents kilomètres à l'heure à laquelle tournait la planète, mais elle augmenta néanmoins très vite. Telle une apparition, la plaque de métal chargée du corps réticulé du Rull fonça sur lui à travers l'air. Et alors même qu'il sortait son arme et tirait, il eut une décision à prendre, une entrave à vaincre : *Ne pas tuer !*

Ce fut difficile, très difficile. Cette entrave imposait un frein si rigoureux que, durant la seconde qu'il lui fallut pour s'y adapter, le Rull arriva à moins de trois mètres de lui. Ce qui le sauva fut la pression de l'air sur la plaque métallique. Elle inclina celle-ci comme l'aile d'un avion qui décolle. Jamieson dirigea son arme irrésistible vers le dessous de la plaque, l'atteignit de son jet flamboyant et l'envoya s'abattre dans les broussailles à six ou sept mètres sur sa droite. Il fut délibérément lent à exploiter son succès. Lorsqu'il atteignit les broussailles, le Rull en était déjà à quinze mètres et disparut dans un bouquet d'arbres. Il ne le poursuivit pas, ne tira pas une seconde fois ; au lieu de cela, il sortit avec précaution la plaque antigravifique des broussailles et l'examina.

Des questions se posaient : comment le Rull lui avait-il rendu son pouvoir antigravifique sans l'appareillage compliqué que cela exigeait ? Et s'il avait été capable de se créer un tel « parachute », pourquoi ne s'en était-il pas servi pour descendre jusqu'à la forêt au pied de la falaise, où il aurait trouvé de la nourriture et eût été à l'abri de son ennemi humain ? La première question eut sa réponse dès qu'il souleva la plaque antigravifique. Elle pesait à peu près un poids normal, son énergie apparemment épuisée après un parcours de moins de trente mètres. Elle n'aurait évidemment jamais pu accomplir la descente de deux mille cinq cents mètres jusqu'à la forêt et la plaine.

Jamieson ne prit pas de risques. Il jeta la plaque par-dessus le bord le plus proche du précipice et la regarda tomber dans les profondeurs. Il était revenu dans sa vedette lorsqu'il se souvint du « vernis ». Il n'avait pas ressenti d'ordre mental ; pas encore. Il analysa les raclures qu'il en avait ramenées. Chimiquement, la substance se révéla être une simple résine utilisée pour fabriquer des vernis. Atomiquement, elle était stabilisée. Electroniquement, elle transformait la lumière en énergie au niveau des vibrations de la pensée humaine. Elle était active, bien sûr. Mais qu'avait-elle enregistré ? Il établit un graphique de tous ses composants et niveaux d'énergie. Dès qu'il eut fait la preuve qu'elle avait été modifiée au niveau électronique — ce qui avait été évident mais demandait à être démontré — il en capta les images sur un fil enregistreur. Le résultat fut un pot-pourri de visions fantastiques proches du rêve.

Des symboles. Il prit le code des *Interprétations des symboles du subconscient* et trouva la référence

288

« Inhibitions mentales ». A la page et à la ligne indiquées, il lut : « Ne tue pas ! »

— Ah, ça alors ! s'exclama Jamieson à haute voix dans le silence de la cabine de la vedette. C'est bien ce qui s'est passé !

Il était soulagé mais pas tellement. Cela avait été son intention personnelle de ne pas tirer à ce stade. Mais le Rull ne l'avait pas su. En lui inculquant une inhibition si subtile, il avait été maître de la situation même dans la défaite. C'était là l'ennui. Jusque-là, Jamieson s'était sorti de situations difficiles et, en revanche, il en avait créé d'heureuses pour lui. Il avait un espoir mais ce n'était pas suffisant.

Il ne lui fallait plus prendre de risques. Même son expérience finale devrait attendre jusqu'au jour prévu de l'arrivée de l'*Orion*. Les être humains étaient un peu trop faibles à certains égards. Leurs cellules essentielles elles-mêmes avaient des impulsions qui pouvaient être manipulées par des êtres astucieux et sans pitié. Il ne doutait pas qu'en fin de compte le Rull tenterait de le pousser à se tuer.

**25**

La neuvième nuit, à la veille de l'arrivée de l'*Orion*, Jamieson s'abstint de sortir une boîte de conserve. Le lendemain matin, il passa une demi-heure à la radio à tenter d'entrer en communication avec le croiseur. Il eut grand soin de diffuser un récit détaillé de tout ce qui s'était passé jusque-là. De plus, il expliqua ce qu'étaient ses projets, y compris son intention de mettre le Rull à l'épreuve afin de déterminer s'il avait subi quelque dommage du fait d'avoir été privé de nourriture un assez long temps.

Le subespace était totalement muet. Pas un soupçon d'onde ne répondit à ses appels. Il abandonna finalement sa tentative d'établir un contact, sortit et installa rapidement les appareils dont il aurait besoin pour son expérience. Le plateau s'étendait sauvage et désert. Il fit quelques essais puis regarda sa montre. Il était midi moins onze minutes. Soudain pris d'inquiétude, il décida de ne pas attendre que ces dernières minutes fussent écoulées. Après une dernière hésitation, il appuya sur un bouton. Un émetteur situé près de l'écran se mit à diffuser une sorte de rythme à un très haut niveau d'énergie. C'était une variante du thème auquel le Rull avait été soumis quatre nuits successives. Lentement, Jamieson revint vers sa vedette. Il voulait encore tenter d'entrer en liaison avec l'*Orion*. En regardant derrière lui, il vit le Rull se couler dans la clairière et se diriger tout droit vers la source de l'émission. Alors que Jamieson s'arrêtait involontairement, fasciné, le système principal d'alarme de la vedette se déclencha dans un hurlement. Le bruit se propageait avec une étrangeté mystérieuse sur les ailes du vent glacé qui soufflait. Il agit comme un déclic sur sa radio-bracelet qui se synchronisa automatiquement avec le puissant émetteur de la vedette.

« Trevor Jamieson, disait une voix pressante, ici l'*Orion*. Nous avons entendu vos appels mais nous nous sommes abstenus d'y répondre. Une flotte rull entière croise dans les environs du soleil Laerte. Dans cinq minutes environ, une tentative va être faite pour vous récupérer. En attendant, *lâchez tout !* »

Jamieson se laissa tomber. Ce fut un réflexe physique, pas du tout mental. Du coin de l'œil, tout en écoutant sa radio, il avait aperçu quelque chose qui bougeait dans le ciel, trois taches noires qui devinrent des formes immenses. Dans un rugissement, les supercroiseurs rulls passèrent au-dessus de lui comme un éclair. Un véritable cyclone suivit leur passage, l'arrachant presque du sol, où il se cramponnait désespérément aux racines de broussailles emmêlées. A toute vitesse, volant évidemment sous propulsion gravitonique, les vaisseaux de guerre ennemis exécutèrent un vaste virage et revinrent vers le plateau. Jamieson s'attendit un instant à la mort, mais la foudre passa à côté, puis le tonnerre des énergies libérées roula sur lui, un bruit monstrueux, submergeant presque, mais pas complètement, sa conscience des événements. Sa vedette ! Ils avaient tiré sur sa vedette.

Il étouffa un gémissement en se la représentant détruite dans un jet de flamme insoutenable. Puis il il n'y eut plus temps pour des pensées angoissantes.

Une troisième croiseur apparut mais, tandis que Jamieson s'efforçait d'en reconnaître les contours, il vira et s'enfuit.

Sa radio-bracelet reprit : « Ne pouvons pas vous secourir maintenant. Tâchez de vous mettre à l'abri. Les quatre croiseurs qui nous accompagnent et leurs vaisseaux d'escorte vont attaquer la flotte rull et tenter de l'attirer vers notre grand corps de bataille qui croise près de l'étoile Bianca puis re... »

Un éclair flamboyant dans les profondeurs du ciel mit fin au message. Il fallut une minute entière pour que l'air froid de Laerte III résonne du grondement lointain de cette bordée. Le bruit en mourut lentement, comme à regret, comme s'il en persistait de petits échos accrochés à chaque molécule de l'air. Le silence qui enfin retomba fut, bizarrement, non pas un silence paisible, mais un calme pesant chargé d'une menace immense.

Jamieson se redressa, chancelant. Il était temps d'évaluer le désastre qui venait de le frapper. Il n'osa même pas penser au péril le plus grand. Il se dirigea d'abord vers sa vedette. Il n'eut même pas à faire tout le chemin. Tout un morceau de la falaise avait été coupé. Plus trace de la vedette. Il s'y était attendu mais le choc de la réalité le pétrifia. Il se tapit comme un animal et regarda le ciel. On n'y voyait pas un mouvement, pas un son n'en venait, sauf le souffle du vent d'Est. Il était seul dans un univers entre ciel et terre, un être humain en équilibre au bord d'un abîme.

Dans son esprit tendu, anxieux, une compréhension aiguë se fit jour. Les vaisseaux rulls avaient survolé la montagne une première fois pour se rendre compte de la situation, puis ils avaient tenté de le supprimer. Et de plus, cette constatation que des croiseurs du dernier modèle prenaient de grands risques pour protéger son adversaire sur cette montagne isolée était aussi inquiétante que troublante.

Il lui faudrait se hâter. A tout moment, ils pouvaient envoyer un de leurs vaisseaux d'escorte tenter un atterrissage pour secourir son adversaire. En courant, il eut l'impression de faire corps avec le vent. Il connaissait cette sensation, ce sentiment de revenir à une nature primitive dans les moments de fièvre. C'était comme cela dans les batailles et l'important était de s'y abandonner de tout son corps et de toute son âme. Combattre efficacement avec la moitié de son intelligence ou la moitié de ses forces, cela n'existait pas. C'était tout ou rien.

Il s'attendait à des chutes et cela ne manqua pas. Chaque fois, il se redressait, presque insensible à la douleur, et il se remettait à courir. Il arriva en sang, mais presque oublieux d'une bonne douzaine de plaies. Et le ciel demeurait silencieux.

A l'abri d'une rangée de broussailles, il jeta un coup d'œil sur le Rull. Le Rull captif, *son* Rull dont il pouvait faire ce qu'il voulait. L'observer, le contraindre, l'instruire — l'instruction la plus rapide de l'histoire du monde. Il n'y avait pas le temps d'un échange d'informations par petites étapes. De l'endroit où il était, il manipula les commandes de l'écran.

Le Rull, qui marchait de long en large devant celui-ci, alla plus vite puis ralentit, puis accéléra de nouveau son allure, selon le désir de Jamieson.

Près de mille ans auparavant, au XXᵉ siècle, avait été faite la classique et immortelle expérience qui trouvait ici une de ses application dernières. Un homme appelé Pavlov nourrit un chien de laboratoire à intervalles réguliers, avec l'accompagnement d'une sonnerie. Bientôt le système digestif du chien réagit aussi promptement à la sonnerie — sans qu'il reçût de nourriture —, qu'à la nourriture et la sonnerie réunies. Pavlov, lui-même, ne comprit pas, sinon tout à la fin de sa vie, la réalité profonde qui était derrière ce processus de conditionnement. Ce qui avait débuté en ces jours lointains aboutit à une science qui pouvait opérer un « lavage de cerveau » des animaux, des extra-terrestres — et aussi des hommes — presque à volonté. Seuls, les Rulls contrèrent les tentatives des grands chercheurs des derniers siècles, alors que cette technique était pourtant devenue une science exacte. Mis en échec par la volonté de mourir des Rulls captifs, les savants entrevirent la chute de l'empire galactique de la Terre, sauf si l'on pouvait obtenir quelques premiers progrès dans la pénétration de l'esprit des Rulls. Si l'on tardait, le péril serait mortel.

Mais même le strict minimum de ce qu'il avait à faire prendrait du temps. Entre lui et le Rull, le rythme d'action-réaction d'obéissance devait être établi. L'image du Rull sur l'écran était aussi vivante que l'original. Elle était tridimensionnelle et ses mouvements étaient ceux d'un automate. Les centres nerveux fondamentaux en subissaient l'influence. Le Rull ne pouvait pas plus éviter d'en suivre le rythme que résister à l'appel du besoin de nourriture. Après qu'il eut suivit ces mouvements mécaniques pendant un quart d'heure environ en changeant d'allure à volonté, Jamieson fit grimper le Rull et son image dans des arbres, monter puis descendre une douzaine de fois. Et à ce moment, il fit apparaître une image de lui-même.

Anxieusement, un œil sur le ciel et l'autre sur ce qui se passait devant lui, il observa les réactions du Rull. Lorsque au bout de quelques minutes, il se substitua à son image, il fut convaincu que ce Rull avait temporairement perdu sa haine normale et son conditionnement suicidaire à la vue d'un être humain.

Maintenant qu'il était parvenu au stade du contrôle total, il hésita. Le moment était venu de faire quelques essais. Pouvait-il en prendre le temps ? Il se rendait compte qu'il le fallait. Cette occasion pourrait ne pas se représenter d'ici à un siècle.

Quand il eut terminé ses essais, vingt-cinq minutes plus tard, il était pâle d'émotion. « Ça y est, se dit-il, nous y sommes ! » Il passa dix précieuses minutes à annoncer sa découverte sur les ondes au moyen de sa radio-bracelet, en espérant que l'émetteur de sa vedette avait survécu à sa chute au pied de la falaise, et rediffusait son message à travers le subespace. Il ne reçut cependant aucune réponse à son appel, tout au long de ces dix minutes.

Conscient d'avoir fait ce qu'il pouvait, Jamieson se dirigea vers le bord de la falaise qu'il avait choisi comme point de départ. Il jeta un regard vers le bas et frissonna, puis il se souvint de ce que l'*Orion* avait dit : « Une flotte rull entière croise dans les environs... »

Vite !

Au moyen d'une corde de plastique, il descendit le Rull sur la première corniche. Un instant plus tard, il fixa le harnais autour de lui et passa par-dessus bord. Calmement, avec une force tranquille, le Rull saisit l'autre bout de la corde et le fit descendre sur la corniche. Ils continuèrent ainsi, descendant peu à peu. C'était une dure besogne, même s'ils utilisaient un système très simple. La longue corde de plastique leur permettrait de passer d'une corniche à l'autre. Une tige métallique de rappel déplacée d'un point à l'autre permettait à la corde de jouer son rôle.

A chaque corniche, Jamieson enfonçait la tige obliquement dans la roche, d'un coup de fulgurant ; la corde glissait dans le métal sur un système de poulies, tandis que le Rull et lui descendaient, chacun à son tour, sur les corniches inférieures. Aussitôt qu'ils étaient en sécurité sur une corniche, Jamieson faisait sauter la tige hors de la roche, d'où elle tombait, prête à servir de nouveau. Le jour sombrait

296

dans la brume du soir comme un homme épuisé dans le sommeil. L'être tout entier de Jamieson succombait à une fatigue qui freinait ses muscles.

Il voyait que le Rull devenait de plus en plus conscient de sa présence. Il continuait de coopérer mais le suivait avec des yeux attentifs chaque fois qu'il le descendait dans le vide. L'état de conditionnement tendait vers sa fin. Le Rull sortait peu à peu de son hypnose. Cette évolution serait terminée avant la nuit.

Un moment, Jamieson désespéra d'atteindre le bas de la falaise avant que vienne l'obscurité. Il avait choisi le côté ouest, celui du soleil, pour cette fantastique descente au flanc d'une falaise à pic d'un brun noirâtre, qui ne ressemblait à aucune autre des mondes connus de l'espace. Il surveillait le Rull avec des regards rapides, nerveux, quand ils étaient tous deux sur la même corniche.

A 4 heures de l'après-midi, Jamieson dut s'arrêter de nouveau pour se reposer. Il alla au bout de la corniche le plus éloigné du Rull et s'effondra sur une pierre. Le ciel était silencieux, sans le moindre souffle de vent, comme si un rideau tiré en travers de l'espace obscur allait masquer ce qui devait déjà être la plus grande bataille entre Rulls et hommes depuis dix ans. C'était à l'honneur des cinq croiseurs terriens qu'aucun vaisseau ennemi n'ait encore tenté de porter secours au Rull qui était sur le plateau. Peut-être, évidemment, les Rulls ne voulaient-ils pas révéler la présence d'un des leurs.

Jamieson abandonna ces spéculations futiles. D'un regard las, il compara la hauteur de la falaise au-dessus d'eux et ce qui en restait au-dessous. Il estima qu'ils avaient franchi les deux tiers de la distance. Il vit que le Rull s'était tourné vers la vallée ; Jamieson en fit autant et la contempla. Le panorama, même de cette hauteur moindre, restait spectaculaire. La forêt commençait à quatre ou cinq cents mètres du pied de la falaise, et elle n'avait pour ainsi dire pas de fin. Elle passait telle une vague par-dessus les collines et descendait dans les vallons. Elle hésitait au bord d'un large fleuve puis déferlait de nouveau, et escaladait les pentes des montagnes qui se dressaient dans les nuées du lointain.

Il était temps de se remettre à descendre. A 6 h 25, ils atteignirent une corniche qui était à une cinquantaine de mètres au-dessus de la plaine pierreuse. Cette hauteur était à la limite des possibilités de la corde mais l'objectif initial de descendre le Rull jusqu'au sol où il retrouverait la liberté et la sécurité, fut atteint sans incident, Jamieson regarda curieusement la créature au pied de la falaise. Que ferait-elle maintenant qu'elle était libre ?

Elle attendait simplement, Jamieson se raidit. Il n'allait pas prendre un tel risque. Il fit des signes impératifs au Rull et sortit son fulgurant. Le Rull recula mais seulement pour s'abriter derrière un groupe de rochers. Le soleil rouge sang se couchait peu à peu derrière les montagnes. Jamieson mangea son dîner et comme il achevait son repas, il aperçut un mouvement en contrebas. Il vit le Rull se couler vers la base de la falaise et disparaître derrière une saillie rocheuse.

Il attendit un peu puis lança la corde. La descente

épuisa ses dernières forces mais il atteignit bientôt un sol ferme. Aux trois quarts du chemin, il se blessa un doigt sur une section de corde brusquement râpeuse. Lorsqu'il arriva à terre, il remarqua que son doigt prenait une bizarre teinte grise. Dans le crépuscule, cela avait un aspect étrange et malsain. Tandis qu'il l'examinait, le sang reflua de son visage. Avec une amère fureur, il se dit que le Rull, en descendant, devait avoir enduit la corde de cette substance rugueuse.

Une douleur lui traversa le corps, immédiatement suivie d'une sensation de rigidité. Avec un râle étranglé, il esquissa le geste de saisir son fulgurant, avec l'intention de se tuer. Sa main s'arrêta à mi-chemin. Il s'écroula, raide, incapable d'amortir sa chute. Il sentit le choc du contact avec le sol dur puis ce fut l'inconscience.

Le désir de mort existe chez toutes formes de vie, chaque cellule organique ecphorise les engrammes hérités de son origine inorganique. La pulsation de la vie est une pellicule squameuse superposée à une matière sous-jacente, si complexe dans l'équilibre délicat qu'elle maintient entre des énergies différentes, que la vie elle-même n'est qu'un bref et vain effort exercé contre cet équilibre. Pendant un instant d'éternité, un certain réarrangement est tenté. Il prend bien des formes mais celles-ci ne sont qu'apparentes. La forme réelle est toujours une forme dans le temps, non dans l'espace. Et cette forme est une courbe. D'abord ascendante puis descendante. Emergeant de l'obscurité vers la lumière puis retombant dans les ténèbres.

Le saumon mâle sème sa brume de laitance sur les œufs de la femelle. Et il est immédiatement saisi d'une dépression mortelle. Chez les abeilles, le mâle périt de la possession de la reine qu'il a conquise et retombe dans la poussière inorganique d'où il était sorti pour un unique moment d'extase. Chez l'homme, cette tendance fatale est sans cesse imprimée dans d'innombrables cellules éphémères mais seule la tendance demeure.

Le savant rull à l'esprit subtil, qui recherchait des substances chimiques dont le choc ferait retomber le système nerveux de l'homme vers ses formes les plus primitives, avait découvert le secret du désir de mort chez l'être humain.

Le *yéli*, Meesh, qui revenait en rampant vers Jamieson, ne pensa pas au processus. Il avait attendu l'occasion. Elle était venue. Rapidement, il lui retira son fulgurant ; puis il le fouilla, cherchant la clef de la vedette. Ensuite, il transporta Jamieson à quatre cents mètres de là, où l'engin terrien avait été catapulté par la bordée du croiseur rull. Cinq minutes plus tard, le puissant émetteur qui était à bord transmettait sur les longueurs d'ondes voulues un ordre impératif à la flotte rull.

Une obscurité vague. En lui et autour de lui. Jamieson avait la sensation d'être au fond d'un puits, dans une nuit d'où il scrutait un crépuscule. Alors qu'il gisait là, la pression de quelque chose s'exerça et l'enveloppa, l'élevant de plus en plus haut, et plus près de l'ouverture du puits. Il fit un effort pour en sortir, un effort nettement mental, il regarda par-dessus le bord. Il reprit conscience.

Il était étendu sur une table dans une salle qui avait, au niveau du sol, plusieurs ouvertures, un peu comme de grands trous de souris, conduisant dans d'autres pièces. Des portes, se dit-il, d'une forme bizarre, étrange, inhumaine. Jamieson sursauta sous le choc de ce qu'il reconnaissait. Il était à bord d'un croiseur rull.

Il n'aurait pu affirmer que le vaisseau était en mouvement, mais il supposa qu'il l'était. Les Rulls ne s'attarderaient pas aux environs d'une planète.

Il pouvait tourner la tête et constata que rien de matériel ne l'immobilisait. Là-dessus, il en savait autant que n'importe quel Rull ; en un instant, il eut donc localisé la source des faisceaux gravitoniques qui s'entrecroisaient sur lui.

Cette découverte était d'une valeur abstraite ; il s'en rendait amèrement compte. Il entreprit alors de raidir ses nerfs pour affronter le genre de mort auquel il pouvait s'attendre : la torture dans des expériences.

Raidir ses nerfs était un processus simple. On avait constaté que si un homme pouvait s'imaginer tous les genres de tortures possibles et ce qu'il ferait pendant qu'il les subirait, et qu'il en devienne furieux plutôt qu'effrayé, il pouvait résister jusqu'au seuil même de la mort en endurant un minimum de souffrance.

Jamieson était en train de passer hâtivement en revue tous les genres de torture qu'il pourrait subir

quand une voix plaintive lui chuchota à l'oreille :
« Rentrons chez nous, hein ? »

Il lui fallut un moment pour se ressaisir, et quelques secondes pour prendre conscience que le Ploian était probablement invulnérable à des jets foudroyants d'énergie tels que ceux qui avaient été lancés par le croiseur rull sur sa vedette. Et une minute au moins passa avant que Jamieson dise à voix basse :

— Je voudrais que tu fasses quelque chose pour moi.

— D'accord.

— Va dans cette boîte là-bas et dérive le courant en le faisant passer à travers toi.

— Oh, très bien ! J'avais justement envie d'aller voir là-dedans.

Un instant plus tard, la source électrique des faisceaux gravitoniques fut, de toute évidence, déviée. Jamieson, en effet, put s'asseoir. Il s'écarta vivement de la boîte et ordonna :

— Sors de là.

Il dut le répéter plusieurs fois pour attirer l'attention du Ploian. Puis Jamieson demanda :

— As-tu visité ce vaisseau ?

— Oui, répondit le Ploian.

— Y a-t-il un endroit par lequel passe tout le courant électrique ?

— Oui.

Jamieson prit une profonde respiration :

— Vas-y et dérive encore le courant électrique à travers toi. Puis reviens ici.

— Oh, que vous êtes bon avec moi ! dit le Ploian.

Par précaution, Jamieson se hâta de chercher un objet non métallique sur lequel monter. Il était à peine en sécurité que 100 000 volts se mirent à crépiter de toutes les plaques de métal.

— Qu'est-ce que je fais maintenant ? demanda le Ploian, deux minutes plus tard.

— Inspecte tout le vaisseau et vois s'il ne reste pas de Rulls vivants.

Presque instantanément, Jamieson fut informé qu'une centaine de Rulls étaient encore vivants. D'après les rapports du Ploian, les survivants évitaient déjà tout contact avec les surfaces métalliques. Jamieson reçut cette information pensivement. Puis il décrivit l'appareillage de radio au Ploian et conclut :

— Chaque fois que l'un d'eux essaiera de se servir de ce matériel, tu entreras dedans et tu dériveras le courant électrique à travers toi... compris ?

Le Ploian acquiesça et Jamieson ajouta :

— Rends-moi compte régulièrement mais seulement quand aucun d'eux ne tentera d'utiliser la radio. Et ne t'introduis pas dans le tableau principal de distribution du courant électrique sans ma permission.

— Tes ordres seront fidèlement exécutés.

Cinq minutes plus tard, le Ploian retrouva Jamieson dans la casemate des armements :

— L'un d'entre eux vient d'essayer d'utiliser la radio ; mais il a finalement abandonné et il est parti.

— Très bien, dit Jamieson. Continue d'y veiller de

près — et d'écouter — et viens me rejoindre dès que j'en aurai fini ici.

Jamieson partit de la conviction qu'il avait un avantage décisif sur les Rulls survivants : il savait quand il pouvait toucher le métal sans risque. Eux devraient monter des dispositifs compliqués avant d'oser bouger.

Dans le poste de conduite de tir, il se mit à l'œuvre avec des cisailles électroniques, hâtivement mais efficacement. Son but était de s'assurer que les fulgurateurs géants ne pourraient tirer avant que tous les cablâges des organes de commande fussent complètement réparés.

Cette tâche accomplie, il se dirigea vers la plus proche vedette. Le Ploian le rejoignit alors qu'il s'efforçait de se faufiler par l'une des ouvertures en trou de souris.

— Il y a quelques Rulls de ce côté, dit le Ploian. Mieux vaudrait passer par ici.

Ils pénétrèrent finalement dans une vedette rull sans incident. Quelques minutes après, Jamieson lança le petit vaisseau dans l'espace mais cinq jours passèrent avant qu'ils fussent recueillis.

Le haut Aaish de Yéell n'était pas dans le croiseur à bord duquel Jamieson avait été emmené comme prisonnier. Il n'était donc pas parmi les morts et, en fait, il n'apprit pas l'évasion du captif avant un certain temps. Lorsque l'information lui parvint enfin, son état-major fut persuadé qu'il punirait les survivants du croiseur saboté.

Au lieu de cela, il dit méditativement. « C'était donc là l'ennemi ? Une créature très redoutable... »

Il réfléchit en silence à la semaine d'angoisse qu'il avait endurée. Il avait récupéré presque toutes ses facultés de perception — et put ainsi concevoir une pensée tout à fait insolite pour un individu d'un rang aussi élevé.

« Je crois, dit-il en utilisant son émetteur à ondes luminiques, que c'est la première fois qu'un Chef suprême ait visité le front de bataille. N'est-il pas vrai ? »

C'était vrai. Un commandant en chef était venu du grand quartier général, à l'arrière, sur la « ligne de front ». Il avait quitté l'abri protégé de la planète natale et avait risqué une vie si précieuse que tout Ria en avait frémi d'anxiété quand la nouvelle avait été annoncée.

Le plus grand des Rulls poursuivit le cours de ses pensées : « Il semblerait, à mon avis, que nous n'avons pas eu les renseignements les plus exacts sur les êtres humains. Il me paraît évident que l'on s'est efforcé de sous-estimer leurs capacités, et si je loue le zèle et le courage que dénote une telle attitude, il n'en ressort pas moins que, pour moi, il est improbable que nous puissions gagner cette guerre d'une manière décisive. J'en conclus donc que le Conseil Central doit reconsidérer nos raisons de poursuivre cet effort de guerre. Je ne prévois pas un désengagement immédiat mais il se pourrait bien que les combats puissent progressivement se raréfier, à mesure que nous prendrons une position défensive dans cette région de l'espace et que, peut-être, nous tournerons notre attention vers d'autres galaxies. »

Très loin, par-delà des années-lumière d'espace, Jamieson faisait son rapport devant une auguste assemblée, le Congrès galactique :

« J'ai le sentiment qu'il se trouvait un personnage de la plus haute importance parmi les Rulls ; et comme je l'ai eu sous hypnose complète pendant un certain temps, je pense que nous devrions en avoir une réaction favorable. Je lui ai dit que les Rulls sous-estimaient les êtres humains, et qu'ils ne gagneraient pas la guerre, et je lui ai suggéré que les Rulls devraient tourner leur attention vers d'autres galaxies. »

Des années devaient s'écouler avant que les hommes fussent enfin certains que la guerre entre Rulls et humains étaient terminée. Sur le moment les membres du Congrès furent passionnés par la manière dont le jeune ezwal télépathe avait été utilisé pour entrer en communication avec un Ploian invisible, et comment ce nouvel allié avait été le moyen grâce auquel un homme avait pu s'échapper d'un vaisseau de guerre rull avec des informations d'une importance aussi capitale que celles qu'avait ramenées Jamieson.

C'était la justification de toutes les longues et dures années de patients efforts que les hommes avaient consacrées à une politique d'amitié avec les races extra-terrestres. A une majorité écrasante, le Congrès créa pour Jamieson une charge nouvelle avec le titre de « Responsable des Races extra-terrestres ».

Il retournerait sur la planète de Carson avec pleine autorité non seulement en ce qui concernait les ezwals mais aussi les autres extra-terrestres. Finalement, le libellé de sa nomination en vint à être interprété comme signifiant qu'il était le négociateur désigné des humains en face des Rulls.

Et pendant que ces questions se réglaient, la guerre galactique entre Rulls et humains prit fin.

# Science-Fiction et Fantastique

extrait du catalogue *Dos violets*

**ALDISS Brian W.**
**L'autre île du Dr Moreau** (1292★★)
*Qui poursuit aujourd'hui les expériences du Dr Moreau ? Inédit.*

**ANDERSON Poul**
**La reine de l'Air et des Ténèbres** (1268★★)
*Ce n'est qu'une légende indigène, pourtant certains l'auraient aperçue. Inédit.*
**La patrouille du temps** (1409★★★)
*L'épopée des hommes chargés de garder l'Histoire.*

**ANDREVON Jean-Pierre**
**Cauchemar... cauchemars !** (1281★★)
*Répétitive et différente, l'horrible réalité, pire que le plus terrifiant des cauchemars. Inédit.*
**Le travail du furet à l'intérieur du poulailler** (1549★★★)
*Les furets détruisent les malades. Inédit.*

**ASIMOV Isaac**
**Les cavernes d'acier** (404★★★)
*Dans les cités souterraines du futur, le meurtrier reste semblable à lui-même.*
**Les robots** (453★★★)
*D'abord esclaves, ils deviennent maîtres.*
**Face aux feux du soleil** (468★★)
*Sur Solaria, les hommes ne se rencontrent jamais ; pourtant un meurtre vient d'y être commis.*
**Tyrann** (484★★★)
*Les despotes de Tyrann veulent conquérir l'univers. Sur la Terre, une poignée d'hommes résiste encore.*

**Un défilé de robots** (542★★★)
*D'autres récits passionnants.*
**La voie martienne** (870★★★)
*Une expédition désespérée.*
**Les robots de l'aube** (1602 ★★★ et 1603★★★)
*Ce roman conclut à la fois* Les robots *et* Les cavernes d'acier.
**Le voyage fantastique** (1635★★★)
*Une équipe chirurgicale miniaturisée opère dans le corps humain.*

**BAKER Scott**
**L'idiot-roi** (1221★★★)
*Diminué sur la Terre, il veut s'épanouir sur une nouvelle planète. Inédit.*
**Kyborash** (1532★★★★)
*Dans un monde archaïque, une histoire épique de possession et de vengeance. Inédit.*

**BELFIORE Robert**
**Une fille de Caïn** (1800★★★)
*L'arrivée d'une femme sur cette planète isolée pouvait la transformer en paradis... ou en enfer.*

**BESTER Alfred**
**Les clowns de l'Eden** (1269★★★)
*Un groupe d'immortels s'oppose à un ordinateur qui veut redessiner l'espèce humaine.*

**BLATTY William Peter**
**L'exorciste** (630★★★★)
*A Washington, de nos jours, une petite fille vit sous l'emprise du démon.*

**BLOCH Robert**
**La quatrième dimension** (1530★★)
*Le domaine mystérieux de l'imaginaire où tout peut arriver.*

**BRUNNER John**
**Tous à Zanzibar** (1104 ★★★★ et 1105★★★★)
*Surpopulation, violence, pollution : craintes d'aujourd'hui, réalités de demain.*
**Le troupeau aveugle** (1233 ★★★ et 1234★★★)
*L'enfer quotidien de demain.*
**Sur l'onde de choc** (1368★★★★)
*Un homme seul peut-il venir à bout d'une société informatisée ?*
**A l'ouest du temps** (1517★★★★)
*Est-elle folle ou vient-elle d'une région de l'univers située à l'ouest du temps ?*

**CHAYEFSKY Paddy**
**Au delà du réel** (1232★★★)
*Une terrifiante plongée dans la mémoire génétique de l'humanité. Illustré.*

**CHERRYH C.J.**
**Les adieux du soleil** (1354★★★)
*L'agonie du soleil est le symbole du crépuscule de la civilisation sur Terre. Inédit.*
**Les seigneurs de l'Hydre** (1420★★★)
*Ils pourchassent les humains. Inédit.*
**Chanur** (1475★★★★)
*A bord d'un vaisseau extra-terrestre, une femme-chat découvre un humain. Inédit.*
**L'opéra de l'espace** (1563★★★)
*Chez les marginaux de l'espace, une aventure épique dont l'amour n'est pas absent. Inédit.*
**La pierre de rêve** (1738★★★)
*Qui la vole partage les rêves de qui la possédait. Inédit.*

**CLARKE Arthur C.**
**2001 – L'odyssée de l'espace** (349★★)
*Ce voyage fantastique aux confins du cosmos a suscité un film célèbre.*
**2010 – Odyssée 2** (1721★★★)
*Enfin toutes les réponses.*
**L'étoile** (966★★★)
*Une nouvelle anthologie des meilleures nouvelles d'Arthur C. Clarke.*

**Rendez-vous avec Rama** (1047★★★)
*Pour la première fois dans l'histoire de l'humanité, un vaisseau spatial étranger pénètre dans le système solaire.*

**COMPTON D.G.**
**La mort en direct** (1755★★★)
*L'homme-caméra suit chaque phase de l'agonie de Katherine.*

**CURVAL Philippe**
**L'homme à rebours** (1020★★★)
*La réalité s'est dissoute autour de Giarre : sans le savoir, il a commencé un voyage analogique. Inédit.*
**Cette chère humanité** (1258★★★★)
*L'appel désespéré du dernier montreur de rêves.*

**DEMUTH Michel**
**Les Galaxiales** (996★★★)
*La première Histoire du Futur écrite par un auteur français.*
**Les années métalliques** (1317★★★★)
*Les meilleures nouvelles de l'auteur.*

**DICK Philip K.**
**Loterie solaire** (547★)
*Un monde régi par le hasard et les jeux.*

**Dr Bloodmoney** (563★★★)
*La vie quotidienne post-atomique.*
**Le Maître du Haut Château**
(567★★★★)
*L'occupation des U.S.A. par le Japon
et l'Allemagne après la victoire de
l'Axe en 1947.*
**Simulacres** (594★★★)
*Le pouvoir est-il électronique ?*
**A rebrousse-temps** (613★★★)
*Les morts commencent à renaître.*
**Ubik** (633★★★)
*Le temps s'en allait en lambeaux. Une
bouffée de 1939 dérivait en 1992.*
**Au bout du labyrinthe** (774★★)
*Est-ce la planète qui est folle ou la
démence a-t-elle gagné tous les
colons ?*
**Les clans de la lune alphane** (879★★★)
*Une colonie de malades mentaux.*
**L'œil dans le ciel** (1209★★★)
*Une réalité fissurée, un quotidien qui
se craquelle : quel est ce monde déli-
rant ?*
**L'homme doré** (1291★★★)
*L'essentiel de l'œuvre de nouvelliste.*
**Le dieu venu du Centaure** (1379★★★)
*Palmer Eldritch : on connaît ses yeux
factices, son bras mécanique... qui
est-il ?*
**Le message de Frolix 8** (1708★★★)
*Le génie était la norme, les drogues
légales, l'alcool tabou.*
**Blade Runner** (1768★★★)
*Rick Decard est un tueur d'androïdes
mais certaines sont aussi belles que
dangereuses.*

**DISCH Thomas**
**Génocides** (1421★★)
*Pour l'envahisseur, les hommes ne
sont guère plus que des insectes.*

**Camp de concentration** (1492★★)
*Là une drogue provoque le génie, puis
entraîne la mort.*

**DOUAY Dominique**
**L'échiquier de la création** (708★★)
*Les pions sont humains. Inédit.*

**FARMER Philip José**
**Les amants étrangers** (537★★)
*Un Terrien avec une femme non
humaine.*
**Le soleil obscur** (1257★★★★)
*Sur la Terre condamnée, des voyageurs
cherchent la vérité. Inédit.*
    Le Fleuve de l'éternité :
- **Le monde du Fleuve** (1575★★★)
- **Le bateau fabuleux** (1589★★★★)
*Les morts ressuscitent le long des
berges.*

**FORD John M.**
**Les fileurs d'anges** (1393★★★★)
*Un hors-la-loi de génie lutte contre un
super réseau d'ordinateurs. Inédit.*

**FOSTER Alan Dean**
**Alien** (1115★★★)
*Avec la créature de l'Extérieur, c'est
la mort qui pénètre dans l'astronef.*

**Le trou noir** (1129★★★)
*Un maelström d'énergie les entraîne-
rait au delà de l'univers connu.*
**Le choc des Titans** (1210★★★)
*Un combat titanesque entre les dieux
de l'Olympe. Inédit, illustré.*
**Outland... loin de la Terre** (1220★★)
*Sur l'asteroïde Io, les crises de folie
meurtrière et les suicides sont quoti-
diens. Inédit, illustré.*

**FOX MAZER Norma**
**Supergirl** (1720★★)
*Les aventures cocasses et haletantes de
la cousine de Superman.*

**GILLILAND Alexis A.**
**La révolution de Rossinante**
(1634★★★)
*Un homme et un robot luttent pour
sauver un monde de la faillite. Inédit.*
**Objectif : Rossinante** (1826★★★)
*Un ordinateur assume l'identité et le
rôle de Susan Brown, l'héroïne de Rossinante.* (juin 85)

**HALDEMAN Joe**
**La guerre éternelle** (1769★★★)
*Une guerre absurde où les combattants
vieillissent d'une centaine d'années à
chaque saut dans le temps.*

**HAMILTON Edmond**
**Les rois des étoiles** (432★★★)
*John Gordon a échangé son esprit con-
tre celui d'un prince des étoiles.*

**HARNESS Charles**
**L'anneau de Ritornel** (785★★★)
*C'est dans l'Aire Nodale, au cœur de
l'univers, que James Andrek trouvera
son destin.*

**HEINLEIN Robert A.**
**Etoiles, garde-à-vous !** (562★★★)
*Dans la guerre galactique, l'infanterie,
malgré ses armures électroniques, sup-
porte les plus durs combats.*
**Vendredi** (1782★★★★)
*De retour d'une mission dans l'espace,
Vendredi est capturée et violée.*

**HIGON Albert**
**Le jour des Voies** (761★★)
*Les Voies, annoncées par la nouvelle
religion, conduisent-elles à un autre
monde ?*

**HOWARD Joseph**
**Damien, la malédiction-2** (992★★★)
*Damien devient parfois un autre, celui
qu'annonce le Livre de l'Apocalypse.*

**HOWARD Robert E.**
**Conan** (1754★★★)
*Les premières aventures du géant bar-
bare qui régna sur l'âge hyborien.*
**Conan le Cimmérien** (1825★★★)
*Bélit a envoûté Conan mais que peut-
elle contre la force brutale du bar-
bare ?* (juin 85)
**Conan le Barbare** (1449★★)
*Voir SPRAGUE DE CAMP.*

**JORDAN Robert**
**Conan le destructeur** (1689★★)
*Que peut son courage contre les
démons et les maléfices ?*

**KEYES Daniel**
**Des fleurs pour Algernon** (427★★★)
*Charlie est un simple d'esprit. Des
savants vont le transformer en génie.*

**KING Stephen**
**Carrie** (835★★★)
*Ses pouvoirs supra-normaux lui font
massacrer plus de 400 personnes.*
**Shining** (1197★★★★)
*La lutte hallucinante d'un enfant
médium contre les forces maléfiques.*
**Danse macabre** (1355★★★★)
*Les meilleures nouvelles d'un des maî-
tres du fantastique moderne.*
**Cujo** (1590★★★★)
*Un monstre épouvantable les attend
dans la chaleur du soleil.*

**KLEIN Gérard**
**Les seigneurs de la guerre** (628★★)
*Un homme seul face au Monstre, la plus terrible machine de guerre de notre temps.*
**La loi du talion** (935★★★)
*Elle seule régit ce monde où s'affrontent cinquante peuples stellaires.*

**KLOTZ et GOURMELIN**
**Les innommables** (967★★★)
*... ou la vie quotidienne de l'homme préhistorique. Illustrations de Gourmelin.*

**KOTZWINKLE William**
**E.T. l'extra-terrestre** (1378★★★)
*Egaré sur la Terre, un extra-terrestre est protégé par des enfants. Inédit.*

**LEE Tanith**
**La déesse voilée** (1690★★★★)
*Elle croit porter le malheur et la destruction avec elle. Inédit.*

**LEM Stanislas**
**Le congrès de futurologie** (1739★★)
*Un congrès fou qui débouche sur un monde hallucinant.*

**LÉOURIER Christian**
**Ti-Harnog** (1722★★★)
*Un homme confronté à une civilisation inconnue. Inédit.*

**LEVIN Ira**
**Un bébé pour Rosemary** (342★★★)
*Satan s'empare des âmes et des corps.*
**Un bonheur insoutenable** (434★★★)
*Programmés dès leur naissance, les hommes subissent un bonheur insoutenable à force d'uniformité.*

**LONGYEAR Barry B.**
**Le cirque de Baraboo** (1316★★★)
*Pour survivre, le dernier cirque terrien s'exile dans les étoiles. Inédit.*

**LOVECRAFT Howard P.**
**L'affaire Charles Dexter Ward** (410★★)
*Echappé de Salem, le sorcier Joseph Curwen vient mourir à Providence en 1771. Mais est-il bien mort ?*
**Dagon** (459★★★★)
*Le retour du dieu païen Dagon, et de nombreux autres récits de terreur.*

**MacDONALD John D.**
**Le bal du cosmos** (1162★★)
*Traqué sur Terre, il se voit projeté dans un autre monde.*

**McINTYRE Vonda N.**
**La colère de Khan** (Star Trek II) (1396★★★)
*Le plus grand défi lancé à l'U.S. Enterprise. Inédit.*
**Le serpent du rêve** (1666★★★★)
*Elle guérit au moyen d'un cobra, d'un crotale et d'un serpent du rêve. Inédit.*

**MARTIN George R.R.**
**Chanson pour Lya** (1380★★★)
*Trouver le bonheur dans la fusion totale avec un dieu extra-terrestre. Inédit.*

**MATHESON RICHARD**
**La maison des damnés** (612★★★★)
*Des explorateurs de l'inconnu face à une maison maudite.*

## MERRITT Abraham
**Les habitants du mirage** (557 ★★★)
*La lutte d'un homme contre le dieu-Kraken.*
**La nef d'Ishtar** (574 ★★)
*Il aime Sharane, née il y a 6 000 ans à Babylone...*
**Le visage dans l'abîme** (886 ★★★)
*Dans une vallée secrète des Andes, une colonie atlante jouit de l'immortalité.*

## MONDOLONI Jacques
**Je suis une herbe** (1341 ★★★)
*La flore, animée d'une intelligence collective, peut-elle détruire la civilisation humaine ? Inédit.*

## MOORE Catherine L.
**Shambleau** (415 ★★★)
*Parmi les terribles légendes qui courent l'espace, l'une au moins est vraie.*
**Jirel de Joiry** (533 ★★★)
*De son château moyenâgeux, Jirel se transporte au delà du temps et de l'espace.*

## MORRIS Janet E.
**L'ère des Fornicatrices :**
- **La Grande Fornicatrice de Silistra** (1245 ★★★)
- **L'ère des Fornicatrices** (1328 ★★★★)
- **Le vent du chaos** (1448 ★★★★)
- **Le trône de chair** (1531 ★★★)
*Estri vit toutes les aventures : un érotisme fantastique et des pouvoirs sans cesse menacés. Inédits.*

## OLIVER Chad
**Les vents du temps** (1116 ★★)
*Ils étaient arrivés dans la préhistoire. Dans quelques millions d'années, ils pourraient retourner chez eux.*

## PELOT Pierre
**Les barreaux de l'Eden** (728 ★★)
*Communiquer avec les morts est une consolation pour les travailleurs opprimés. Inédit.*
**Parabellum tango** (1048 ★★★)
*Un régime totalitaire peut-il être ébranlé par une chansonnette subversive ? Inédit.*
**Kid Jésus** (1140 ★★★)
*Il est toujours dangereux de prendre la tête d'une croisade. Inédit.*
**Nos armes sont de miel** (1305 ★★★)
*Après mille ans passés dans le nontemps, ils parviennent enfin au but. Inédit.*

## POHL Frederik
**La Grande Porte** (1691 ★★★★)
*C'est la richesse ou un sort pire que la mort.*
**Les pilotes de la Grande Porte** (1814 ★★★★)
*La science des Hommes Morts permettra-t-elle de résoudre l'énigme des Heechees ?* (mai 85)

## PRIEST Christopher
**Le monde inverti** (725 ★★★★)
*Arrivé à l'âge de 1 000 km, Helward entre dans la guilde des Topographes du Futur.*

## RAY Jean
**Malpertuis** (1677 ★★)
*Les dieux de l'Olympe sont-ils encore parmi nous ?* (mai 85)

## SADOUL Jacques
**Les meilleurs récits de :**
« Astounding Stories » (532 ★★)
« Unknown » (713 ★★)
« Famous Fantastic Mysteries » (731 ★★)

« Startling Stories » (784★★)
« Thrilling Wonder Stories » (822★★)
« Fantastic Adventures » (880★★)
« Weird Tales-3 » (923★★)
*Ces anthologies présentent la quintes-*
*sence des revues de S-F qui, de 1910*
*à 1955, ont permis le succès de ce genre*
*aux Etats-Unis.*

## SILVERBERG Robert
**L'homme dans le labyrinthe**
**(495★★★)**
*Depuis 9 ans, Muller vivait au cœur*
*d'un labyrinthe parsemé de pièges*
*mortels.*
**Les ailes de la nuit (585★★)**
*L'humanité conquise se découvre des*
*pouvoirs psychologiques nouveaux.*
**L'oreille interne (1193★★★)**
*Télépathe, il sent son pouvoir décliner.*
**Les chants de l'été (1392★★★)**
*Silverberg est un maître de la nouvelle.*
**Les chemins de l'espace (1434★★★)**
*La superstition religieuse ouvre-t-elle*
*la route des étoiles ? Inédit.*

## SIMAK Clifford D.
**Demain les chiens (373★★★)**
*Les hommes ont-ils réellement existé ?*
*se demandent les chiens le soir à la*
*veillée.*
**Dans le torrent des siècles (500★★★)**
*Comment tuer un homme qui est déjà*
*mort ?*
**Le pêcheur (609★★★)**
*Il sait projeter son esprit dans*
*l'espace ; un jour il ramène une frac-*
*tion d'entité extraterrestre.*
**Chaîne autour du soleil (814★★★)**
*La Terre est-elle unique ou n'y a-t-il*
*pas une succession de terres autour du*
*soleil ?*

**Au carrefour des étoiles (847★★)**
*Sur terre, une station secrète où tran-*
*sitent les voyageurs de l'espace.*

**Projet Vatican XVII (1367★★★★)**
*Curieuse entreprise pour des robots*
*sans âme : créer un pape aussi électro-*
*nique qu'infaillible. Inédit.*
**Au pays du Mal (1781★★★)**
*Là où rôdent des choses d'épouvante,*
*gardée par des trolls et des licornes,*
*l'âme d'un magicien est captive d'un*
*diamant.*

## SPIELBERG Steven
**Rencontres du troisième type (947★★)**
*Le premier contact avec des visiteurs*
*venus des étoiles.*
**Gremlins (1741★★★)**
*Il ne faut ni les exposer à la lumière,*
*ni les mouiller, ni surtout les nourrir*
*après minuit. Sinon…*

## SPRAGUE de CAMP et CARTER
**Conan le barbare (1449★★★)**
*L'épopée sauvage de Conan le Cimmé-*
*rien face aux adorateurs du Serpent.*

## STEINER Kurt
**Ortog et les ténèbres (1222★★)**
*La science permet-elle de défier la*
*mort ?*

## STRIEBER Whitney
**Wolfen (1315★★★★)**
*Des êtres mi-hommes mi-loups guet-*
*tent leurs proies dans les rues de New*
*York. Inédit, illustré.*
**Les prédateurs (1419★★★★)**
*Elle survit depuis des siècles mais ceux*
*qu'elle aime meurent lentement sous*
*ses yeux.*

## STURGEON Theodore

**Les plus qu'humains** (355★★★)
*Ces enfants étranges ne seraient-ils pas les pionniers de l'humanité de demain ?*

**Cristal qui songe** (369★★★)
*Fuyant des parents indignes, Horty trouve refuge dans un cirque fantastique.*

**Killdozer – le viol cosmique** (407★★★)
*Des extra-terrestres à l'assaut des hommes et de leurs machines.*

**Les talents de Xanadu** (829★★★)
*Visitez le monde le plus parfait de la galaxie.*

## TEVIS Walter

**L'oiseau d'Amérique** (1246★★★★)
*Un homme, une femme, un robot.*

## VANCE Jack

**Cugel l'astucieux** (707★★)
*...et les enchantements du magicien rieur.*

**Cugel saga** (1665★★★★)
*De nouveaux tours du magicien rieur. Inédit.*

Cycle de Tschaï :
1 - **Le Chasch** (721★★★)
2 - **Le Wankh** (722★★★)
3 - **Le Dirdir** (723★★★)
4 - **Le Pnume** (724★★★)
*Exilé sur la planète Tschaï, Adam échappe à bien des dangers.*

**Un monde magique** (836★★)
*Sur la Terre moribonde la science abandonne.*

**Marune : Alastor 933** (1435★★)
*On lui a tout volé, jusqu'à son identité.*

**Trullion : Alastor 2262** (1476★★)
*Des intrigues se nouent dans l'amas stellaire.*

**Wyst : Alastor 1716** (1516★★★)
*Une société vouée au plaisir et à la frivolité.*

## VAN VOGT A.E.

**Le monde des Ã** (362★★★)
**Les joueurs du Ã** (397★★★)
**La fin du Ã** (1601★★★)
*Gosseyn n'existe plus : il lui faut reconquérir son identité, dans ce siècle lointain.*

**A la poursuite des Slans** (381★★)
*Les Slans sont beaux, intelligents, supérieurs aux hommes : c'est pourquoi ils doivent se dissimuler.*

**La faune de l'espace** (392★★★)
*Au cœur d'un désert d'étoiles, le vaisseau spatial rencontre des êtres fabuleux.*

**L'empire de l'atome** (418★★★)
*L'accession au pouvoir suprême du Seigneur Clane Linn, le mutant aux pouvoirs fabuleux.*

**Le sorcier de Linn** (419★★★)
*La Terre conquise, c'est l'univers hostile des extra-terrestres qui s'oppose désormais au Seigneur Clane, le mutant génial.*

**Les armureries d'Isher** (439★★★)
*Lorsque McAllister entra dans la boutique d'armes, il se trouva dans le futur.*

**Les fabricants d'armes** (440★★★)
*La Guilde a condamné à mort Robert Hedrock, mais il était immortel.*

**Le livre de Ptath** (463★★)
*Après sa mort, le capitaine Peter Holroid se réveille dans le corps du dieu Ptath.*

**La guerre contre le Rull** (475 ★★★)
*Seul Trevor pouvait sauver l'humanité du Rull.*

**Destination univers** (496 ★★★)
*De la Terre jusqu'aux confins de la Galaxie.*

**Ténèbres sur Diamondia** (515 ★★★)
*Il était le colonel Morton, mais aussi des milliers d'autres personnes, y compris 400 prostituées.*

**Créateur d'univers** (529 ★★★)
*La jeune femme qu'il avait tuée l'année précédente l'invita à prendre un verre.*

**Des lendemains qui scintillent** (588 ★★)
*Une invention extraordinaire pourra-t-elle vaincre un pouvoir totalitaire ?*

**L'homme multiplié** (659 ★★)
*Il pouvait échanger son esprit contre celui d'une infinité de créatures humaines.*

**Invasion galactique** (813 ★★★)
*Deux races galactiques s'affrontent sur la Terre.*

**Rencontre cosmique** (975 ★★★)
*Celle d'un vaisseau corsaire de 1704 et d'un astronef du futur.*

**L'été indien d'une paire de lunettes** (1057 ★★)
*Dans ce monde, les hommes sont soumis à la tyrannie des femmes. Mais pourquoi les obligent-elles à porter des lunettes ?*

**Les monstres** (1082 ★★)
*Des créatures venues d'outre-espace menacent l'homme.* (juin 85)

**Les opérateurs humains** (1447 ★★★)
*Un recueil des meilleures nouvelles.*

**A la conquête de Kiber** (1813 ★★)
*Contre sa volonté, il devait tenter de conquérir Kiber, la planète aquatique.*
(mai 85)

## VARLEY John
**Le Canal Ophite** (1463 ★★★)
*Peut-on tuer une femme si ses clones sont là pour la remplacer ?*

## VINGE Joan D.
**La reine des neiges** (1707 ★★★★★)
*Même la mort ne l'empêchera pas de se survivre. Inédit.*

## WILSON Paul F.
**La forteresse noire** (1664 ★★★★)
*Une section S.S. lutte contre un vampire surgi du passé.*

## WINTREBERT Joëlle
**Les maîtres-feu** (1408 ★★★) .
*L'odyssée d'une adolescente et d'un saurien intelligent. Inédit.*
**Chromoville** (1576 ★★★)
*Une féroce guerre de castes. Inédit.*

## XXX
**Univers 1980** (1093 ★★★)
**Univers 1981** (1208 ★★★★)
**Univers 1982** (1340 ★★★★)
**Univers 1983** (1491 ★★★)
**Univers 1985** (1799 ★★★★)
*La série d'anthologies présentant les aspects les plus fascinants de la S-F moderne.*

## ZELAZNY Roger
**L'île des morts** (509 ★★)
*Qui avait bien pu ressusciter plusieurs ennemis de Francis Sandow ?*
**Une rose pour l'ecclésiaste** (1126 ★★★)
*Sur Mars, un Terrien accomplit l'ancienne prophétie.*

# Romans policiers

**ARMSTRONG Charlotte**
**Troublez-moi ce soir** (1767★★★)
*Est-elle une douce baby-sitter ou une folle psychopathe ?*

**BOILEAU-NARCEJAC**
**Les victimes** (1429★★)
*Une inconnue avait pris la place de sa maîtresse.*
**Usurpation d'identité** (1513★★★★)
*Des pastiches étincelants de tous les grands auteurs policiers.*
**Maldonne** (1598★★)
*Il est toujours dangereux de jouer un personnage dans la vie.*

**CASPARY Véra**
**Laura** (1561★★★)
*Peut-on s'éprendre d'une morte sans danger ?*

**DEMOUZON**
**Mouche** (882★★★)
*Un détective de province projeté dans les milieux parisiens du cinéma.*
**Un coup pourri** (919★★★)
*Une trop jolie blonde pour un « privé ».*
**Le premier né d'Egypte** (1017★★★)
*A chaque nouveau meurtre, il raye un nom.*
**Le retour de Luis** (1081★★★)
*Un non-lieu c'est bien, mais si c'est pour se faire descendre après...*
**Adieu, La Jolla** (1207★★★)
*Elle était belle et aussi dangereuse qu'un serpent à sonnettes.*
**Monsieur Abel** (1325★★)
*Un vieil homme solitaire peut-il jouer au redresseur de torts ?*

**Section Rouge de l'Espoir** (1472★★)
*L'explosion révèle l'existence d'un nouveau groupe terroriste.*
**Quidam** (1587★★★)
*Rimbault contemple le carnage : un véritable cauchemar.*
**La pêche au vif** (1779★★★)
*Rien de tel qu'un cadavre pour vous gâter un dimanche.*

**FALK Franz-Rudolf**
**On a tué pendant l'escale** (1647★★★)
*L'atmosphère étouffante d'un port du Moyen Orient.*

**FARREL Henry**
**Qu'est-il arrivé à Baby Jane ?** (1663★★★)
*Le face-à-face tragique de deux anciennes stars.*

**GARDNER Erle Stanley**
**La jeune fille boudeuse** (1459★★★)
*On l'a vue tuer, mais elle est innocente.*
**Sur la corde raide** (1502★★★)
*Perry Mason sera-t-il rayé du barreau ?*
**La nièce du somnambule** (1546★★★)
*Tuer en état de somnambulisme, est-ce un crime ?*
**L'œil de verre** (1574★★)
*Pourquoi voler un œil de verre ?*
**Le canari boiteux** (1632★★★)
*Le canari aurait-il été témoin du meurtre ?*
**La danseuse à l'éventail** (1668★★★)
*Un cheval peut-il être témoin à charge ?*
**La vierge vagabonde** (1780★★★)
*Comment cette innocente jeune fille a-t-elle pu être arrêtée pour vagabondage sur la voie publique ?*

### GRUBB Davis
**La nuit du chasseur** (1431 ★★★)
*Il poursuit ses victimes en chantant des psaumes à la gloire du Seigneur.*

### LEBRUN Michel
**L'Auvergnat** (1460 ★★★)
*Dans son bistrot, tous les paumés de la nuit.*

**Pleins feux sur Sylvie** (1599 ★★)
*Il est parfois dangereux d'être une star.*

### MAC CLOY Helen
**Le miroir obscur** (1430 ★★★)
*A-t-elle le pouvoir de se dédoubler ?*

### McDONALD Gregory
**Fletch** (1705 ★★★)
*Un homme cherche à se faire assassiner.*

**Fletch, à table !** (1737 ★★★)
*Une location avec cadavre de femme nue en prime.*

**Le culot de Fletch** (1812 ★★★)
*Au début il y eut un meurtre devant une caméra, puis bientôt des émeutes sanglantes.* (mai 85)

### MACDONALD Ross
**Un regard d'adieu** (1545 ★★★)
*La peur se tapit derrière les façades des riches villas californiennes.*

**Le frisson** (1573 ★★★)
*Elle s'enfuit le jour de son mariage.*

**L'affaire Wycherly** (1631 ★★★)
*Ou la disparition d'une jeune fille.*

**Le corbillard zébré** (1662 ★★★)
*Burke Damis un coureur de dot ou assassin ?*

**La face obscure du dollar** (1687 ★★★★)
*Le kidnappé serait-il le kidnappeur ?*

**Un mortel air de famille** (1752 ★★★)
*Ce garçon est-il un imposteur malgré sa ressemblance avec son père supposé ?*

**La côte barbare** (1823 ★★★)
*La disparition d'une championne de plongeon fait ressurgir des meurtres anciens.* (juin 85)

### MacGERR Pat
**Un faubourg d'Elseneur** (1446 ★★★)
*Une pièce de théâtre dénonce un meurtre ?*

### MASTERSON Whit
**La soif du mal** (1528 ★★★)
*Que peut un homme seul contre la conspiration du mensonge ?*

### MEYER Nicholas
**La solution à sept pour cent** (1473 ★★★)
*Stupéfiante aventure de Sherlock Holmes.*

### QUEEN Ellery
**La ville maudite** (1445 ★★★)
*Est-il coupable ou cherche-t-il à racheter un crime ancien ?*

**Il était une vieille femme** (1489 ★★★)
*Une comptine rythme des meurtres insensés.*

**Le mystère égyptien** (1514 ★★★)
*... ou la crucifixion d'un maître d'école.*

**Et le huitième jour** (1560 ★★★)
*Ellery pris pour Dieu par des fanatiques.*

**La maison à mi-route** (1586 ★★★)
*Un seul corps pour deux morts différents.*

**Le renard et la digitale** (1613 ★★★)
*Tout l'accuse ... Ellery le croit innocent.*

**La décade prodigieuse** (1646★★★)
*Un meurtre peut-il obéir aux Dix Commandements ?*

**Griffes de velours** (1675★★★)
*Quelle sera la prochaine victime du Chat ?*

**Coup double** (1704★★★)
*Une jeune sauvageonne débarque dans la vie d'Ellery.*

**Le mystère du grenier** (1736★★★)
*Seul un oiseau a été témoin du crime.*

**Le roi est mort** (1766★★★)
*Ellery doit élucider un meurtre impossible dans l'île d'un roi fou.*

**Le mot de la fin** (1797★★★)
*La mort rôdait autour de l'arbre de Noël : Ellery mit plus de vingt ans à comprendre.* (avril 85)

**Un bel endroit privé** (1811★★★)
*Le meurtre fut commis à 9 h 9, le 9ᵉ jour du 9ᵉ mois, et Ellery reçu 9 indices, tous faux.* (mai 85)

# QUENTIN Patrick

**La veuve noire** (1719★★★)
*Il se sentait prisonnier d'une machination mortelle.*

# SADOUL Jacques

**L'héritage Greenwood** (1529★★★)
*Amanda était riche, jeune, belle et dénuée de tous scrupules.*

**La chute de la maison Spencer** (1614★★★)
*La vie d'une enfant de dix ans est menacée.*

**L'inconnue de Las Vegas** (1753★★★)
*Pour retrouver une gamine, Carol Evans doit suivre un chemin parsemé de cadavres.*

# SAYERS Dorothy

**Poison violent** (1718★★★)
*Lord Peter décide d'épouser une femme accusée de meurtre.*

# SPILLANE Mickey

**En quatrième vitesse** (1798★★★)
*Il allait au devant d'ennuis en prenant, la nuit, une auto-stoppeuse nue.* (avril 85)

# SYMONS Julian

**La splendeur des Wainwright** (1432★★★)
*Est-ce son fils ou un imposteur ?*

**Les dessous de l'affaire** (1488★★★)
*On n'empoisonne vraiment bien que dans la bonne société anglaise.*

# VILAR Jean-François

**Passage des singes** (1824★★★)
*Un homme mort peut-il être l'instigateur d'une gigantesque escroquerie ?* (juin 85)

Achevé d'imprimer sur les presses de l'imprimerie Brodard et Taupin
58, rue Jean Bleuzen, Vanves. Usine de La Flèche,
le 15 février 1985
1578-5 Dépôt légal février 1985. ISBN : 2 - 277 - 12475 - 3
1er dépôt légal dans la collection : février 1976
Imprimé en France

**Editions J'ai Lu**
27, rue Cassette, 75006 Paris
*diffusion France et étranger : Flammarion*